I0112708

EL
FUTURO
QUE
SE
ESCAPA

CIRO MURAYAMA

EL FUTURO QUE SE ESCAPA

Neoliberalismo y populismo en el México del siglo XXI

Ariel

© 2025, Ciro Murayama

Diseño de interiores: Elizabeth Estrada Morga
Diseño de portada: Planeta Arte & Diseño / Estudio la fe ciega / Domingo Noé Martínez
Fotografía de portada: © Getty Images
Fotografía del autor: © Enrique Ortiz/El Financiero

Derechos reservados

© 2025, Ediciones Culturales Paidós, S.A. de C.V.
Bajo el sello editorial ARIEL M.R.
Avenida Presidente Masaryk núm. 111,
Piso 2, Polanco V Sección, Miguel Hidalgo
C.P. 11560, Ciudad de México
www.planetadelibros.com.mx
www.paidos.com.mx

Primera edición en formato epub: octubre de 2025
ISBN: 978-607-639-085-6

Primera edición impresa en México: octubre de 2025
ISBN: 978-607-639-084-9

No se permite la reproducción total o parcial de este libro ni su incorporación
a un sistema informático, ni su transmisión en cualquier forma o por cualquier
medio, sea este electrónico, mecánico, por fotocopia, por grabación u otros
métodos, sin el permiso previo y por escrito de los titulares del *copyright*.

Queda expresamente prohibida la utilización o reproducción de este libro o
de cualquiera de sus partes con el propósito de entrenar o alimentar sistemas
o tecnologías de Inteligencia Artificial (IA).

La infracción de los derechos mencionados puede ser constitutiva de delito
contra la propiedad intelectual (Arts. 229 y siguientes de la Ley Federal del
Derecho de Autor y Arts. 424 y siguientes del Código Penal Federal).

Si necesita fotocopiar o escanear algún fragmento de esta obra diríjase al
CeMPro (Centro Mexicano de Protección y Fomento de los Derechos de Autor,
http://www.cempro.org.mx).

Impreso en los talleres de Impregráfica Digital, S.A. de C.V.
Av. 11 No. 463, Interior Bodega 2. Col. San Nicolás Tolentino.
C.P. 09850, Iztapalapa, CDMX
Impreso y hecho en México - *Printed and made in Mexico*

Para María y Julia,
con la esperanza de que la tierra
que las vio nacer ofrezca, algún día, paz
y prosperidad a su gente

«Por encima de todo, el estancamiento interactúa con la desigualdad. La tendencia a la concentración del ingreso y de la riqueza limita la expansión del mercado interno y la desigualdad fomenta el crimen y la violencia, todo lo cual reduce el crecimiento. A su vez, el bajo crecimiento fomenta la desigualdad».

Jaime Ros,
¿Cómo salir de la trampa de lento crecimiento y
alta desigualdad? (2015)

«El drama mayor de nuestra democracia germinal es que ha coincidido con un largo periodo de estancamiento económico y su estela de calamidades sociales».

José Woldenberg,
Cartas a una joven desencantada con la democracia (2018)

ÍNDICE

SEGUNDA PARTE

La frágil democracia: del vasto pluralismo al renacer autoritario

TERCERA PARTE
Economía mexicana:
en el largo estancamiento

INTRODUCCIÓN

Este texto es un recorrido por la historia reciente de México en el plano político, económico y social para entender los aciertos, pero también los errores y las omisiones que nos han apartado de la senda de la democracia y el desarrollo.

El libro presta atención a tres grandes procesos de cambio que ha vivido México: el de su sistema político, el de su economía y el de su profunda transición demográfica. Política, economía y población imbricadas y mutuamente determinadas. Es, entonces, un ensayo desde la perspectiva de las ciencias sociales en México que busca, sobre todo, responder a preguntas y ofrecer evidencia verificable de las transformaciones sustantivas de la vida política y económica del país, siempre teniendo como referencia a sus habitantes y condiciones de vida. Solo aprendiendo de la historia se puede corregir el rumbo del presente y otear un futuro más promisorio. Necesitamos análisis históricos profundos del pasado reciente; este libro es una contribución a ese propósito académico, sí, pero también intelectual y político.

México vive una delicada situación que arriesga su futuro democrático, que es lo mismo que decir que compromete el tipo de Estado y de nación que será. Por ello, es necesario valorar lo que ha ocurrido en este siglo, documentar la rica vida democrática de la que la ciudadanía ha sido partícipe fundamental, y saber lo que se está empezando a perder y lo que merece la pena defender y conservar en el plano político. Porque extraviar las conquistas democráticas, el ejercicio de libertades y derechos políticos, en modo alguno significará estar más cerca de objetivos como la prosperidad material de las mayorías, la equidad social, el acceso a la justicia y la reducción de la inseguridad que, día a día, acecha la existencia de millones y millones de personas a lo largo y ancho del territorio. Es falso que exista una disyuntiva entre libertad política y equidad social, o que la una limite a la otra. El mayor reto de las generaciones actuales de mexicanos es saber combinar la búsqueda y preservación de la democracia y, a la vez, de una sociedad más cohesionada, menos desigual y más justa en el terreno socioeconómico.

En el mundo y en América Latina proliferan opciones políticas de corte autoritario. México no debería tener, como opción al populismo actual, otro desde la extrema derecha, sino reencontrar una senda democrática que tenga también una amplia vocación de equidad y de reconstrucción del tejido social.

El libro se estructura en tres grandes bloques: la primera parte ofrece una visión panorámica con los claroscuros de los primeros 25 años del siglo en México; la segunda parte profundiza en el análisis del sistema político, sus transformaciones y debilidades; por último, la tercera parte se dedica al desempeño de la economía, así como sus resultados sobre la población y su bienestar.

El panorama introductorio, abordado en la primera parte, muestra al lector los activos y avances, tanto en el terreno económico, como en el político y el social para, enseguida, subrayar las insuficiencias acumuladas y persistentes a lo largo de gobiernos de tres partidos políticos distintos (Acción Nacional, Revolucionario Institucional y Morena) que comprometen las posibilidades de un futuro deseable para la nación.

La segunda parte del libro, que profundiza en la vida política, tiene dos propósitos básicos. En primer lugar, documentar la intensa vida democrática que México experimentó durante las primeras dos décadas y media del siglo XXI; y en segundo lugar, explicar y problematizar la creciente fragilidad de la democracia mexicana.

Para ello, se presentará evidencia de las votaciones al Congreso de la Unión y su conformación por ser el espacio donde se expresa el pluralismo, para pasar revista después a las elecciones a la presidencia y, enseguida, ofrecer un panorama de la vida política a nivel local, con el análisis de dos centenas de elecciones a gubernaturas. Se busca explicar y mostrar, con evidencia empírica, que el componente electoral de la vida política mexicana ha funcionado bien —salvo en no permitir una fiel traducción de los votos populares en la conformación del Congreso— y cumple con su finalidad fundamental, por lo que, en lo sustantivo, no están ahí las raíces del déficit democrático del país —a pesar de la inveterada obsesión por realizar reformas electorales, distrayendo energía y atención de otros asuntos de la vida del país donde los avances son más escasos o nulos—. Se ofrece, además, una revisión crítica de las iniciativas de reforma política impulsadas por los últimos cuatro presidentes de México, que en buena medida son reactivas al pluralismo; en contraposición, se presenta una propuesta minimalista para fortalecer la representación de la pluralidad política real de la sociedad —si bien mi convicción es que la gran reforma política sería aquella que le diera a México un régimen parlamentario.

En la sección final de la parte sobre la vida política, en contraste con los indicadores de competitividad del sistema electoral mexicano, se exponen elementos para documentar la fragilidad de la democracia mexicana y la erosión de su base de apoyo entre la ciudadanía. Esta paradoja de la coexistencia de un sistema electoral competitivo con una democracia que, en términos generales, muestra síntomas de retroceso, es la antesala para la revisión, en el siguiente apartado de este libro, de las insuficiencias en materia de bienestar que los gobiernos de la democracia mexicana han producido.

La tercera y última parte se avoca al análisis de la dinámica de la economía y la población. Se hace una revisión de los hechos centrales de la economía mexicana: el desempeño de su producto interno bruto, del producto por habitante y de los indicadores macroeconómicos nominales más socorridos: la suerte de la inflación, del déficit y de la deuda públicos, del tipo de cambio y de los tipos de interés. Una vez revisadas estas variables, se presenta una perspectiva crítica tanto de la política fiscal como de la monetaria, y se señala que, con frecuencia, confundieron instrumentos con fines y lastimaron la capacidad de crecimiento y desarrollo del país.

Enseguida se ofrece el mirador de la dinámica demográfica, de la caída en las tasas de fecundidad y del declive de las tasas de dependencia poblacional que dieron lugar al bono demográfico, y se analiza de qué manera este ha sido o no aprovechado. Para eso, se revisan datos del mercado de trabajo, de la expansión de la fuerza laboral, de las condiciones del empleo en México, de los niveles de informalidad, de la emigración internacional, de la pobreza laboral, y de la exclusión de los trabajadores de las prestaciones que, de acuerdo con la Constitución y las leyes, les deben corresponder. Además, se revisa qué ha pasado con la desigualdad y con la pobreza, para cerrar con una breve reflexión sobre la ausencia de oportunidades para las generaciones jóvenes del país que no solo implican la peor cara del desperdicio del bono demográfico, sino una ausencia de responsabilidad por parte del Estado mexicano de darles un horizonte de seguridad básica, tanto en lo económico como en lo público. A lo largo del texto, además de una perspectiva crítica, se ofrecen alternativas para construir una nueva senda que combine las libertades y los derechos propios de la democracia con mejorías en la calidad de vida y la cohesión social de la población de México en el presente siglo. El autoritarismo y el estancamiento económico no son fatalidades para nuestro país, sino construcciones humanas que deben y pueden ser revertidas en la búsqueda de un horizonte donde coexistan democracia y bienestar.

PRIMERA PARTE

MÉXICO EN EL SIGLO XXI: DE LAS GRANDES EXPECTATIVAS A LAS CRISIS

México comenzó el siglo XXI con la constatación de su novedad democrática, una economía abierta que se insertaba con éxito en los mercados internacionales y una oportunidad de desarrollo única que le dio su estructura poblacional, pues tenía a dos de cada tres personas en edad de producir riqueza. Soplaba un viento favorable para la nación y las expectativas del futuro político, económico y social eran altas.

Un cuarto de siglo después, el panorama es muy distinto, oscuro e, incluso, ominoso.

La dilatada construcción de una democracia constitucional fue revertida hacia un régimen de tipo autoritario y con una concentración de poder sin contrapesos; la economía prolongó su largo estancamiento sin abatir la pobreza ni la desigualdad; y el bono demográfico se desperdició a tal grado que las nuevas generaciones de mexicanos, en su mayoría, viven en la precariedad laboral y la exclusión educativa, y bajo la amenaza de la violencia criminal.

México ha visto retroceder su avance político al punto en que ya no prevalece un sistema constitucional democrático. La economía encara el riesgo de una nueva y prolongada crisis, agudizada por las amenazas proteccionistas y neocolonialistas de la segunda administración de Donald Trump en Estados Unidos, aunque la recesión del crecimiento mexicano había empezado desde antes. La incapacidad de generar bienestar, empleo de calidad, de superar la pobreza y de robustecer la equidad no es culpa de agentes externos: es resultado de acciones y omisiones propias.

Nuestro país vive una profunda crisis de inseguridad y violencia, de captura de vastas zonas del territorio por parte del crimen organizado, el cual suma a decenas de miles de jóvenes a sus filas y también, con impunidad y crueldad, los sacrifica.

Es hora de hacer un corte de caja, de ir más allá de una coyuntura específica para indagar qué pasó con el sistema político y con el manejo de la economía que llevó al país a desembocar en este triple desarreglo nacional: el resurgimiento autoritario, la incapacidad de crecer y procurar bienestar, y la violencia y anomia social.

Es preciso escapar del maniqueísmo, de la idea de que todo lo realizado ha estado o estuvo mal; y en el otro extremo, de la celebración autocomplaciente y acrítica de lo hecho por uno u otro de los gobiernos que México ha tenido a lo largo del siglo. Al contrario, es necesario documentar dónde están o estuvieron los avances políticos, económicos y sociales, para luego atender los errores y las múltiples insuficiencias. Revisar la historia cercana, aportar cifras y datos, y demostrar hechos, es inescapable para entender el presente y delinear escenarios futuros. Renunciar al conocimiento histórico en ciencias sociales es equivalente a despreciar la práctica de laboratorio y la observación en las ciencias exactas, es decir, un despropósito. Veamos, de frente y sin subterfugios, el pasado inmediato. Empecemos por los activos, por los aciertos en política, economía y cuestiones sociales, en ese orden, para luego revisar los pasivos en esa misma secuencia.

I. La llegada a la democracia y la reproducción del pluralismo

Unos años antes del nuevo milenio, en 1996, México se dio reglas e instituciones electorales para asegurar el pleno respeto al voto en elecciones limpias, competitivas y equitativas. Fue el fruto de años de lucha y movilizaciones sociales, y del amplio consenso entre las principales corrientes políticas del país. Así, el viejo anhelo del sufragio efectivo se hizo realidad.

Las elecciones dejaron de ser un ritual con ganadores y perdedores predeterminados, y se volvieron auténticas disputas democráticas donde la única y última palabra la tuvo la ciudadanía. Pasamos de un modelo donde no había certeza en el procedimiento, pero se conocía de antemano quién iba a ganar, a otro donde se dio certidumbre en los procedimientos e incertidumbre en el resultado. Se concretó la única incertidumbre legítima en democracia: el libre veredicto ciudadano en las urnas.

Con elecciones en condiciones de equidad y respeto al voto, en 1997, el Partido Revolucionario Institucional (PRI), había perdido, al fin, la mayoría absoluta en la Cámara de Diputados. Fue el primer gran paso político para desmontar al viejo presidencialismo mexicano. Con su voto, la ciudadanía obligó al presidente y a su partido a negociar cada ley e iniciativa con las oposiciones. El presidente dejó de mandar sobre el Congreso. Se concretó también la división de poderes, que llevaba ochenta años escrita en la Constitución de 1917.

En la primera cita electoral federal del siglo XXI, en el año 2000, tras setenta años ininterrumpidos de gobiernos del PRI, el voto popular determinó la alternancia en la presidencia de la República. La transición de gobierno fue pacífica, cívica, institucional. El partido que se reclamó heredero de la Revolución mexicana abandonó el poder por el veredicto de las urnas y se volvió una fuerza política más. Se había desmontado el partido hegemónico.

En esas mismas elecciones federales, el Partido Acción Nacional (PAN) llegó al gobierno. Sin embargo, no se hizo con la mayoría de la Cámara de Diputados ni con la del Senado. Ambas cámaras del Congreso de la Unión se volvieron espacios del pluralismo, donde era necesario el diálogo, la negociación y el acuerdo. La imposición de una fuerza política sobre las demás era imposible. El ejercicio del poder se volvió compartido. La lógica autoritaria de «uno manda y los demás obedecen» quedaba, para bien, en el pasado.

Las novedades democráticas no se limitaron al ámbito federal; es más, las alternancias habían iniciado antes en las entidades: desde 1989, el PAN había conquistado su primera gubernatura, en Baja California, y la izquierda, agrupada en el Partido de la Revolución Democrática (PRD), había hecho lo propio al triunfar en la primera elección a la jefatura de Gobierno del Distrito Federal en 1997. Los gobernadores dejaron de llegar a su puesto por una concesión de la presidencia para deber su cargo al electorado de sus demarcaciones. Había echado a andar así, por voluntad ciudadana, el federalismo que, durante décadas, permaneció asfixiado por el centralismo.

El mapa político de México se volvió multicolor. Ya no era *el* partido del gobierno, sino diversos partidos gobernando distintas entidades y en diferentes municipios. El presidente de un partido convivía con gobernadores de dos o tres partidos diferentes, y esos gobernadores coexistían con alcaldes surgidos de siglas políticas muy distintas. Ese sistema político diverso no era sino la expresión de una sociedad plural, que no se reconocía nada más en un partido o alternativa; el pluralismo social real se volvió diversidad política formal.

Como el presidente ya no tenía el control del Congreso ni de los gobernadores, y estos tampoco controlaban a los presidentes municipales, se había terminado también con la institución del presidencialismo metaconstitucional como árbitro supremo de las disputas políticas. El presidente era un actor principalísimo, pero no era más el juez ni el poseedor de la palabra final.

El Poder Judicial de la Federación adquirió, entonces, el papel que le correspondía. Las controversias entre el presidente y el Congreso, y entre las entidades federativas y el Ejecutivo, fueron resueltas por la Suprema Corte de Justicia de la Nación. Así entró en operación otro componente fundamental de la división de poderes: el control constitucional sobre los actos del poder y la independencia del Poder Judicial frente al político.

La agenda de la democratización —impulsada por iniciativas surgidas de la sociedad civil— se movió del foco electoral a otros temas relevantes, como los derechos humanos, la transparencia y la rendición de cuentas, los derechos de las audiencias de los medios de comunicación o la competencia económica. Ello dio pie a que se crearan, otra vez con el consenso de todas las fuerzas políticas, órganos autónomos para garantizar derechos fundamentales, ajenos al ámbito de decisión del Ejecutivo. Fue una forma de evitar la discrecionalidad presidencial sobre la garantía de derechos básicos y, a la vez, de promover la profesionalización de las instituciones.

La ciudadanía, al ejercer su voto, no se conformó con una alternancia. Después de darle dos oportunidades al PAN, en 2012 el electorado echó a ese partido de la presidencia y votó, de nuevo, por el PRI. Así es la democracia: ningún triunfo es para siempre.

El pluralismo siguió expresándose con contundencia en las elecciones al Congreso: nunca, desde el siglo pasado hasta 2024, un solo partido ha obtenido el 50% o más de los votos a la Cámara de Diputados o al Senado. Las votaciones al parlamento demuestran que no existe un partido mayoritario: México es un país de muchas minorías.

Los partidos que protagonizaron la democratización (PRI, PAN y PRD) no estaban solos. Surgieron otras opciones, muchas de ellas efímeras, y otras que lograron refrendar su registro en las urnas. Esa apertura política permitió, por ejemplo, el nacimiento del partido Morena en 2014. Así, el sistema de partidos permaneció abierto, no fue un club cerrado solo para sus socios fundadores.

En las entidades y los municipios se vivía una era intensa de alternancias políticas. Entre 1989 y 2024 se celebraron 203 elecciones a gubernaturas. De ellas, las candidaturas de oposición triunfaron en 78 ocasiones. Es decir, en cuatro de cada diez votaciones se produjo una alternancia. En 31 de las 32 entidades se ha vivido el cambio de gobierno local. Pero si se consideran las 63 elecciones a gubernatura realizadas en los últimos 10 años, las oposiciones ganaron 42 de ellas, es decir, dos de cada tres. Ello expresa que existe el doble de posibilidades de que, en una elección local, el partido gobernante pierda. La ciudadanía es experta en usar su voto de castigo.

Los tres primeros presidentes de este siglo (2000-2018) convivieron con un Congreso donde no tuvieron mayoría en ninguna de las Cámaras. Fue la época de gobiernos divididos que, sin embargo, no impidió el acuerdo para pactar leyes y presupuestos, e incluso para reformar la Constitución. Pero estas reformas fueron, siempre, fruto del consenso democrático y no de una imposición unilateral.

El sistema electoral mexicano dio garantías a todos los competidores. La máxima que dice que, en la democracia, las minorías tienen el derecho a convertirse en mayorías, se acreditó con claridad.

En 2018, el joven partido Morena llegó al poder por veredicto de las urnas. En menos de veinte años se habían producido tres alternancias en la presidencia del país, y fuerzas de todo el espectro político habían llegado al gobierno.

La vida democrática de México —fruto del respeto al voto y, sobre todo, de la expresión de una ciudadanía plural y participativa—, se constató una y otra vez en las primeras dos décadas del siglo XXI.

La democracia no ha sido el estado natural de nuestra república. En dos siglos de existencia como nación independiente —entre 1821 y 2025—, apenas durante poco más de dos décadas —entre 1997 y 2018—, el país logró darse un método plenamente democrático para renovar sus poderes. La democracia fue una construcción lenta, esquiva. Sin embargo, se convirtió en una realidad. México fue una democracia política plena en las dos primeras décadas de la centuria en curso. No fue un regalo desde el poder, ni una aparición. Fue el resultado de luchas, acuerdos y procesos políticos donde participaron miles de actores y millones de ciudadanos.

Sin embargo, todos los avances significativos de la democratización están en serio peligro.

II. Una economía abierta y en equilibrio

El nuevo milenio inició con un amplio consenso internacional en favor del libre comercio, y México fue una de las naciones protagonistas de la inserción económica en la zona de integración regional donde se ubica la principal potencia del orbe: América del Norte.

Entre 2000 y 2022, las exportaciones mexicanas crecieron un 142%, muy por encima del desempeño exportador de Estados Unidos (72%) y de Canadá (19%). La tasa media de crecimiento anual de las ventas de productos mexicanos al exterior fue de 4.1%. Ello habla de una economía que se abrió al mundo, que sobre todo ofreció productos industriales, y que ganó presencia en el comercio internacional. Hay industrias de alto valor agregado, como la automotriz, donde nuestro país es protagonista global. El éxito exportador de México es innegable.

La economía mexicana también fue muy exitosa como destino de la inversión extranjera directa (IED). Mientras en el año 2000 se recibieron 18 mil millones de dólares de IED, para 2022 la suma llegó a 39 mil millones, un crecimiento del 112%. La captación de inversión extranjera en México aumentó a una velocidad mucho mayor que la que vivieron Estados Unidos y Canadá, e incluso la del promedio de los países que conforman la Organización para la Cooperación y el Desarrollo Económicos (OCDE).

En el plano interno, México logró deshacerse de los enormes desequilibrios macroeconómicos que habían lastrado su desempeño en el pasado. En todo este siglo, por ejemplo, la inflación no ha llegado a los dos dígitos. Durante la década de 1980, sin embargo, fue mayor a 150% en un solo año. La estabilidad de precios es una constante del panorama económico de México; la hiperinflación se ha desterrado del escenario. El banco central ha jugado un papel determinante.

La moneda nacional, el peso, no ha sufrido drásticas devaluaciones. El valor del peso al cumplirse el primer cuarto del siglo XXI es muy similar al que tenía al inicio. Incluso, hemos tenido periodos de importante apreciación del tipo de cambio frente a otras divisas. Lejos están las devaluaciones del 90%, como la que se tuvo en la crisis de 1994. La moneda se mantiene estable. Los escenarios de pánico y corridas contra el peso dieron paso a la confianza.

En materia de tipos de interés, las últimas dos décadas han estado por debajo de los dos dígitos, lo que contrasta con las tasas de interés del 70% para atraer capitales durante la crisis de la década de 1990.

Una carta de presentación del manejo responsable de la economía mexicana ante las calificadoras internacionales es la equilibrada situación de las finanzas públicas. Entre 2000 y 2023, el déficit público fue de 1.7% en promedio, muy por debajo de los déficits que suelen mostrar las economías desarrolladas. Lo mismo pasa con la deuda pública: ronda el 50% del PIB cuando en Estados Unidos, por ejemplo, es de más del 135%, y en el promedio de la OCDE supera el 120%. La disciplina fiscal es una característica indudable de la conducción de la economía mexicana.

Ahí los aciertos: una economía abierta al mundo y con amplia inserción en los mercados internacionales, equilibrada en sus precios internos y en su tipo de cambio, y responsable en sus finanzas públicas. Pero, también, una economía de pobre crecimiento.

III. Una población joven, productiva y más educada

El bono demográfico constituye una de las grandes oportunidades estructurales para el desarrollo de México y el bienestar de su gente. Al iniciar el siglo, en el año 2000, había 58 millones de personas en edad productiva, es decir, que tenían entre 15 y 64 años; esto representaba el 60% del total de la población. Para la segunda década del siglo, la población en esa franja de edad se había extendido hasta los 84 millones de personas, esto es, ya eran el 66%, o dos de cada tres habitantes.

A la par, disminuyó el peso de la población en edad de dependencia: la de 14 años o menos y la de 65 años o más. Esto implica que la demografía le dio un gran obsequio a la economía: en tanto se reducía el aumento en el número de bocas que alimentar, crecía rápidamente el número de manos dispuestas a trabajar y producir riqueza.

Mientras que la población total aumentó entre 2000 y 2023 en 33%, la población en edad laboral lo hizo en 49%. Pero no solo es que hubiera más gente en edad de trabajar, también hubo más dispuesta a sumarse a la actividad productiva: la población económicamente activa se extendió en 55% en esos años.

La cuantía del bono demográfico, esto es, la expansión de los habitantes en edad laboral por el cambio en la estructura de la población se estima en 10.7 millones de personas adicionales. Una buena nueva para la estructura productiva.

Pero no solo fue un importante incremento cuantitativo, sino también cualitativo, ya que la escolaridad de los trabajadores mejoró. Mientras que, en 2005, el 44% de los trabajadores tenía primaria completa o menos y solo 24% había cursado estudios de educación media superior o superior, para 2023 los que tenían primaria completa o menos eran 22% y los que contaban con estudios medios superiores o superiores eran 44%. La dotación de capital humano en México mejoró significativamente.

Pero el bono demográfico tiene fecha de caducidad y le seguirá el rápido envejecimiento de la población a partir de 2030.

Es momento de revisar los pasivos, los faltantes y los errores en los campos de la política y la economía, así como sus efectos en la calidad de vida de la gente.

IV. Un sistema político autorreferencial, desentendido de la cuestión social

La vertiginosa vida política de México, con fenómenos de alternancia, gobiernos divididos, votos de castigo, partidos emergentes y múltiples alternancias no dio lugar a que el aprecio por la democracia echara raíces profundas en la sociedad.

El respaldo social a la democracia fue mayoritario, pero tendió a declinar. De acuerdo con datos de la encuesta Latinobarómetro, que se levanta en América Latina de forma ininterrumpida desde hace tres décadas, el número de mexicanos que prefiere la democracia por encima de cualquier otra forma de gobierno ha disminuido en lo que va del siglo. A la vez, el porcentaje de quienes consideran que, en algunas circunstancias, sería mejor un gobierno autoritario que uno democrático, ha aumentado.

En especial, ha caído el aprecio hacia los partidos políticos y los legisladores, instrumentos indispensables de un sistema democrático. Pero la desconfianza no se reduce solo a esos actores. Cuando se pregunta por la policía, el Poder Judicial o los sindicatos, el rechazo es abrumador. Los ciudadanos no confían tampoco en los demás: dos de cada tres mexicanos sienten desconfianza de otros conciudadanos.

Preocupación particular causa el hecho de que, en los últimos veinte años, el número de mexicanos que afirmaban que bajo ninguna circunstancia apoyarían a un gobierno militar ha decaído: de 60.5% en 2004, a 52% en 2023. En consecuencia, la disposición a apoyar gobiernos castrenses creció de 15.7 a 41.7 por ciento.

No basta con tener elecciones limpias para generar base social suficiente y sostenible para la democracia.

El descontento con la democracia tiene un nutriente material: la gente no está satisfecha con su situación económica; tres de cada cuatro habitantes de México expresan su insatisfacción con la economía. Lo anterior evidencia una democracia con pobres resultados y baja calidad, más allá de los buenos indicadores de competitividad electoral.

México ha sido gobernado por tres fuerzas políticas distintas durante el primer cuarto del siglo XXI. Los partidos políticos, en plural, habitaron el Congreso de la Unión, donde se toman decisiones fundamentales para la marcha del país, como aquellas referidas a los ingresos y gastos de la federación, de los que depende la capacidad del Estado mexicano para proveer bienes y servicios públicos y garantizar los derechos consagrados en la Constitución.

Las profundas transformaciones del sistema político hicieron que el poder fuera compartido, pero no compartieron un sentido profundo de responsabilidad de Estado. Así, por ejemplo, la recaudación fiscal de los gobiernos de la democracia se mantuvo tan exigua como en los gobiernos autoritarios del siglo pasado. La legitimidad democrática no se volvió legitimidad para la recaudación fiscal.

Actores políticos de todos los colores rehusaron impulsar una profunda reforma fiscal, recaudatoria y redistributiva, y rehuyeron los costos políticos de esa decisión. Hubo una suerte de consenso en la irresponsabilidad: el gasto público se acordaba entre distintas fuerzas, pero todos eludieron nutrir las finanzas públicas de forma sostenible. Para ello acudieron al uso de los excedentes petroleros como si no fueran un recurso finito.

Se acordaron múltiples reformas, casi todas encomiables en sus propósitos, que ampliaban derechos: se extendió la escolaridad obligatoria; se anunció el acceso a la salud como derecho universal; se dio derecho al acceso a agua limpia, a la alimentación saludable y al medio ambiente sano; pero jamás se hizo el correspondiente ejercicio de calcular los recursos que era necesario incrementar para las arcas públicas, a efecto de que esas reformas no fueran una suerte de mera demagogia parlamentaria.

Ha habido decenas de gobernadores del PRI, PAN, PRD, Morena, Partido Verde, Movimiento Ciudadano y otros más, pero es difícil distinguir la obra de gobierno de unos y otros. De todas esas siglas emanaron diferentes gobernadores que incurrieron en actos de corrupción desbordada, con frecuencia obscena y cínica. Los partidos cruzaron acusaciones, pero siempre defendieron a los suyos. Dieron una amplia lección anticívica: solo importan la corrupción y el enriquecimiento ilícito si los cometen los adversarios políticos.

Las rigurosas mediciones de la pobreza demostraban, una y otra vez, la más lamentable característica de la realidad mexicana: la exclusión, la marginación y la desigualdad que cruzan toda la vida y los ámbitos del país. Pero los beneficiarios directos de la democratización —los cargos políticos electos—, instalados en la autocomplacencia, no colocaron en el centro de sus prioridades el combate frontal a la desigualdad con los únicos instrumentos exitosos de los que disponen las naciones para ello: el crecimiento económico, la progresividad tributaria, y un gasto público que genere bienes y servicios públicos de buena calidad. No se entendió que, sin resultados tangibles, la democracia pierde base y apoyo social.

La democracia mexicana siempre padeció de precaria salud. Tuvo el mal hábito de no combatir las afecciones sociales más graves del país: la desigualdad y la pobreza masiva. La cuestión social no estuvo en el centro de la agenda democrática. Encima, la atacaría una infección de violencia delincuencial.

Pese a la persistencia de profundas carencias materiales de franjas enormes de la población y de la muy asimétrica distribución del ingreso, la cuestión social no fue colocada como la prioridad inequívoca de los gobiernos y las legislaturas emanadas de los comicios limpios. Se ignoraron las advertencias que, desde inicio del siglo, hizo el Programa de Naciones Unidas para el Desarrollo (PNUD) en su temprano informe, *La democracia en América Latina* (2004), cuando subrayó que los avances políticos en la región estaban en tensión con la persistencia de altas tasas de pobreza y desigualdad, por lo que alertó que la insatisfacción *en* la democracia podía volverse insatisfacción *con* la democracia.

Permitieron, así, que el desencanto se extendiera y que se dieran las bases para que cundiera una enfermedad común de las democracias contemporáneas: el populismo autoritario a través del cual líderes electos democráticamente deciden cometer el «democidio», es decir, el asesinato del sistema democrático.

V. Política económica: la equidad como un residuo, no como objetivo central

Los buenos datos de inserción internacional y de equilibrios macroeconómicos de México contrastan con su penoso nivel de crecimiento a lo largo del siglo. El ritmo de crecimiento económico en estos años ronda el 1.5% anual, apenas una cuarta parte del 6% que se logró durante el desarrollo estabilizador (que fue de la década de 1950 a inicios de la de 1970). Visto en términos del producto por persona, este avanzó nada más al 0.29% anual en los años recientes, lo que equivale a menos de un tercio de punto porcentual cada año. Si en la década de 1970, México duplicaba su PIB por persona cada veinte años, al ritmo registrado en el presente siglo, tardaríamos doscientos cincuenta años en generar el doble de riqueza por habitante.

La mediocridad de la economía ha sido una constante de los gobiernos surgidos de la democracia: con Vicente Fox, el crecimiento promedio fue de 1.9%; con Felipe Calderón, de 1.4%; con Enrique Peña Nieto, de 2%; y el peor fue Andrés Manuel López Obrador, con 0.9 por ciento.

El bajo crecimiento generó que, en vez de convergencia económica con los países socios del Tratado de Libre Comercio de América del Norte, se diera una divergencia. En el año 2000, el PIB per cápita de México era el 37% del de Estados Unidos y el 46% del de Canadá; dos décadas después había caído al 30% respecto al del vecino del norte y a 41% frente a Canadá. El país pobre se rezagó más.

Ha sido tan malo el desempeño de nuestra economía que al inicio de siglo el PIB per cápita del país superaba en 59% al del promedio mundial; para 2022 solo era 10% más que el del orbe.

Mientras México era en el año 2000 el lugar 50 del mundo en PIB por persona, dos décadas después había caído al lugar 72. En ese lapso más de veinte países rebasaron el PIB per cápita de México, entre ellos Costa Rica, Chile, Panamá y Uruguay en América Latina, y en el resto del mundo Lituania, Malasia, Polonia, Rusia y Turquía, por ejemplo.

En lo que va del siglo, también se estancó la mejoría en el índice de desarrollo humano (IDH) del país. México forma parte de los países con IDH alto, un grupo de naciones que vio mejorar su índice de desarrollo en 22%; pero nuestro país lo hizo a menos de la mitad: solo 10.2 por ciento

Los equilibrios macroeconómicos con frecuencia se lograron a costa de castigar el crecimiento. Por ejemplo, el bajo nivel de déficit es resultado de restar el gasto de los ingresos públicos, pero México tiene un muy precario nivel de recaudación fiscal que, necesariamente, implica un volumen de gasto por demás restringido.

Como a lo largo de los años de la democracia se renunció a una reforma fiscal importante para mejorar de manera significativa la recaudación —solo se dio un avance, limitado, en 2013, y pronto se desistió de seguir adelante—, el control del déficit fue sinónimo de gasto público pobre. Peor aún, significó castigar la inversión pública, es decir, restar nutrientes a la capacidad productiva de México que, en consecuencia, no despegó.

Por ello puede hablarse de que la «salud» de las finanzas públicas se consiguió por la vía espuria: no incrementando la recaudación, el gasto y la inversión, sino a través de míseros niveles de inversión y gasto públicos para que se pudiera obtener el equilibrio. El resultado fue el mediocre crecimiento económico.

La caída de la inversión pública se tradujo, además, en un paupérrimo nivel de formación bruta de capital, a pesar de que mejoró la contribución de la inversión privada. La retracción de la inversión pública hizo que resultara insuficiente el volumen de inversión privada. En suma, se obtuvieron finanzas públicas relativamente estables a costa de sacrificar el crecimiento y, con él, la creación de empleo y bienestar.

Además, el hecho de que México recaude menos del 17% del PIB de ingresos tributarios —la mitad que los países de la OCDE—, y tenga un gasto público escaso hace que la intervención del Estado en la economía no tenga efectos redistributivos, como sí ocurre en otros países. La política fiscal que ha seguido México a lo largo del siglo reproduce y deja intacta la honda desigualdad social en el país. Es una política fiscal que favorece a los más acomodados y no beneficia a los más desfavorecidos.

La política monetaria, por su parte, si bien consiguió eliminar episodios de inflación desbordada, puso énfasis en el incremento de las tasas de interés y en la apreciación del tipo de cambio para anclar los precios. Como el Banco de México tiene como mandato único mantener la capacidad adquisitiva de la moneda y no promover el crecimiento del empleo, como sí ocurre con la Reserva Federal en Estados Unidos, la prioridad del banco central mexicano fue siempre enfriar la economía. Un tipo de cambio real persistentemente sobrevaluado lastimó a los sectores más dinámicos tecnológicamente —los productores de bienes comerciables—, al tiempo que desestimuló la innovación productiva.

Tanto la política fiscal como la monetaria adquirieron características procíclicas que indujeron el mal crecimiento de la economía durante todo este siglo.

México tuvo una política económica nominal exitosa si se piensa que lo más importante son indicadores como la inflación, el déficit, la deuda, los precios y el tipo de cambio. Pero esas variables no hablan de las condiciones de vida de la población: desde este punto de vista, la política económica ha sido un fracaso, pues no logró generar crecimiento ni empleo digno, ni eliminar la pobreza ni reducir la profunda desigualdad. Fue una política económica para las minorías, y ese es un lujo que ninguna democracia debe darse a riesgo de herirse a sí misma.

VI. Pobreza, desigualdad y marginación persistentes

Los saldos sociales de la economía estancada están a la vista. La mayoría del empleo en el país sigue siendo informal, pues la expansión de la fuerza de trabajo, que además contó con más escolaridad que en el pasado, desbordó la capacidad de absorción por parte de la economía formal, así que más de la mitad de los trabajadores son informales; se trata de más de 32 millones de personas que carecen de las prestaciones que la Constitución y la ley señalan que deben tener.

Además, cuatro de cada diez trabajadores se encuentran en una situación de pobreza laboral: el fruto de su trabajo no les permite cubrir el costo de una canasta básica para sostener a sus familias.

Los salarios de los trabajadores en México siguen siendo muy bajos. El salario mínimo apenas representa una cuarta parte del salario medio cotizado al Instituto Mexicano del Seguro Social. Aunado a esto, la masa salarial total, es decir, los ingresos que reciben todos los trabajadores del país equivalen a algo más de una cuarta parte del PIB de México, cuando ese porcentaje se sitúa arriba del 60% en los países de la OCDE: la conclusión es que nuestro país tiene una mala distribución de la riqueza por la prevalencia de bajos salarios.

Con empleo precario y de baja calidad, la vida del grueso de la población que se mantiene con el fruto de su trabajo diario será de baja calidad. Eso pasa en México y la democracia no lo resolvió.

El 10% más rico de la población, en solitario, gana en un año dos veces lo que logra reunir todo el 40% más pobre. México es uno de los países más desiguales del planeta sin que sus élites económicas y políticas hayan entendido que eso compromete no solo la cohesión social, sino la viabilidad del conjunto del país. México cruza el primer cuarto del siglo XXI con más de 45 millones de personas pobres.

En las últimas dos décadas y media, 53 millones de mexicanos cumplieron los 18 años, que es la edad de ciudadanía. De ellos, más de una tercera parte no logró cursar el bachillerato, aun cuando ya es un nivel de enseñanza obligatoria; y dos de cada tres no llegan a la educación superior; y cuando se incorporan al mercado de trabajo, más de la mitad no encuentra una ocupación formal.

El bono demográfico no solo se ha desperdiciado, sino que sus generaciones más importantes han sido marginadas y, también, agredidas por la violencia criminal. Casi una tercera parte de los jóvenes varones de entre 20 y 29 años que pierden la vida lo hacen por violencia intencional. Además, el porcentaje de mujeres jóvenes que pueden morir asesinadas se ha multiplicado por tres durante este siglo.

Sin acceso a la educación, sin empleo formal, llegando a la edad de ciudadanía por millones y sin expectativas de futuro, los jóvenes mexicanos corren el riesgo de convertirse en un amplísimo ejército delincuencial de reserva para los grupos criminales, que los reclutan y sacrifican sin miramiento ni humanidad alguna ante la indiferencia del Estado que, en este campo, falta a la más elemental de sus responsabilidades.

Además, la gran ventana de oportunidad del bono demográfico empieza a cerrarse: en 2030 habrá más personas mayores de 65 años que menores de 15, lo cual indica que ya arrancó el envejecimiento de la población, el cual avanzará a ritmo veloz durante las próximas décadas. Otras naciones que han experimentado el envejecimiento, como las europeas, lo hicieron después de construir Estados de bienestar; nuestra sociedad llegará al envejecimiento en la precariedad, la escasez de recursos públicos, sin salud universal y sin un sistema de cuidados. Y la minoría que logre acceder a una pensión contributiva recibirá ingresos insuficientes para, por ejemplo, enfrentar el costo del acceso efectivo a servicios de salud. México ya no será un país de jóvenes, sino de millones de viejos en pobreza.

México sigue siendo un vasto territorio caracterizado por una vieja y pobre infraestructura tanto urbana como carretera, poblado de baches y topes, con vías de comunicación inseguras para conducir y transitar por ellas, y carencias en el alumbrado público, el surtido de agua potable y el drenaje, y sin transporte urbano digno y seguro. La suciedad se multiplica aquí y allá, junto con los puestos de comida callejera y los talleres precarios intensivos en fuerza de trabajo pero con poco capital, que se intercalan con casas de usura y tiendas de conveniencia que ofrecen alimentos chatarra. En los municipios más poblados se multiplican plazas comerciales con bancos, tiendas de electrodomésticos y cadenas de salas de cine en auge ante el consumo masivo, el cual deja enormes ganancias por las compras de millones y millones de familias integradas por trabajadores pobres y precarios. Hubo quien creyó ver en esas plazas comerciales la extensión de la clase media, pero no es así: son los lugares de consumo de la pobreza urbana masiva, compuesta por familias con más integrantes contribuyendo al ingreso, pero que viven entre la inseguridad pública, la precariedad económica, el hartazgo social y la violencia cotidiana.

Ese México no es el rostro del país desarrollado que el inicio de siglo pudo prometer, sino la cara de un país violento y con un tejido social roto.

VII. El consenso neoliberal y populista: el abandono del desarrollo

La paradoja es que, a pesar de la contundente evidencia de que la economía mexicana no despega y no genera suficiente empleo ni bienestar, no se cuestione la política económica. Los gobiernos de partidos del PAN, PRI y Morena han sido consistentes en mantener intactos los dogmas de manejo económico de corte neoliberal.

Por «neoliberal» debe entenderse una visión económica inspirada en la escuela neoclásica de economía, que es hegemónica en las universidades y *think-tanks* del orbe entero, que considera que el mercado por sí mismo puede inducir el crecimiento y sortear sus desequilibrios, es contraria a la regulación e intervención del Estado y tiene escaso o nulo compromiso con la equidad social. Para la escuela neoclásica, la historia económica es irrelevante, y sus postulados son ahistóricos y pretenden tener validez para cumplirse en cualquier lugar y contexto.

Persiste en México una suerte de consenso neoliberal transversal entre los partidos políticos que empieza con la renuncia a una reforma fiscal orientada a incrementar la recaudación y el gasto. Puede decirse que, desde el punto de vista de un programa político que se identifica como izquierda socialdemócrata, México no tiene una fuerza política relevante de esa inspiración. Del PAN a Morena, la visión fiscal es la de los partidos conservadores en el mundo.

Pero los políticos han aprendido a temer las reacciones de las calificadoras internacionales y rehúyen el déficit y la deuda incluso cuando hay espacio fiscal para ello, como en los años posteriores a la crisis de 2008-2009, cuando las tasas de interés en el mundo cayeron hasta hacer el crédito muy accesible para financiar proyectos de desarrollo. Así que la salida ha sido castigar el gasto y, como ya se decía, la inversión.

Los programas sociales de combate a la pobreza iniciaron desde el siglo pasado y sus efectos fueron más de contención de la pobreza que de generación de capacidades de desarrollo y de logros en equidad social. Durante los años del gobierno de López Obrador los programas sociales basados en transferencias se expandieron, pero como se hizo dentro de una marcada escasez de ingresos tributarios, ello implicó castigar partidas de gasto social vinculadas directamente con los derechos fundamentales y con las posibilidades de desarrollo: se estancó o recortó el gasto en educación, en salud, en vivienda y en medio ambiente. Las transferencias directas tienen escaso efecto sobre la reducción de la desigualdad, su contribución a la disminución de la pobreza es menor y se hacen a costa de lesionar el acceso a bienes y servicios públicos de calidad. En vez de pensar en un sistema educativo o de salud que dé paso a una ciudadanía que ejerce sus derechos y cumple con sus obligaciones, se apuesta por una política de reparto de efectivo con fines primeramente electorales. Importa ganar elecciones, no cambiar de forma estructural las condiciones de vida de la gente. Se trata de un populismo neoliberal.

Bien vistas las cosas, tanto el neoliberalismo más ortodoxo como el populismo neoliberal se encuentran satisfechos como una economía de bajo dinamismo, escasa recaudación y pobres niveles de gasto e inversión públicos. A los primeros les bastaba con el reconocimiento de las calificadoras internacionales; a los segundos, con ganar elecciones. Ninguno tuvo un compromiso con el desarrollo económico ni con incrementar, en lo sustantivo, el bienestar social del país.

Además, se construyó una leyenda negra que llevó al abandono, por completo, de la política industrial y de fomento productivo a lo largo de este siglo. También fue pasando al olvido y perdiendo importancia la banca de desarrollo.

En política monetaria, el consenso no solo fue en favor de la autonomía del Banco de México, que debe preservarse, sino que ningún partido político ha propuesto revisar siquiera el mandato único del banco central. La política monetaria no se discute, no se cuestiona, quizá tampoco se entienda desde el campo político. Tan es así que, cuando la moneda se sobrevalúa y el dólar se abarata, hay un consenso en aplaudir el «superpeso», sin entender el daño que ello les ocasiona a las exportaciones, a los sectores modernos de la producción o a las remesas que envían los connacionales.

Durante muchos años, el consenso neoliberal impulsó la contención salarial para así, supuestamente, mejorar la competitividad de la economía. El resultado fue la pobreza de los trabajadores, la persistencia de la desigualdad, y el castigo al consumo y a la demanda agregada, con efecto directo sobre el bajo crecimiento del producto.

El único giro importante ha sido en política salarial, cuando el salario mínimo se empezó a recuperar a partir de 2016 y, de manera significativa, desde 2019. Sin embargo, existen resistencias para reconocer que se ha tratado de una política venturosa por sus efectos significativos, aunque aún insuficientes en reducción de la pobreza, en mejoría de la masa salarial y en disminución de la desigualdad. El papel del Banco de México, que en su momento alertó contra una política explícita de recuperación del salario mínimo, y señaló riesgos de extensión del desempleo, la informalidad y la inflación —que no ocurrieron—, da cuenta de cómo el dogma ideológico puede nublar la comprensión económica incluso en instituciones tan serias como el banco central.

En este escenario de inversión reducida, con políticas fiscales y monetarias que desestimularon el dinamismo económico, la productividad también se estancó. Así que el poco crecimiento experimentado por la economía se debió, sobre todo, a la expansión de la fuerza de trabajo. México vivió un favorable choque de oferta laboral que provocó el escaso avance registrado en la producción en lo que va del siglo.

El mal desempeño macroeconómico del país se debe, en lo fundamental, a las políticas macroeconómicas seguidas. Guiados por la estrella polar de la economía ortodoxa, los responsables de conducir la política económica de México fueron incapaces de ofrecer buenos resultados en términos de crecimiento, pero, en especial, se mostraron del todo insensibles a las condiciones de vida de la mayoría de la población. Esa irresponsabilidad social es, a la vez, irresponsabilidad política. Con su cerrazón, y su desprecio a los indicadores de pobreza y bienestar, quienes condujeron la política fiscal y monetaria de México contribuyeron a perder el bono demográfico, pero también ayudaron, aun sin saberlo, al deterioro del aprecio por la democracia y al avance de un discurso populista y autoritario que acabó por derruir la mejor obra de la sociedad mexicana de las últimas décadas: la edificación de una democracia constitucional.

El populismo es ese fenómeno político en el cual se llega al poder por elecciones libres denunciando la corrupción de las élites y apelando al descontento social. Una vez en el poder, el líder le habla al pueblo, al cual ve como una masa uniforme de la que excluye a quien no le sigue con obediencia como gobernante. El populismo ataca y destruye a las instituciones de intermediación con la sociedad, concentra el poder, fractura la división de poderes y busca asfixiar a la disidencia —llámese prensa libre, o pensamiento crítico originado en la vida intelectual, las universidades o la sociedad civil—. El populismo es una suerte de enfermedad autoinmune de la democracia, que se genera en su interior hasta desfigurarla.

Por ello, salir del populismo no quiere decir regresar al punto de partida previo, pues, como ha insistido Nadia Urbinati —politóloga italiana, profesora de la Universidad de Columbia en Nueva York y autora del importante libro *Yo, el pueblo. Cómo el populismo transforma la democracia*—, ese punto de partida es precisamente el que prohijó al populismo. Hacerse cargo de la cuestión social y de la equidad es condición indispensable para que la democracia no sea arrasada por los mesías autoritarios que se multiplican en el mundo y que México también padece.

Uno de nuestros estudiosos más serios sobre el tema de la cuestión social, Rolando Cordera —profesor emérito de la Facultad de Economía de la Universidad Nacional Autónoma de México (UNAM), quien, junto con Carlos Tello, publicó un libro que puede considerarse un clásico de la economía política mexicana, *La disputa por la nación: perspectivas y opciones del desarrollo*— explica, con rigor y precisión, cómo el desprecio a las adversidades económicas que padecen las mayorías termina por impactar en la mala calidad de la democracia mexicana. En sus palabras:

> La omisión en el discurso político de nuestra grave realidad económica, del mal crecimiento y su pésima distribución; el verlos convertidos en lacras endémicas por una estrategia de negación y cultura de la satisfacción; al acostumbrarse al apoltronamiento de unas élites alejadas de sus responsabilidades constitucionales, así como la pérdida del esfuerzo reflexivo como componente esencial de la política democrática: aquí es donde se encuentra el huevo de la serpiente (Cordera, 2023: 75-76).

Otro de los estudiosos fundamentales del cambio político en México, José Woldenberg —profesor universitario que fue el primer presidente de la autoridad electoral autónoma del gobierno, el Instituto Federal Electoral, entre 1996 y 2003—, ha insistido también en la dimensión social como una de las debilidades mayúsculas de la democracia:

El fortalecimiento de nuestra incipiente democracia pasa hoy por la necesidad de construir un contexto socioeconómico que la sostenga. La promesa de igualdad que pone en acto la democracia requiere expandirse hasta construir una sociedad en la cual los derechos —de manera subrayada los sociales— sean ejercidos y no solo proclamados. Una sociedad donde las desigualdades no sean lo abismales que hoy son, una convivencia que permita un «nosotros» incluyente, una economía en crecimiento que reparta sus frutos de manera equilibrada, serán, quizá, los mejores soportes para una reproducción medianamente armónica no solo de la democracia, sino de toda la vida social (Woldenberg, 2019: 55-56).

De esta manera, la mayor competencia electoral, el poder compartido y la alternancia en el mismo, y la existencia de un sistema plural de partidos, no significaron una transformación sustantiva de la faz del país en sus aspectos estructurales de distribución del ingreso, ni dieron lugar a una clara estrategia de reducción de la pobreza masiva o, tan siquiera, a un cambio sustantivo en los criterios de política económica, como se verá en la tercera parte del libro. Sin duda, en materia de resultados tangibles para buena parte o la gran mayoría de la población, la democracia mexicana de las primeras décadas del siglo XXI es deficitaria.

La equidad social es la tierra fértil para las raíces de toda democracia. Así como la seguridad interior es la base de la seguridad de los Estados, la seguridad social es el cimiento de la seguridad de las democracias. En México la precariedad social del grueso de la población se convirtió en la fragilidad del sustento ciudadano de la democracia.

Es preciso reconocer que el fracaso económico de las últimas décadas es responsabilidad directa de los economistas que condujeron la política fiscal y monetaria. Es tiempo de dejar de mirar hacia otro lado. Y también es hora de explorar, como se ha insistido desde la UNAM, un nuevo curso de desarrollo.

VIII. La destrucción democrática por el populismo autoritario

En 2018 se dio una nueva alternancia política, un vuelco alrededor de una coalición electoral que insistió, con razón discursiva, que «por el bien de todos, primero los pobres». Pero ese gobierno no encabezó una agenda de transformación social y redistributiva a partir de los instrumentos indispensables de los cuales dispone el Estado —de nuevo, una recaudación que gravara más a los más ricos, y que incrementara el gasto para asegurar el acceso a bienes y servicios públicos de calidad—, sino que el tronco grueso de ese árbol gubernamental fue la concentración de poder, la destrucción de instituciones y la erosión de la democracia.

En 2024, Morena y sus aliados se hicieron de nuevo con la victoria, alcanzando la mayoría simple de los votos al Congreso. Pero la cooptación desde el poder de las autoridades electorales permitió una sobrerrepresentación legislativa inconstitucional a partir de la cual, en el segundo semestre de 2024, y con una mayoría calificada artificial, se llevó a cabo una operación de destrucción de los avances democráticos de México, que puede resumirse en las siguientes reformas constitucionales.

1. **La reforma al Poder Judicial.** Se aprobó la elección popular de todos los jueces, magistrados y ministros. Se sustituye la meritocracia y la preparación requeridas para

ocupar tan delicadas encomiendas por la popularidad de los juzgadores. Como ahora la mayoría electoral es la que define cada cargo, y dicha mayoría la detenta el gobierno, son nombrados juzgadores quienes cuentan con la simpatía del poder político. La votación para elegir popularmente a la Suprema Corte de Justicia de la Nación, a un nuevo Tribunal de Disciplina Judicial, a los integrantes del Tribunal Electoral y a ocho centenas de juzgadores y magistraturas se llevó a cabo con múltiples deficiencias y ante la indiferencia mayoritaria de la ciudadanía: el 1° de junio de 2025 solo acudió a votar el 13% del listado nominal de electores. Así se consumó la eliminación de un Poder Judicial independiente que pueda contradecir, frenar o enmendar decisiones gubernamentales. Un severo daño a la división de poderes, un abierto paso al autoritarismo.

2. **Impedir la revisión jurisdiccional de las reformas constitucionales.** Se votó la mal llamada reforma de la supremacía constitucional, la cual implicó que todo cambio aprobado a la Carta Magna no pueda ser impugnado ni revisado por la Corte aun en caso de afectar derechos humanos. En realidad, es la supremacía de la mayoría, que recuerda a Alexis de Tocqueville —pensador y jurista francés que escribió, en la primera mitad del siglo XIX, la célebre obra *La democracia en América*— cuando advertía, precisamente, de la tiranía de la mayoría. Se anulan los derechos de las minorías, cosa propia de las autocracias.

3. **Desaparición de los órganos autónomos garantes de derechos.** Se ordenó la extinción de órganos autónomos encargados, entre otras cosas, de garantizar el acceso a la información pública, la protección de datos y los derechos de las audiencias. Esas tareas vuelven a

caer en la órbita del Ejecutivo. Se concentra el poder y se eliminan órganos de control. El poder sin límites no es democrático.

4. **Extensión de la militarización en la seguridad pública y en la procuración de justicia.** La Guardia Nacional ya está adscrita al Ejército y no a un mando civil; puede hacer labores de ministerio público y las Fuerzas Armadas no acotarán sus actividades al fuero militar incluso en tiempos de paz. Que la vida de la sociedad se tiña de verde olivo no augura buenos tiempos para los derechos cívicos.

5. **Ampliación del uso de la prisión oficiosa.** La Corte Interamericana de Derechos Humanos se había pronunciado contra el uso de la prisión oficiosa en México por ser contraria a los derechos fundamentales. En vez de rectificar tal exceso, se profundizó y el *Diario Oficial de la Federación* cerró 2024 con el decreto por el que se multiplican las causas por las que las personas irán a prisión sin haber sido condenadas. El tufo amenazante de la persecución política empaña el porvenir.

El fondo de las cinco reformas es inequívocamente autoritario; cada una es un daño severo al ecosistema democrático. También la forma fue abusiva: las reformas constitucionales se aprobaron con una mayoría calificada ilegal y artificial, que no surgió de las urnas. El oficialismo tuvo, en 2024, 11 de cada 20 votos (54.7%) al Congreso, pero el INE y el Tribunal Electoral le concedieron casi tres cuartas partes de la Cámara de Diputados, distorsionando la voluntad popular.

Con esas reformas feneció la joven democracia constitucional en México. Se apagó todo signo vital de contrapeso al poder desde las instituciones formales. Falta solo una reforma para culminar con la destrucción, la que puede significar el último clavo al ataúd para que la democracia no pueda siquiera renacer por décadas: la reforma electoral para acabar con la representación proporcional en el Congreso y ahogar la presencia de las minorías en el parlamento.

Mientras el dogma neoliberal cortó las posibilidades de desarrollo, el populismo revirtió la democratización. Son fuerzas ideológicas y políticas que, al final, se retroalimentaron y beneficiaron mutuamente: la de la insensibilidad social y la del autoritarismo político. El neoliberalismo es una ideología y una política económica carente de resortes sociales, insensible a la desigualdad y a la pobreza; no estimula la redistribución y busca el Estado mínimo que garantice la seguridad y la propiedad privada, básicamente; entiende que el papel del gobierno se reduce a garantizar el funcionamiento del mercado y a buscar el equilibrio nominal. El populismo destruye instituciones, y busca anular el pluralismo político y eliminar presos y contrapesos al poder, concentrado en un líder. Aunque aparenten ser fuerzas contrarias, en México el neoliberalismo y el populismo se han dado la mano en un tema común: la reticencia y el desprecio a una reforma fiscal recaudatoria, redistributiva y que genere ingresos adicionales para robustecer la inversión y el gasto, elevando su participación en el PIB al menos al 25%, detonando así el crecimiento. El adelgazamiento del Estado se comparte por neoliberales y populistas: para los primeros debe priorizarse la «consolidación fiscal» y para los segundos es obligado seguir la «austeridad republicana». Ambos debilitan al Estado y se desentienden del objetivo del crecimiento, de la redistribución real y del desarrollo. El neoliberalismo alejó a México del bienestar; el populismo destruyó la democracia constitucional. El neoliberalismo significó el fracaso social de la democracia; el populismo consumó el crimen autoritario contra la democracia. El neoliberalismo fue el huevo; el populismo, la serpiente. México merece escapar de esas dos plagas.

SEGUNDA PARTE

LA FRÁGIL DEMOCRACIA: DEL VASTO PLURALISMO AL RENACER AUTORITARIO

IX. Nuevo milenio: el amanecer democrático

En pleno cambio de milenio, en el año 2000, México por fin había logrado hacer efectiva la división de poderes establecida desde mucho antes en su Constitución al conformar un Legislativo no sometido al Ejecutivo; además, se había producido la alternancia en la presidencia por primera vez en siete décadas.

México se había sumado, por derecho y méritos propios, a la llamada tercera ola democratizadora que recorría al mundo (O'Donnell, Schmitter, Whitehead, 1986) y, en especial, a América Latina después de un siglo xx convulso y caracterizado por gobiernos inestables, golpes de Estado y no pocas dictaduras.

Alcanzar la democracia fue un proceso arduo y dilatado. En los dos siglos de historia que México tiene como nación independiente, puede decirse que fue apenas hasta hace dos décadas y media cuando consiguió darse un método plenamente democrático para renovar sus poderes públicos.

La culminación de ese cambio democratizador en México puede fecharse en 1997 (Becerra, Salazar y Woldenberg, 2000), cuando el Partido Revolucionario Institucional (PRI) perdió el control de la Cámara de Diputados que había mantenido por más de sesenta años. En 1997, además, los habitantes de la Ciudad de México, por vez primera, pudieron elegir a sus autoridades y la izquierda, a través del Partido de la Revolución Democrática (PRD), ganó el gobierno de la capital del país, lo que significó su primer triunfo en una entidad federativa. A la siguiente elección presidencial, la del año 2000, se dio la primera alternancia en el gobierno nacional. Por la vía del voto y de elecciones íntegras, México había dejado atrás el autoritarismo.

En los primeros dos decenios del siglo XXI, el sistema político mexicano fue prolífico en confirmar los fenómenos propios de un régimen democrático: votaciones con certeza en el procedimiento e incertidumbre en el resultado, alternancia en los gobiernos a nivel federal y local, independencia de los gobiernos locales frente al centro del país, votaciones al Congreso de la Unión donde ningún partido o coalición lograba la mayoría de los sufragios y equilibrios de poderes. Todo ello fue impulsado y hecho posible por la fuerza del rasgo predominante de la sociedad mexicana en términos políticos: su profundo pluralismo. Si se observa el respaldo que otorga la ciudadanía con sus sufragios a las diferentes opciones electorales a la Cámara de Diputados, a partir de 1997 predomina un sistema de partidos de distintas

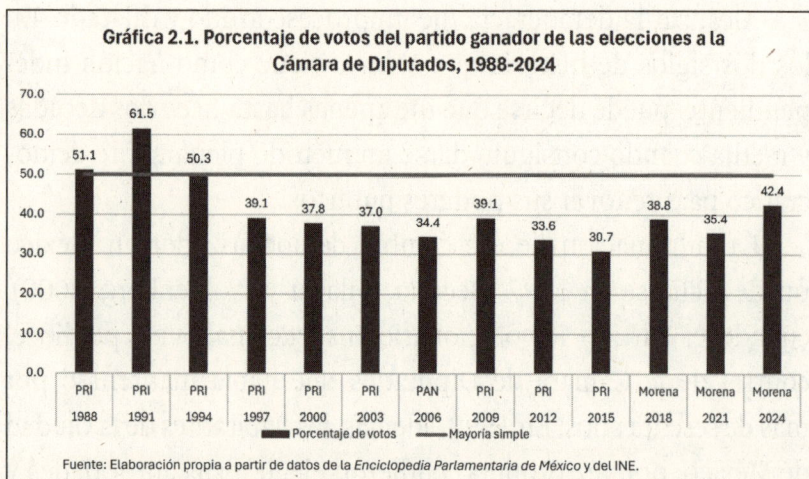

Gráfica 2.1. Porcentaje de votos del partido ganador de las elecciones a la Cámara de Diputados, 1988-2024

	PRI 1988	PRI 1991	PRI 1994	PRI 1997	PRI 2000	PRI 2003	PAN 2006	PRI 2009	PRI 2012	PRI 2015	Morena 2018	Morena 2021	Morena 2024
Porcentaje de votos	51.1	61.5	50.3	39.1	37.8	37.0	34.4	39.1	33.6	30.7	38.8	35.4	42.4

Fuente: Elaboración propia a partir de datos de la *Enciclopedia Parlamentaria de México* y del INE.

minorías (gráfica 2.1). Esta realidad contrasta de forma drástica con la historia que marcó buena parte del siglo anterior, cuando México vivió bajo un sistema de partido hegemónico, tal como lo definió el politólogo italiano Giovani Sartori (1989).

La división de poderes, contenida en la Constitución de 1917 y en la de 1857, no fue una realidad en el sistema político mexicano sino hasta el final del siglo xx, precisamente cuando el Ejecutivo dejó de tener el control de la Cámara de Diputados en 1997. La división de poderes no es una característica más del régimen democrático, sino una indispensable e inherente a él, pues, como bien explicó Arnaldo Córdova, tal contrapeso de poderes atiende

> a una necesidad que está en la base del desarrollo del Estado democrático fundado en el derecho: el autocontrol del poder, como muchos constitucionalistas gustan de decir y, más apropiadamente y como lo estableció el más esclarecido de sus teóricos, Montesquieu, la limitación del poder del Estado en beneficio y en garantía de los derechos de la sociedad a la cual gobierna. Hay limitación del poder, en efecto, cuando quienes lo ejercen en sus áreas particulares tienen facultades específicas de controlar la acción de los demás en sus propias áreas. Así se puede garantizar que el poder absoluto, que es ejercido por un solo individuo o grupo, sea anulado y neutralizado (Córdova, 2007: 27).[1]

Esa anhelada división de poderes que durante décadas existió *de jure* en la Constitución, pero no *de facto*, fue uno de los frutos más relevantes del cambio democratizador que implicó, en términos de Alonso Lujambio (2000: 21), «el paso del ejercicio monolítico del poder, al ejercicio del poder compartido», de tal forma que el país fue «del autoritarismo mayoritario a la democracia consensual». Ese profundo cambio, la democratización del sistema político mexicano, puede describirse —en palabras de Mauricio Merino (2023: 51)— «como la transición votada, porque el motor de los cambios fueron las elecciones».

Los importantes avances políticos de México llegaron a ser, sin embargo, poco valorados en los circuitos académicos e intelectuales, y en los medios de comunicación; incluso fueron tratados con displicencia por algunos actores políticos, sus beneficiarios más directos. Con frecuencia se afirmó que el país tenía una mera «democracia electoral», como si pudiese existir una democracia que no empezara, precisamente, por la legitimidad de sus gobiernos, tal como hace casi un siglo advirtió José Ortega y Gasset (1930) cuando, en *La rebelión de las masas*, escribió: «la salud de las democracias, cualesquiera que sean su tipo y su grado, depende de un mísero detalle técnico: el procedimiento electoral. Todo lo demás es secundario. Sin el apoyo de un auténtico sufragio, las instituciones democráticas están en el aire». Más aún, el deterioro o la aniquilación de las democracias en los tiempos que corren en el siglo XXI suele tener una férrea característica: la no celebración de elecciones íntegras, competidas, y con derechos para las minorías y las oposiciones, y su sustitución por simulacros electorales controlados desde el poder autoritario para autoperpetuarse, tal como ocurre en países como Nicaragua y Venezuela en América Latina que, al inicio de la centuria, eran democracias. No debe, entonces, minusvalorarse el indispensable componente electoral de toda democracia. Una vez que se pierden las elecciones auténticas, todo el edificio democrático se derrumba y, con él, la posibilidad de que la ciudadanía ejerza sus derechos y libertades.

Así pues, las elecciones libres son condición *sine qua non* de la democracia: esta no se agota en ellas, pero sin ellas no hay democracia posible. Esa es la idea de Adam Przeworski (2024) cuando apunta, desde una concepción minimalista de la democracia, que «un régimen es democrático si y solo si las personas son libres de escoger y destituir a sus gobiernos». El profesor, de origen polaco, abunda: «El fantasma de que los gobernantes socaven el mecanismo electoral está siempre presente. Por eso la vigilancia en defensa de la democracia en su sentido minimalista es una tarea inagotable» (Przeworski, 2024).

Valga advertir que no es casual que la agenda de deconstrucción del avance democrático de México que impulsó el gobierno de López Obrador y retomó el de Claudia Sheinbaum incluya, de forma expresa, una reforma electoral con dos componentes muy regresivos: a) eliminar la independencia y autonomía de las autoridades electorales y b) suprimir la representación proporcional en el Congreso, afectando la presencia de las minorías y dando lugar a la configuración de mayorías artificiales.

Ahora bien, retomando la importancia del respeto al voto libre como el principio de la democracia, José Woldenberg (2012: 13-14) pondera la manera en que la celebración de elecciones auténticas impactó sobre la estructura y funcionamiento del sistema político mexicano en su conjunto:

Hay quienes dicen que se trató solo de un cambio de carácter electoral. Pero quienes afirman eso se equivocan, por no entender la centralidad en que en un régimen democrático desempeña «el pequeño mecanismo comicial». A partir de las modificaciones en el espacio de la representación, el propio régimen de gobierno se transformó: pasamos de una Presidencia omnipotente (o casi) a un Ejecutivo acotado por otros poderes constitucionales; de un Congreso subordinado en lo fundamental a la voluntad presidencial a otro cuya dinámica se explica por la coexistencia del pluralismo equilibrado; de un federalismo nominal pero altamente centralizado a un federalismo genuino todavía primitivo, e incluso de una Suprema Corte de Justicia que durante años tuvo escasa relevancia en el terreno de la política a una Corte que en muchos momentos actúa como auténtico árbitro en los conflictos que se suscitan entre diversos poderes.

Esos avances, precisamente, son los que están en riesgo de profundo retroceso a la mitad de la tercera década del siglo XXI.

Dados el menosprecio hacia la evolución democrática que logró México y la descalificación de ese proceso, es necesario defender que la construcción de normas e instituciones para asegurar elecciones genuinas no fue producto de reformas elitistas ni, como se ha llegado a afirmar con ignorancia y mala fe, de inspiración neoliberal.[2] Por el contrario, el reclamo democratizador de México siempre fue popular y protagonizado por la sociedad como una exigencia hacia el poder, y no al revés. Carlos Pereyra ya había advertido, desde la década de 1980 y en debate con la izquierda, que no valoraba los avances democráticos, que las conquistas políticas «desde el sufragio universal hasta el conjunto de libertades políticas y derechos sociales han sido resultado de la lucha de clases», y reivindicaba que «las clases dominadas han sido la fuerza motriz de la democratización» (Pereyra, 1992: 30). Las movilizaciones masivas en defensa del sufragio después de las controvertidas elecciones de 1988, nutridas por amplias franjas sociales que habían resentido los efectos de la crisis económica de la deuda, dieron lugar al nacimiento del Instituto Federal Electoral (IFE), por ejemplo. En 1996, la plena autonomía del IFE (hoy Instituto Nacional Electoral, INE), la creación del Tribunal Electoral del Poder Judicial de la Federación y la definición de condiciones equitativas de la competencia electoral, hicieron posible que, desde entonces, fueran los ciudadanos de a pie —no las élites— quienes decidieran, de forma libre, quién los gobernaría y representaría. Cuando se celebran elecciones libres y auténticas, como las que México logró darse, es quizá el único momento en la vida de un país tan desigual en que, ciertamente, cada ciudadano vale tanto como otro: frente a la urna son exactamente iguales una mujer indígena de una zona rural marginada y un empresario del municipio con el mayor ingreso en el territorio. Además, si es posible identificar, durante el periodo de cambio económico estructural, reformas constitucionales que, expresamente, introdujeron criterios de equidad y no de mercado, fueron precisamente las electorales: primero asegurando un financiamiento público bien distribuido entre los partidos para acabar con la asimetría en la competencia durante la época del autoritarismo, y después prohibiendo la compra de publicidad en radio y televisión que permitía a los poderes fácticos distorsionar la competencia política. La equidad se volvió un principio implícito del sistema electoral mexicano, con disposiciones explícitas para su consecución. Hay, por tanto, evidencia de sobra para reivindicar la democratización como una conquista popular y social. No deja de ser paradójico, eso sí, que quien se ha beneficiado directamente de las reformas que hicieron posible el cambio político —baste señalar que la reforma constitucional de 1996 permitió que los habitantes de la Ciudad de México pudieran elegir a sus gobernantes y que, desde 1997, han sido los partidos encabezados por López Obrador los que han ejercido ininterrumpidamente el poder en la capital del país, permitiéndole, de ahí, una proyección que le llevó hasta la presidencia—, las denigre y busque incluso revertirlas.

Por ello es necesario insistir en que la democratización de México tuvo un claro componente electoral, pero no se agotó en ese terreno. Se logró tener gobiernos democráticamente electos, pero también acotados en términos democráticos: con poderes Legislativo y Judicial no subordinados, y nuevas instituciones autónomas —las electorales, pero también las encargadas de la protección no jurisdiccional de los derechos humanos, de la transparencia y el acceso a la información, entre otras— diseñadas para garantizar derechos fundamentales, y eliminar la discrecionalidad y el abuso del poder presidencial.

La construcción democrática en un país con la historia política e institucional de México implicó la deconstrucción del hiperpresidencialismo que ejercía amplios poderes legales y también facultades metaconstitucionales, como identificó Jorge Carpizo en su obra *El presidencialismo mexicano* (1978). En ese diagnóstico coincidía Arnaldo Córdova —autor de tres libros fundamentales para entender el sistema político mexicano surgido del régimen posrevolucionario: *La formación del poder político en México* (1972); *La ideología de la Revolución mexicana* (1973); y *La política de masas del cardenismo* (1974)— al señalar, en el ensayo «Nocturno de la democracia mexicana» (1986), que la plena liberalización política para trascender el autoritarismo se topaba con «dos barreras infranqueables que la hacen definitivamente imposible: la institución presidencial, dotada con poderes excepcionales y permanentes, y el partido oficial con sus estamentos políticos corporativos», frente a lo que no había «otro antídoto que la lucha por las libertades ciudadanas y por la reorganización democrática del Estado».

El autoritarismo mexicano que imperó en buena parte del siglo xx se caracterizó por la débil diferenciación entre gobierno y Estado, así como la tenue distinción entre gobierno y partido oficial que, sumadas a la obediencia de los poderes Legislativo y Judicial al Ejecutivo, permitían el ejercicio de un presidencialismo discrecional y arbitrario. Por ello, durante la edificación democrática, fue preciso construir organismos autónomos para asegurar que distintas funciones del Estado no dependieran de la veleidad del gobernante en turno. En otros países, con otras trayectorias institucionales, con burocracias más robustas y con amplios servicios civiles de carrera en el Ejecutivo menos volubles al cumplimiento de sus tareas ante cambios en el partido en el poder, asuntos tales como la transparencia y la rendición de cuentas, la medición de la pobreza, la competencia económica, la regulación de mercados energéticos o el otorgamiento de concesiones del espacio radioeléctrico a los medios de comunicación, suelen depender directamente de los ministerios o secretarías bajo el control de la presidencia. No es el caso de nuestro país. Como explica Jorge Javier Romero (2024): «El modelo de órganos autónomos surgió como antídoto contra la arbitrariedad del Poder Ejecutivo que ha marcado la historia de México, creando oasis de profesionalización en un aparato estatal dominado por la captura política de las rentas».

En su libro *El Poder Ejecutivo en la Constitución mexicana*, con el subtítulo *Del metaconstitucionalismo a la constelación de autonomías*, Pedro Salazar (2017) hace referencia precisamente a los organismos constitucionales autónomos (OCA), los cuales tuvieron a su cargo funciones que, en su momento, estuvieron en la órbita del Ejecutivo, señalando que, a cien años de la Constitución de 1917, «el presidente mexicano debe desempeñar sus tareas en un contexto de poderes divididos y de funciones compartidas [...]. La presidencia actual, en oposición a lo que sigue gravitando en buena parte del imaginario colectivo, es una institución con poderes limitados, controles diversos y atribuciones concurrentes. Un presidente más republicano e institucionalmente más débil» (Salazar, 2017: 159). Los órganos autónomos fueron, así, la cuña que el arreglo democrático fue insertando en el diseño constitucional para contrarrestar el ejercicio discrecional del poder presidencial.[3]

En suma, la democracia en México tuvo un hilo conductor electoral, sí, pero no solo fue eso: transformó de manera profunda el funcionamiento del sistema político. Sin embargo, como ocurre con otras naciones en la tercera década del actual siglo, la joven democracia mexicana muestra síntomas de agotamiento y ya no solo vive bajo el riesgo creciente de retrocesos autoritarios, sino que estos han comenzado a tomar forma palpable, afectando la división de poderes, la independencia de las autoridades electorales y la existencia de los órganos constitucionales autónomos, y buscando reestablecer el presidencialismo omnipotente y sin contrapesos que ya ha comprometido la vigencia misma de la democracia constitucional.

Como ha ocurrido en otros países, la actual amenaza hacia la democracia no surgió desde actores externos al sistema político, sino desde su interior (Levitsky y Ziblatt, 2018),[4] incluso la cabeza de este: el titular del Poder Ejecutivo federal.

Pasemos, entonces, a explorar y documentar cómo se dio la democratización, cómo se sucedieron años de muy intensa vida política alrededor de elecciones libres y construcción de contrapesos al poder, y cómo, lamentablemente, avanza la desdemocratización de México.

X. Parlamento y democracia: una misma historia

La democracia, siguiendo al filósofo Carlos Pereyra (1992), es siempre política, formal, representativa y plural. Por ello, el parlamento es un espacio vital para la democracia, pues es el único poder público que hace posible que la pluralidad política de la sociedad sea representada de manera formal. En el mundo contemporáneo, sin Poder Legislativo, no hay sistema democrático posible.

Como precisan Bobbio, Matteucci y Pasquino (1988) en su *Diccionario de política:* «La institución fundamental que es común a todos los regímenes democráticos contemporáneos es la elección de representantes a través del sufragio universal».

La historia de la democracia moderna está íntimamente ligada a la historia de la representación política (Keane, 2018) y, por tanto, la biografía de las democracias es también la de sus parlamentos. México no es la excepción: la democratización del sistema político comenzó de forma germinal con la expresión, primero testimonial, de las distintas corrientes políticas reales en el Congreso de la Unión; y culminó cuando la pluralidad política de la sociedad se reflejó de manera plena en el Poder Legislativo y este dejó de ser controlado por el poder presidencial, lo que permitió a México también hacer efectiva la división de poderes.

No es casualidad que la primera reforma política hacia la democratización, conocida como la «de la apertura política», a fines de la década de 1970, tuviera como propósito ampliar la expresión del pluralismo real en el Congreso. En el célebre discurso de Chilpancingo, el 1° de abril de 1977, el secretario de Gobernación, Jesús Reyes Heroles (Ai Camp, 1995), propuso «que el Estado ensanche las posibilidades de la representación política, de tal manera que se pueda captar en los órganos de representación nacional el complicado mosaico ideológico nacional de una corriente mayoritaria, y pequeñas corrientes que, difiriendo en mucho de la mayoritaria, forman parte de la nación».[5] En ese discurso está la primera aceptación nítida, por parte del propio régimen posrevolucionario, de la legitimidad de la oposición y de los derechos de las minorías políticas. Con no pocas adversidades, la expresión y presencia legal de esas minorías fue ampliándose hasta que, finalmente, la vieja «corriente mayoritaria» acabó siendo una más de las minorías. Se trató de un camino fragoso, complicado y que terminó por resultar venturoso, aunque con insuficiencias en el presente y, más aún, en riesgo de sufrir regresiones.

Durante las reformas electorales que siguieron a la de la apertura política en las últimas dos décadas del siglo XX en pos de la construcción de un sistema plural de partidos, la composición del Congreso ocupó un tema central en las deliberaciones, las negociaciones y los acuerdos entre las fuerzas políticas y el gobierno.[6] En la reforma constitucional de 1996, con el respaldo por vez primera de los entonces tres principales partidos políticos del país —PRI, PAN y PRD—, se acordaron las reglas que, hasta el inicio de 2025, siguen vigentes para la integración de ambas Cámaras del Congreso. Esas normas resultan claves para explicar los cambios políticos significativos que vendrían después.

La Cámara de Diputados, que condensa la representación popular, se conforma, desde la elección de 1988, por 300 legisladores por el principio de mayoría relativa, surgidos de distritos electorales federales; y por 200 por el principio de representación proporcional. En la reforma de 1996 se añadieron límites a la sobrerrepresentación de los partidos y se fijaron mecanismos para que el cambio constitucional fuera producto de un amplio consenso político. En la exposición de motivos de la reforma de 1996 puede leerse:

Esta iniciativa propone establecer correlatos, de mayor simetría, entre porcentajes de votación y porcentajes de representación, lograr equidad en la competencia electoral, fortaleciendo el sistema de partidos, representar, de mejor forma, la voluntad ciudadana y distribuir el poder en la forma más amplia posible, sobre la base de la voluntad popular; fortalecer al Poder Legislativo y la independencia del Poder Judicial, a efecto de controlar el ejercicio del poder, creando dispositivos institucionales que obliguen a los gobernantes a responder y dar cuenta de sus actos ante quienes los eligieron, fortaleciendo el Estado de derecho.

Así que la Constitución establece, desde 1996, en su artículo 54, base IV, que: «ningún partido político podrá contar con más de 300 diputados por ambos principios», esto es, el límite es el 60% de la Cámara para un partido. Y dado que el artículo 135 del texto constitucional señala que un cambio a esa ley fundamental debe hacerse por el voto de las dos partes de los legisladores, esto es, el 66.7%, en los hechos se acordó que las modificaciones a la Carta Magna no podrían ser aprobadas de forma unilateral por fuerza política alguna. Además, la base V del propio artículo 54 precisó: «En ningún caso, un partido político podrá contar con un número de diputados por ambos principios que representen un porcentaje total de la Cámara que exceda en ocho puntos a su porcentaje de votación nacional emitida».[7]

Conviene subrayar y explicar la lógica, en primer lugar, de la base IV del artículo 54 constitucional que, como se mencionó, complica los cambios a la ley fundamental y prevé que sus modificaciones solo puedan ser fruto del pacto entre fuerzas políticas distintas. Así, a diferencia del cambio de las leyes secundarias donde basta la mayoría simple, la propia Constitución genera una rigidez mayor para las reformas a sí misma.

Para comenzar, es preciso resaltar el carácter y sentido de una Constitución como el acuerdo político fundamental de la sociedad. Como explica Lorenzo Córdova Vianello —quien, además de un estudioso del derecho constitucional y la teoría política, fue el primer presidente del INE, cargo que ocupó entre abril de 2014 y abril de 2023—:

> Concebir que la Constitución es un pacto político en el que se establecen las características y estructura de los órganos del Estado (el diseño de las instituciones políticas de un país), así como las reglas mediante las que el gobierno se relaciona con la sociedad y con los individuos que la componen, supone que ni el poder ni su ejercicio cayeron de lo alto o son el producto de una imposición (ni siquiera por parte de una mayoría), sino el resultado de un acuerdo común que da origen y sentido al Estado mismo (Córdova, 2024: 140).

Además, el propio Lorenzo Córdova explica cómo el Estado constitucional democrático moderno ha sido delineado a través de seis principios básicos, a saber: 1) el reconocimiento de los derechos fundamentales; 2) la división de poderes como principio de organización del poder del Estado; 3) el principio de legalidad; 4) el principio de supremacía constitucional; 5) el principio de rigidez constitucional; y 6) el principio de control de constitucionalidad (Córdova, 2016).

El que se trate, entonces, no de un acuerdo más sino del acuerdo fundamental y fundacional de una sociedad como expresión del consenso colectivo en torno a los derechos humanos en un marco de división de poderes, lleva al quinto principio referido, al de la rigidez constitucional que genera una dificultad agravada frente a leyes secundarias para hacer cambios a la Carta Magna, procurando, claro está, el máximo consenso social. «Esa es la razón de que todo cambio constitucional requiera de mayorías calificadas: evitar que una simple mayoría se imponga sobre el resto y fije como coordenadas colectivas no las que resultan de un amplio acuerdo, de una convención general, sino solo las posturas e intereses de una parte —aunque sean los de la mayoría del momento» (Córdova, 2024: 142).

Así que, en el proceso democratizador de México, la rigidez constitucional adquirió una cualidad que, de manera expresa, incluyó al valor del pluralismo: no podían darse cambios a la Constitución por un partido, por una fuerza o por solo una visión política, sino que era necesario un acuerdo mayor entre partidos políticos diferentes que representaran, de este modo, a la diversidad real de la sociedad mexicana.

Como veremos más adelante, esta rigidez no se volvió valladar para que la Constitución pudiese ser actualizada y modificada, pero se hizo, hasta la mitad de 2024, con el concurso y acuerdo de fuerzas políticas antagonistas en la arena electoral.

El Senado se compone, desde 1996, por 128 senadores. De ellos, 96 surgen directamente de las 32 entidades federativas. En cada entidad le corresponden dos senadores a la fuerza ganadora y uno al segundo lugar; además, existe una lista nacional de 32 senadores que se distribuyen entre aquellos partidos que rebasen el 3% de la votación nacional, bajo el criterio de proporcionalidad directa.

A lo largo de prácticamente toda su historia como nación independiente, México ha contado con un sistema bicameral, con excepción de un breve e inestable periodo en el siglo XIX donde se eliminó al Senado. Así que, en el modelo constitucional actual, hay una estructura doble del Congreso donde, de forma simultánea, se representa por un lado a la sociedad —Cámara de Diputados— y a quienes integran el pacto federal —Senado—, lo cual, desde la óptica democrática:

resulta comprensible si se piensa en la lógica de limitación del poder que subyace al pensamiento liberal clásico, más si se piensa que los actos del Poder Legislativo tienen, por su propia naturaleza, efectos generales y, por ello, el que, en caso de abuso, generaría los daños más graves. Así, el bicameralismo resulta funcional a la idea de fraccionar las funciones legislativas para evitar los excesos de una eventual asamblea única (Córdova, 2016a: 378).

Con las disposiciones constitucionales vigentes desde 1996, entre 1997 y 2018 los distintos titulares del Ejecutivo federal tuvieron ante sí conformaciones del Congreso de la Unión donde no contaron con la mayoría de su partido o coalición. Esta realidad política, de gobiernos divididos, impidió que la mera voluntad presidencial bastara para hacer prosperar iniciativas, modificar leyes y, menos aún, introducir cambios al acuerdo político fundamental del país: la Constitución. María Marván (2025), académica de la Universidad Nacional Autónoma de México y quien fuera consejera electoral del Instituto Federal Electoral, ha documentado cómo la voluntad presidencial dejó de ser una orden para el Congreso durante la época de los gobiernos divididos: de 1997 al 2000, el presidente Ernesto Zedillo presentó 56 iniciativas y le fueron rechazadas ocho (14%); Vicente Fox presentó 161 durante su sexenio y no prosperaron 41 (25%); Felipe Calderón envió 129 iniciativas y se le rechazaron 29 (23%); y Enrique Peña Nieto presentó 111 y no prosperaron 23 (21%).

Como se ha dicho, la división de poderes se volvió no solo una disposición jurídica, sino una realidad práctica. Sin embargo, en las legislaturas que iniciaron en 2018 y 2021, aun sin obtener la mitad de la votación popular al Congreso, la coalición del gobierno contó con la mayoría simple. Más aún en la que inició en septiembre de 2024: habiendo recibido el 54.7% del voto ciudadano, el gobierno se hizo con una mayoría calificada del 73% de los diputados. La historia de la división de poderes en México empieza a eclipsarse. Conozcamos ahora el panorama de la conformación parlamentaria reciente.

XI. Pluralismo y gobiernos divididos

En la elección intermedia de 1997, el partido en el gobierno, el PRI, con el 39.1% de los votos válidos, y habiendo ganado 165 distritos, se hizo con 239 diputados, el 47.8% del total, perdiendo así la mayoría simple de la Cámara de Diputados, lo que era un hecho sin precedente.[8] Pronto, esa aritmética se reflejó en la dinámica parlamentaria, pues, por ejemplo, el tercer informe de gobierno del presidente Ernesto Zedillo fue respondido por un parlamentario de la oposición, Porfirio Muñoz Ledo, quien fue electo presidente del Congreso, cosa que tampoco había sucedido antes, pues los legisladores que intervenían en tribuna después del titular del Ejecutivo, hasta entonces, eran militantes de su propio partido.

A partir de la instalación de la LVII Legislatura en septiembre de 1997, el presidente y su partido tuvieron que acordar con la oposición cada iniciativa, cada reforma, cada ley. Destaca, año con año, la aprobación del Presupuesto de Egresos de la Federación. También la necesidad de construir acuerdos en asuntos delicados —como fue el rescate bancario tras la crisis que estalló en diciembre de 1994— que requirieron el respaldo de, al menos, uno de los grandes partidos de la oposición. Esa situación, de gobierno dividido o de presidente sin mayoría, se mantuvo hasta el fin de la LXII Legislatura, que culminó sus trabajos en agosto de 2018.

Más allá del contenido de los acuerdos parlamentarios a lo largo de esas dos décadas, es importante subrayar el cambio en el método de legislar: necesariamente implicó diálogo, el reconocimiento de la legitimidad y de la representación de los adversarios políticos, y la construcción de consensos para lograr la aprobación de acuerdos. Se había instalado una rutina política antes desconocida, de equilibrios y contrapesos, que es propia de la democracia.

La tabla 2.1 muestra el amplio panorama de las conformaciones de la Cámara de Diputados durante el primer cuarto del siglo xxi. En ningún caso una sola fuerza política logró tener la mayoría simple de los legisladores. El mandato de las urnas ha sido claro: ningún partido político puede cambiar leyes por sí mismo o aprobar iniciativas, de forma tal que la ciudadanía, con su sufragio, ha optado una y otra vez por reafirmar el sistema de contrapesos previsto en la Constitución.

Tabla 2.1. Integración de la Cámara de Diputados por ambos principios, 2000-2024 *																	
	2000		2003		2006		2009		2012		2015		2018		2021		2024	
	Dip.	%	Dip.	%	Dip.	%	Dip.	%	Dip.	%	Dip.	%	Dip.	%	Dip.	%	Dip.	%
PAN	206	41.2	152	30.4	206	41.2	143	28.6	114	22.8	109	21.8	81	16.2	114	22.8	72	14.4%
PRI	211	42.2	225	45	104	20.8	237	47.4	213	42.6	203	40.6	45	9	70	14	35	7.0%
PRD	50	10	96	19.2	126	25.2	71	14.2	103	20.6	61	12.2	21	4.2	15	3	1	0.2%
PVEM	17	3.4	17	3.4	19	3.8	21	4.2	15	5.6	47	9.4	16	3.2	43	8.6	77	15.4%
PT	8	1.6	5	1	16	3.2	13	2.6	28	3			61	12.2	37	7.4	51	10.2%
MC	3	0.6	5	1	16	3.2	6	1.2	17	3.4	25	5	27	5.4	23	4.6	27	5.4%
MORENA	N.A.	N.A.	N.A.	N.A.	N.A.	N.A.	N.A.	N.A.	N.A.	N.A.	35	7	191	38.2	198	39.6	236	47.2%
OTROS	5	1			13	2.6	9	1.8	10	2	20	4	58	11.6	0	0	1	0.2%
TOTAL	500	100	500	100	500	100	500	100	500	100	500	100	500	100	500	100	500	100%

Fuente: Elaboración propia con base en Atlas de Resultados de las Elecciones Federales 1991-2015 (INE) y acuerdos del Consejo General del Instituto Nacional Electoral INE/CG1181/2018, INE/CG1443/2021.
* Corresponde a los legisladores asignados por el IFE-INE.

Ese es un mensaje también para los mandatarios de los distintos signos políticos: con independencia de quién esté en el Palacio Nacional —sea el PRI, el PAN o Morena—, la votación popular se inclinó por no darle mayoría parlamentaria al partido del titular del Ejecutivo entre 1997 y 2024. Un poco más adelante se verá cómo, aun sin mayoría en el voto ciudadano en 2018 y 2021, se dio la mayoría simple en la Cámara, y se analizará la peculiar situación a partir de las elecciones de 2024, donde una mayoría simple ajustada terminó siendo una holgada mayoría calificada por la connivencia con el poder de las autoriades electorales.

Tabla 2.2. Votos y representación en la Cámara de Diputados del partido o coalición más votado, 1988-2024.													
Año elección	1988	1991	1994	1997	2000	2003	2006	2009	2012	2015	2018	2021	2024
Partido o coalición más votado	PRI	PRI	PRI	PRI	PAN	PRI	PAN	PRI	PRI-PVEM	PRI-PVEM	JHH	JHH*	SHH**
Porcentaje de votos	51.1%	58.5%	48.6%	38.0%	35.8%	35.8%	33.4%	36.9%	40.0%	40.3%	43.6%	43.8%	54.7%
Triunfos de mayoría relativa (MR)	233	290	273	165	136	161	137	184	177	184	220	186	256
Porcentaje de triunfos de MR	78%	97%	91%	55%	45%	54%	46%	61%	59%	61%	73%	62%	85%
Diputados de representación proporcional (RP)	27	31	27	74	70	64	69	53	66	66	88	95	108
Total de diputados	260	321	300	239	206	225	206	237	243	250	308	281	364
Porcentaje de total de diputados	52%	64%	60%	48%	41%	45%	41%	47%	49%	50%	62%	56%	73%

Fuente: elaboración propia, de 1988 a 1991, con los datos de la *Enciclopedia Parlamentaria de México*, serie IV, volumen III, Tomo 2: «Legislación y estadísticas electorales. 1814-1997». De 1994 a 2015, con los datos presentados en el Sistema de Consulta de la Estadística de las Elecciones Federales (SICEF), y de 2018 en adelante con acuerdos del Consejo General del Instituto Nacional Electoral INE/CG1181/2018, INE/CG1443/2021, INECG2129/2024.
Nota: *JHH: acrónimo de Juntos Haremos Historia. **SHH: acrónimo de Sigamos Haciendo Historia.

Entre 1994 y 2021, incluso tratándose de coaliciones electorales, no hubo opción política o suma de siglas partidarias que alcanzara la mayoría de los votos ciudadanos en las urnas a la Cámara de Diputados (tabla 2.2 y gráfica 2.2). Durante tres décadas, México ha carecido de una fuerza política mayoritaria si se toman en cuenta los votos que se otorgan al Congreso, y la formación de mayorías simples o calificadas ha requerido de la suma de los diputados de, al menos, tres fuerzas políticas. El sistema de partidos se caracteriza por fuerzas políticas representativas en plural, pero minoritarias en lo individual dentro de la sociedad.

Los datos verificables son útiles, también, para subrayar un hecho fundamental: sin la existencia de diputaciones plurinominales no se habrían dado los gobiernos divididos sino hasta el 2000, y solo en dos legislaturas entre 1997 y 2018 y no en cinco, como efectivamente ocurrió, de forma tal que se habrían construido, con frecuencia, mayorías artificiales en la Cámara de Diputados.

A pesar de la incomprensión que la figura de representación proporcional suele encontrar en el imaginario colectivo, lo cierto es que su inclusión fue pieza indispensable del proceso de democratización de México, pues hizo posible que las minorías

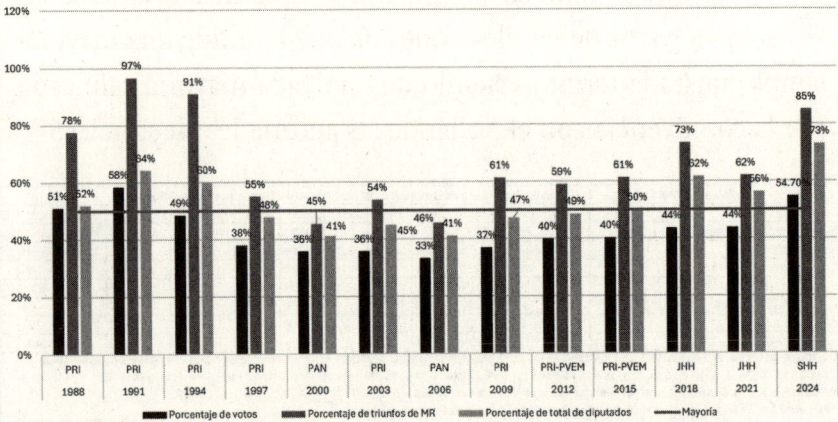

Gráfica 2.2 Partido o coalición más votado a la Cámara de Diputados, 1988-2024

Fuente: elaboración propia con datos de la tabla 2.2

dejaran de ser testimoniales y se convirtieran en auténticos contrapesos legislativos. Si no hubieran existido los plurinominales y en la Cámara se hubieran elegido nada más los 300 diputados uninominales, solo en las legislaturas que iniciaron en 2000 y 2006 el presidente no habría tenido la mayoría aun cuando su partido obtuviera un respaldo más cercano a la tercera parte de los sufragios que a la mitad de ellos.

La evidencia empírica de nuestra historia política reciente demuestra que, sin la representación proporcional, partidos y gobiernos con apoyo minoritario en las urnas habrían mantenido un amplio control del Congreso. Esos datos duros revelan, con claridad, los riesgos de prescindir de los diputados plurinominales.

XII. La distorsión en la representación: construir mayorías artificiales

A pesar de que en las urnas la ciudadanía no otorgó la mayoría del voto a ningún partido político o coalición en las legislaturas

LXIV (de 2018 a 2021) y LXV (de 2021 a 2024), las fuerzas políticas que respaldaron al presidente López Obrador contaron con la mayoría de los diputados. En 2018, Morena formó, con el PT y el Partido Encuentro Social,[9] la coalición Juntos Haremos Historia, que logró sumar 310 diputados (62%); y en 2021, su alianza fue con el PT y el Partido Verde Ecologista de México (PVEM) para alcanzar 278 legisladores (55.6%).

López Obrador ganó la presidencia en 2018 con 30.1 millones de votos, el 53%, pero ese mismo año, sus partidos a la Cámara de Diputados recibieron 24.5 millones de votos, así que puede afirmarse que 5.5 millones de votantes a favor del expresidente sufragaron, a la vez, por construirle un equilibrio legislativo (tabla 2.3). Algo similar ocurrió en el Senado.

Tabla 2.3. Votación en las federales de 2018 por la coalición Juntos Haremos Historia y otras opciones.					
	Votación Diputados (A)	Votación Senadores (B)	Votación Presidente (C)	Diferencia Presidente – Diputados (C-A)	Diferencia Presidente – Senadores (C-B)
Juntos Haremos Historia	24,538,267	24,746,578	30,113,483	5,575,216	5,366,905
Otros partidos	28,947,059	28,459,965	21,899,973	-7,047,086	-6,559,992
TOTAL	53,485,326	53,206,543	52,013,456	-1,471,870	-1,193,087

Fuente: Elaboración propia a partir de los cómputos distritales del INE, en https://computos2018.ine.mx/#/presidencia/nacional/1/1/1/1

Resulta necesario subrayar que las mayorías parlamentarias no se han llegado a corresponder con una mayoría de votos ciudadanos (tabla 2.4), lo que claramente ocurrió entre 2018 y 2024. Además, en 2024 se otorgó a la coalición de Morena, el Partido del Trabajo y el Partido Verde una mayoría calificada que no se corresponde con lo que la ciudadanía mandató en las urnas. Esta situación se debe a dos motivos: primero, porque la Constitución (artículo 54) aún permite una sobrerrepresentación del

	2018			2021			2024		
Tabla 2.4. Sobre y subrepresentación en la Cámara de Diputados, 2018, 2021 y 2024									
	% Sufragios*	% Curules	Diferencia % votos a % curules	% Sufragios*	% Curules	Diferencia % votos a % curules	% Sufragios*	% Curules	Diferencia % votos a % curules
Coalición Morena	45.7%	61.6%	15.9%	47.8%	55.6%	7.8%	58.4%	72.8%	14.4%
Oposiciones	54.3%	38.4%	-15.9%	52.2%	44.4%	-7.8%	41.6%	27.2%	-14.4%

Fuente: Elaboración propia a partir de cómputos distritales del INE.
* Porcentaje de la votación válida emitida: restando votos nulos, por candidatos no registrados, por candidatos independientes y por partidos que perdieron el registro.

porcentaje de legisladores superior en ocho puntos al porcentaje de votos; y segundo, porque las coaliciones electorales han dado lugar a que ese límite constitucional se vulnere.

La primera infracción al techo constitucional de ocho puntos de sobrerrepresentación a través de las coaliciones ocurrió, de forma casi imperceptible, en 2012, cuando la coalición del PRI y el PVEM obtuvo 40% de los votos a la Cámara y 48.2% de los diputados;[10] una diferencia de 0.2% equivalente a un legislador. En 2015, otra vez el PRI y el PVEM, coaligados, obtuvieron 40.3% de la votación, pero recibieron 250 diputados, el 50%, un 9.7% adicional, lo que excede el límite constitucional en 1.7%. El primer caso extremo de sobrerrepresentación se dio en 2018. Los partidos de la coalición Juntos Haremos Historia (Morena, PT y PES) obtuvieron el 45.4% de la votación válida emitida a la Cámara de Diputados, pero se hicieron 308 diputados, equivalentes al 61.6% del total. La sobrerrepresentación de la coalición gobernante, entendida como la diferencia entre porcentajes de votos y de curules, fue de 16.2%, lo doble de lo permitido por la Constitución. De esa magnitud fue también la subrepresentación de las oposiciones frente al apoyo que recibieron en las urnas.

Para 2021, Morena y sus aliados recibieron 47.8% de los votos, pero lograron 278 diputados, el 55.6% de la Cámara; una sobrerrepresentación de 7.8%. Con menos de la mitad del respaldo en las urnas, consiguieron más de la mitad de los diputados.

La manera de traducir votos a curules está permitiendo que la minoría de sufragios se convierta en mayoría parlamentaria, mientras que el grueso de los votantes se queda con la representación minoritaria. Un sinsentido en términos de igualdad del voto.

En democracia es válido que los distintos partidos busquen agregar preferencias y establecer alianzas, para ello existe la figura de las coaliciones electorales. La Ley General de Partidos Políticos (artículo 91, inciso c) establece que, para las coaliciones a la Cámara de Diputados, el convenio respectivo debe especificar el «partido político al que pertenece originalmente cada uno de los candidatos registrados por la coalición y el señalamiento del grupo parlamentario o partido político en el que quedarán comprendidos en el caso de resultar electos». Esta disposición legal abrió un resquicio para que, con apoyo de las coaliciones, se pudiera dar una sobrerrepresentación mayor que la permitida por la Constitución.

El truco para aumentar el número de diputados que en conjunto reciben los partidos coaligados es el siguiente: la coalición gana un número de distritos gracias al voto ciudadano por el partido con mayores preferencias, Morena. Pero esos triunfos no se le reconocen todos a Morena —aunque haya sido el emblema que la ciudadanía cruzó en la boleta—, sino a sus socios minoritarios. Estos se ven beneficiados por triunfos de mayoría relativa que, por sí mismos, no logran conseguir, y Morena también gana porque al endosar, vía convenio de coalición, triunfos uninominales a sus aliados, recupera esos diputados por la figura de la representación proporcional. En 2018, de 220 distritos ganados por la coalición Juntos Haremos Historia con votos para Morena, trasladó 104 triunfos distritales al PT y al PES; en 2021, de 180 distritos ganados por la coalición, trasladó 60 al PT y el PVEM.[11]

La sobrerrepresentación vía coaliciones puede favorecer en un momento a unos partidos y después a otros, pero siempre afecta el sentido de la voluntad ciudadana expresada en las urnas. Eso es lo grave.

Ahora bien, volviendo al desempeño del Legislativo y a su centralidad para la vida democrática, no es casual que, en los años más recientes, a partir de 2018, cuando se exacerbaron los riesgos de retroceso autoritario en México, el Congreso estuviese dominado, con mayoría simple, por la coalición de partidos del presidente. Así, como ocurría en la época del viejo presidencialismo autoritario, ambas Cámaras aprobaron leyes sin modificar un ápice las iniciativas del Ejecutivo; pero las prácticas incluso empeoraron, pues ahora, en ocasiones, se aprobaron leyes prescindiendo de una mínima deliberación parlamentaria, lo que propició que varias reformas legales se declararan inconstitucionales por la Suprema Corte de Justicia de la Nación al violar los procedimientos legislativos previstos.[12]

Es de tal centralidad el papel del Congreso para la vida democrática que, puede decirse, la inoperancia del parlamento deviene, también, en la parálisis de la democracia. Un Poder Legislativo sometido a la voluntad de otro poder actúa sin independencia, lesionando los fundamentos básicos de la democracia, entendida no solo como el momento del sufragio que da legitimidad a quien ocupa el gobierno, sino como el régimen donde el poder político se encuentra siempre acotado, dividido y sometido a las leyes.

XIII. 2024: la conformación artificial de una mayoría calificada en la Cámara

En el panorama histórico que se ha ofrecido de la conformación de la Cámara de Diputados sobresale el hecho de que, durante décadas, el cambio al arreglo político fundamental de la sociedad, la Constitución, debió ser fruto del acuerdo entre distintas fuerzas políticas. En más de 35 años, ningún partido o coalición logró reunir las dos terceras partes de las diputaciones. Incluso en el sexenio 2018-2024, todo cambio constitucional fue producto del voto de la coalición gobernante y de partidos de oposición. Ello dio lugar, también, a que cuando las oposiciones se decidieron, fuesen capaces de rechazar iniciativas de cambio constitucional con las que discrepaban, tal como ocurrió en diciembre de 2022 con la propuesta presidencial en materia electoral, conocida como «plan A», la cual implicaba prescindir de las reglas e instituciones electorales que hicieron posible contar con comicios legales y legítimos.

Después de la elección de 2024 se llegó a una situación muy grave: al otorgársele al gobierno una mayoría calificada que no consiguió en las urnas, inició el desmantelamiento de la división de poderes establecida en la Constitución. Fue el caso de la aprobación de la reforma al Poder Judicial de la Federación, promulgada el 15 de septiembre, a escasas dos semanas de que concluyera el sexenio de López Obrador.

En 2024, Morena recibió el 40.8% de los votos a la Cámara de Diputados (tabla 2.5). No logró obtener la mayoría del sufragio popular, por lo que puede decirse que es, claramente, la primera minoría política de México. Pero con sus aliados, el PT (5.5% de la votación) y el PVEM (8.4%), la coalición Sigamos Haciendo Historia sí superó la mayoría simple de apoyo en las urnas, al sumar 54.7%. Sin embargo, en una operación política sin precedente, al día siguiente de la elección del 2 de junio, la secretaria de Gobernación anunció, en Palacio Nacional y acompañada por el presidente, que a su coalición le deberían de corresponder 372 diputados, el 74.4% de la Cámara. El gobierno invadía atribuciones exclusivas del Instituto Nacional Electoral (INE) y del

Tribunal Electoral del Poder Judicial de la Federación (TEPJF) al pretender determinar cómo se debería dar la traducción de votos a curules en el Congreso. Había iniciado así desde el poder la campaña a favor de una mayoría calificada artificial que le favorecía y le permitiría, por primera vez en más de cuatro décadas, cambiar de manera unilateral la Constitución.

Tabla 2.5. Votación a la Cámara de Diputados, 2024.		
	Votos	Porcentaje
PAN	10,046,629	16.9%
PRI	6,622,242	11.1%
PRD	1,449,176	2.4%
PVEM	4,992,286	8.4%
PT	3,253,564	5.5%
MC	6,495,521	10.9%
Morena	24,277,957	40.8%
C. Independientes	72,012	0.1%
No registrados	49,305	0.1%
Nulos	2,189,171	3.7%
Total	59,447,863	100.0%
Fuente: Acuerdo del INE CG2129/2024.		

Una vez más, para que la coalición gobernante se lograra hacer con un porcentaje de diputados muy superior al porcentaje de votos recibidos, fue necesario recurrir al trasvase de triunfos. De los 219 triunfos distritales que obtuvo la coalición Sigamos Haciendo Historia, en 213 el partido más votado fue Morena. Pero solo reconoció como propios a 145 candidatos, por lo que cedió, vía convenio de coalición, 68 victorias distritales a sus aliados (tabla 2.6).

Pero aun con ese trasvase de votos, el límite constitucional de hasta ocho puntos de sobrerrepresentación debió respetarse. Eso implica que, tomando en cuenta la votación nacional emitida —la que elimina los votos nulos, por candidatos no registrados, por independientes y de los partidos que perdieron el

Tabla 2.6. Distritos electorales ganados por Morena, PVEM y PT, 2024.				
	Sin coalición (A)	En coalición		Saldo coalición (C-B)	Total (A+C)
		Partido más votado (B)	Candidatura registrada (C)		
Morena	37	213	145	-68	182
PVEM	0	6	40	34	40
PT	0	0	34	34	34
Total	37	219	219	0	256
Fuente: elaboración propia a partir del acuerdo INE/CG/2129/2024.					

registro—, Morena y sus aliados alcanzarían el 58.4%, por lo que, con ocho puntos más, habrían estado cerca de la mayoría calificada (66.7%). Sin embargo, las autoridades electorales le concedieron una mayoría calificada de 72.8 por ciento.

Recuérdese que el artículo 54, base V, de la Constitución señala que no puede haber más de ocho puntos de diferencia entre el porcentaje de votos y de diputados. Cuando se hizo esa reforma en la ley, se asentó que a las coaliciones se les daría trato de «un solo partido», así que el límite del 8% fue para partidos y coaliciones. En ninguna reforma electoral posterior se aprobó e, incluso, ni fue siquiera mencionado, que las coaliciones podrían ser el vehículo para superar el límite de sobrerrepresentación.

A lo largo de los meses de junio, julio y agosto de 2024 se dio un intenso debate sobre qué lectura constitucional debía prevalecer para asignar diputaciones plurinominales. Entre los argumentos para evitar que, a través de la coalición, el gobierno se hiciera con un número de diputados superior al 8% del porcentaje del voto que obtuvo en las urnas, además de los antecedentes históricos y del propósito de la reforma de 1996 que igualaba el trato en la ley a partidos y coaliciones, se insistió en que las autoridades electorales de hecho sí consideraban como sinónimo el término *partido* y *coalición* al interpretar la base primera del artículo 54 constitucional. Esta señala que solo los partidos que registren 200 candidatos a diputados uninominales tendrán derecho a diputados plurinominales, y de hecho en 2024 solo Movimiento Ciudadano, que compitió en solitario, cumplió con ese requisito literal; no obstante, se entendió, con buen criterio que, al ir en coalición, los demás partidos sí registraron, con sus aliados, al menos 200 candidatos; por tanto, el término *partido* se comprendió como sinónimo de *coalición*. Si con ese cristal se leyó la base I, la base V también debería interpretarse así: el límite para los partidos también era aplicable para las coaliciones.

Además, en el debate público se recuperó la tesis de la Suprema Corte de Justicia de la Nación (Tesis P./J. 70/98) que ordenaba una lectura armónica de la Constitución en materia de sobrerrepresentación, la cual señala:

El principio de representación proporcional en materia electoral se integra a un sistema compuesto por bases generales tendientes a garantizar de manera efectiva la pluralidad en la integración de los órganos legislativos, permitiendo que formen parte de ellos candidatos de los partidos minoritarios e, impidiendo, a la vez, que los partidos dominantes alcancen un alto grado de sobrerrepresentación. Esto explica por qué, en algunos casos, se premia o estimula a las minorías y en otros se restringe a las mayorías. Por tanto, el análisis de las disposiciones que se impugnen, debe hacerse atendiendo no solo al texto literal de cada una de ellas en lo particular, sino también al contexto de la propia norma que establece un sistema genérico con reglas diversas que deben analizarse armónicamente.

De forma lamentable, todos los argumentos jurídicos e históricos para evitar una sobrerrepresentación contraria a la Constitución fueron inútiles. El INE y la Sala Superior del Tribunal

Gráfica 2.3. Distorisión de la representación en la Cámara de Diputados 2024-2027

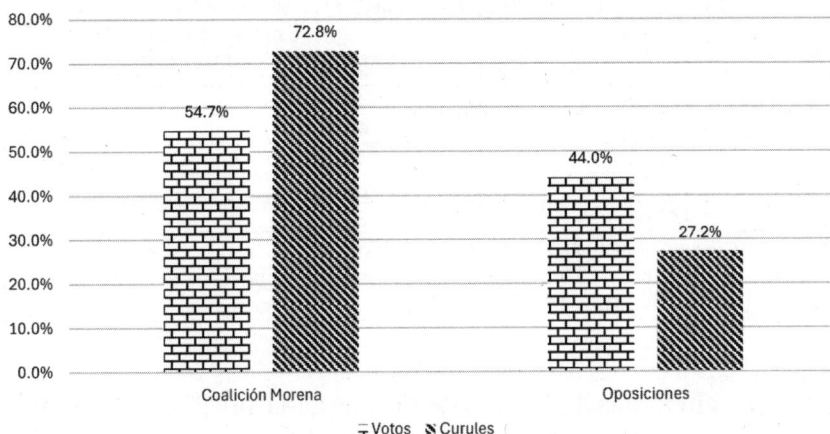

Fuente: Elaboración propia con datos del Instituto Nacional Electoral

Electoral concedieron al gobierno su pretensión de hacerse con una mayoría calificada que las urnas no le dieron.[13] La gráfica 2.3 muestra cómo se infló la representación de Morena y aliados en la Cámara de Diputados, a la vez que se comprimió el valor del voto depositado por la ciudadanía a favor de las opciones políticas no alineadas con el gobierno. Además, la decisión de las autoridades electorales implicó que se alterara a tal grado el tamaño de las bancadas legislativas que, por ejemplo, el partido que quedó en quinto lugar (PVEM) en preferencias ciudadanas terminó siendo la segunda bancada; el segundo lugar en las urnas (PAN) acabó siendo la tercera bancada; y el partido menos votado (PT) fue, sin embargo, el cuarto grupo parlamentario en importancia (tabla 2.7).

Claudia Sheinbaum, presidenta electa de México al momento en que el INE y el Tribunal le dieron la mayoría calificada al gobierno en la Cámara de Diputados, declaró el 19 de agosto de 2024: «en todo caso están sobrerrepresentados los de minorías,

Tabla 2.7. Votación popular y diputados por partido en la Cámara de Diputados de México, 2024				
	Votos (A)*	Curules (B)	Diferencia (B-A)	Lugar en preferencia ciudadana	Lugar en número de diputados
PAN	18.0%	14.4%	-3.6%	2	3
PRI	11.9%	7.0%	-4.9%	3	5
PVEM	9.0%	15.4%	6.4%	5	2
PT	5.8%	10.2%	4.4%	6	4
MC	11.7%	5.4%	-6.3%	4	6
Morena	43.6%	47.2%	3.6%	1	1

Fuente: elaboración propia a partir del acuerdo CG/INE 2129/2024
Nota: * se refiere a la votación válida emitida restando votos nulos, por candidatos no registrados, por partidos que perdieron el registro y por candidatos independientes.

porque tienen más diputados de los que ganaron»,[14] de tal suerte que, según la mandataria, es un contrasentido que los partidos de oposición tuviesen más diputados plurinominales que triunfos distritales, cuando justamente la representación proporcional busca corregir la distorsión entre votos y escaños que genera la mayoría relativa, donde quien obtiene más sufragios que los rivales se hace con el 100% de la representación de cada distrito. La afirmación de la presidenta Sheinbaum desconoce la importancia de los plurinominales, e ignora que la democratización de México y la presencia de la izquierda en el Congreso (cuando el PRI en el pasado ganaba más del 90% de los distritos) fue gracias a la conquista de la representación proporcional que dio voz y presencia a las minorías, en consonancia con su respaldo popular en las urnas. De prevalecer la lógica contra la representación de las minorías a través de los plurinominales, en 1991 a las oposiciones no les debieron corresponder más de 3% de diputados a pesar de haber obtenido el 42% de los votos (tabla 2.2) o, por ejemplo, tampoco hubiese sido correcto que, en la elección de 2015, Morena se hiciera con 35 diputaciones habiendo ganado solo 14 distritos;[15] evidentemente, esas asignaciones a los partidos de oposición fueron correctas en el sistema mixto de representación. Pero el hecho es que, una vez en el poder, tanto López Obrador como Sheinbaum despreciaron a las minorías y buscaron afectar al pluralismo, esencia de las sociedades democráticas.

Esa apuesta contra la expresión de la pluralidad y a favor de la construcción de mayorías artificiales es parte de la agenda del populismo para trastocar la democracia. Lo advierte con claridad Nadia Urbinati (2020: 133): «La transformación radical de la democracia desde adentro, que la demagogia (y el populismo) fomenta, se puede resumir así: es la transformación de la idea de mayoría absoluta como procedimiento para tomar decisiones, en un clima de pluralismo, a la idea de mayoría absoluta como poder rector de una mayoría para la que el pluralismo es un obstáculo para tomar decisiones rápidas y sin oposición». Y complementa: «A los líderes o partidos populistas en el poder no les basta con ganar una mayoría: quieren poder ilimitado y quieren permanecer en el poder tanto como sea posible» (Urbinati, 2020: 141).

La mayoría calificada artificial obtenida a merced del aval del INE y el Tribunal Electoral permitió que, por primera vez en cuatro décadas, se cambiase la Constitución sin el acuerdo de fuerzas políticas distintas que hubiesen contendido electoralmente. Es decir, la sobrerrepresentación permitió fracturar la rigidez constitucional que requiere de un amplio consenso social para, en cambio, imponer cambios apresurados de manera unilateral.

La primera reforma constitucional procesada desde la mayoría calificada de la coalición del gobierno fue la del Poder Judicial, la cual se votó en la Cámara de Diputados con enorme celeridad. Sin que pasara por comisiones —ese trámite se había hecho al final de la legislatura previa—, el 4 de septiembre de 2024 se votó en el pleno, cuando la LXII Legislatura se había instalado apenas el día 1° del mes. En el Senado, el 8 de septiembre se aprobó el dictamen en comisiones y la madrugada del día 11 —fecha fatídica para las democracias, pues en 1973 se produjo el golpe de Estado militar contra el gobierno electo de Salvador Allende en Chile y en ese día de 2001 ocurrieron los atentados terroristas en Nueva York y Washington, que dieron pie a una respuesta de la Casa Blanca que con frecuencia violó derechos humanos— se votó en el pleno de la llamada Cámara Alta el cambio constitucional, con el respaldo de un senador de oposición y la ausencia de otro.[16] El trámite legislativo se consumó cuando, en menos de 24 horas, un total de 17 congresos locales avalaron la reforma constitucional.[17] Así, en tiempo récord y prácticamente sin deliberación parlamentaria, se aprobó en septiembre de 2024 la reforma más profunda a la Constitución desde su promulgación en 1917.

Lorenzo Córdova explica la deriva autoritaria de esa forma de legislar:

> El absoluto desprecio que esas mayorías (despóticas) tienen por la lógica parlamentaria (legislar —en democracia— implica discutir, ponderar propuestas y construir consensos, precisamente lo que no hicieron), por las reglas básicas de operación legislativa y por la renuncia a ser un contrapeso del Ejecutivo cuyo titular se erige como el gran (y único) decisor, son una triste constatación de cómo nuestra democracia degenera aceleradamente hacia modalidades autoritarias (Córdova, 2024: 123-24).

En opinión de José Antonio Aguilar Rivera (2024): «La reforma al Poder Judicial de septiembre de 2024, y las que probablemente le seguirán, constituye el retroceso político civilizacional más grave en la historia reciente del país. El repudio constitucional a la democracia es el rechazo a los avances de un cuarto de siglo en materia de derechos individuales, Estado de derecho y separación de poderes».

La reforma judicial se concretó con la elección del 1 de junio de 2025. Bien vistas las cosas, no fue una reforma o una actualización a la Carta Magna, sino una abierta contravención a lo dispuesto en 1917: ese año, los constituyentes determinaron que no procedía la elección popular de jueces. Así que no se modificó el edificio constitucional: se demolió en uno de sus pilares. Los juzgadores ahora son una suerte de representantes populares de la mayoría política, ya no garantes de las leyes también para las minorías. Los atributos de quien imparte justicia no serán el conocimiento de las normas, la experiencia, el profesionalismo y la independencia, sino las adhesiones políticas. Desaparece el Poder Judicial entendido como una instancia de garantía contramayoritaria.

Además, la elección del Poder Judicial careció de los fundamentos mínimos de autenticidad. Se contravinieron los principios constitucionales rectores de la función electoral. En una elección democrática, cada ciudadano tiene el mismo número de boletas y de cargos por los cuales votar, pero no fue así en la elección de jueces y magistrados; unos electores, por su residencia, tuvieron más votos que otros, lo cual fracturó la igualdad del sufragio. Tampoco hubo lugar para la representación de las minorías en los colegiados jurisdiccionales. Dado que para la Corte se pudo sufragar hasta por nueve personas distintas, la mayoría impuso su «planilla» de nueve. Fue la institucionalización en las reglas del «carro completo», figura del autoritarismo. La proliferación de «acordeones» con las listas de candidatos que debían ser votados, que coincidieron con exacta precisión con el resultado electoral, más una abstención del 87% de la lista de electores, fueron prueba de que no se trató de un ejercicio de libre voto ciudadano, sino de una operación del poder político para poner fin a la independencia de la judicatura. Por primera vez en décadas, las misiones de observadores extranjeros —los expertos convocados por la Organización de Estados Americanos, OEA— calificaron a los comicios en México como carentes de integridad.

La reforma judicial aprobada al inicio del gobierno de Claudia Sheinbaum deja en indefensión jurídica práctica a millones de ciudadanos contra actos del poder político. México se está adentrando en lo que Alexis de Tocqueville identificó con precisión desde hace siglos: en la «tiranía de la mayoría».

XIV. Del auge del pluralismo a la reconcentración de poder[18]

A pesar de las maniobras para construir mayorías artificiales —primero las simples (2018 y 2021) y, más adelante, las calificadas en el Congreso (2024)—, el pluralismo sigue siendo el rasgo característico de la sociedad mexicana.

Para aportar evidencia de lo anterior, es oportuno ahora emplear indicadores usuales en la ciencia política sobre el número de partidos que son relevantes en términos de los votos que reciben y la manera en que se representan en el Congreso.

Para conocer la fragmentación o concentración en un sistema de partidos, la literatura en política comparada cuenta con dos útiles herramientas: 1) el número efectivo de partidos, NEP (con respecto a la votación y a los asientos), y 2) el índice de proporcionalidad de Gallahger (Shugart y Taagepera, 2018).[19] Esos son los indicadores que se emplean a continuación.

El NEP, de acuerdo con su votación (NEPV) a lo largo de diez elecciones federales —de 1997 a 2024—, tiene un promedio de 4.03 y una mediana de 4.00, es decir, el sistema político mexicano se caracteriza por la presencia, en términos de votos, de cuatro fuerzas políticas relevantes distintas. Puede apreciarse, también (tabla 2.8 y gráfica 2.4), que el NEPV en el cambio de siglo era cercano a tres partidos, las principales fuerzas protagonistas de la transición: PAN, PRI y PRD. Después, la presencia de otros partidos, como pueden ser el PVEM y Movimiento Ciudadano, así como la participación a partir de 2015 de Morena, dan cuenta de una tendencia hacia un mayor número de actores políticos relevantes. En la elección de 2015 es donde el NEPV alcanza su valor más alto: es cuando más disperso fue el voto ciudadano entre las diversas alternativas electorales, lo que evidencia que el sistema

Año	Índice de Gallagher	Número efectivo de partidos en votación NPEV (A)	Número efectivo de partidos en asientos en Cámara NEPA (B)	Diferencia (A- B)	Número de Partidos con registro
1997	6.73	3.42	2.86	0.56	8
2000	5.21	3.39	2.78	0.61	11
2003	6.14	3.63	3.00	0.62	11
2006	8.86	4.25	3.57	0.68	8
2009	6.63	3.75	3.03	0.72	8
2012	7.49	4.26	3.55	0.71	7
2015	8.01	5.63	4.09	1.53	11
2018	10.65	4.42	4.69	-0.26	10
2021	7.19	4.82	4.11	0.71	10
2024	8.9	4.0	3.5	-0.5	7.0
Promedio	7.59	4.16	3.52	0.54	9.10
Mediana	7.34	4.14	3.53	0.65	9.00

Tabla 2.8. Número Efectivo de Partidos y sobrerrepresentación en Cámara de Diputados, 1997-2024

Fuente: elaboración propia, de 1994 a 2015 con los datos presentados en el Sistema de Consulta de la Estadística de las Elecciones Federales (SICEF), y de 2018 en adelante con acuerdos del Consejo General del Instituto Nacional Electoral INE/CG1181/2018, INE/CG1443/2021, INECG/2129/2024.

Gráfica 2.4. Número Efectivo de Partidos y sobrerrepresentación en Cámara de Diputados, 1997-2024

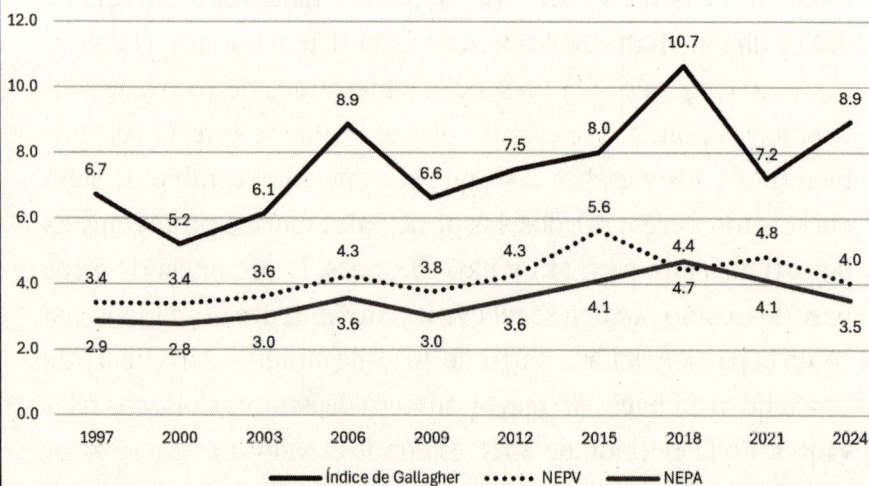

Fuente: Elaboración propia a partir de datos de la tabla 2.8.

electoral mexicano permite el surgimiento y la consolidación de nuevas opciones políticas, de tal suerte que las tres fuerzas protagonistas de la transición democrática en las últimas dos décadas del siglo anterior han ido perdiendo terreno ante otros institutos políticos, a grado tal que el PRD desapareció en 2024. Se ha tratado, así, de un sistema de partidos abierto.[20]

Los datos muestran que, en la elección de 2024, el NEP en términos de votación es de 4 —siendo los cuatro partidos más votados Morena, el PAN, el PRI y Movimiento Ciudadano, en ese orden; es decir, el del gobierno y tres de oposición—, una cifra incluso mayor a la que se tenía al inicio del siglo, lo que confirma el vigente pluralismo del electorado mexicano a pesar de la idea que tienen el gobierno y su partido de que solo ellos representan a la sociedad.

El indicador del número efectivo de partidos con representación (NEPA) muestra un promedio de 3.52 partidos y una mediana de 3.53 entre 1997 y 2024. Que estos números sean inferiores al NEP en términos de votación se explica en buena medida por la fórmula de integración de la Cámara de Diputados, donde los partidos con más presencia territorial alcanzan triunfos de mayoría relativa por encima de sus porcentajes de votación o, dicho de otra forma, la expresión del pluralismo en las urnas no se refleja con toda nitidez en la integración del parlamento, lo que solo ocurre en sistemas de plena proporcionalidad, que no es el caso de México, el cual cuenta con un sistema mixto de conformación de la Cámara Baja.[21]

El comportamiento del número de partidos con representación en estas décadas presenta una tendencia similar al número de partidos en términos de votos: se vive una amplia etapa de expansión en las fuerzas políticas representadas en la Cámara, pero hacia el final se da una contracción. De esta forma, si al inicio del siglo el indicador rondaba los tres partidos y luego crece hasta superar los cuatro partidos, en 2024 se presenta una disminución hasta llegar a 3.5 partidos. Con este indicador, la conclusión relevante es que el pluralismo expresado en la integración de la Cámara de Diputados se amplió para luego retroceder, pero continúa siendo mayor que cuando se dio el primer gobierno dividido en 1997: el pluralismo real de la sociedad no se ha conjurado.

Por otra parte, puede verse que el número de partidos con registro (tabla 2.8, sexta columna) ha sido siempre muy superior al NEP en términos de los indicadores aquí utilizados que se desprenden de la votación y de la representación en la Cámara de Diputados. Es decir, hay formaciones que logran su registro como partidos políticos nacionales e incluso permanecen formalmente, pero cuya presencia real es marginal.

Los indicadores hasta aquí presentados, en suma, demuestran una fase amplia de intensificación de la competitividad entre un número mayor de partidos, tanto en votos como en curules, lo que puede leerse como un proceso propio de la expansión de la pluralidad que luego disminuye, pero sigue siendo superior que al inicio del periodo. El pluralismo permanece como el rasgo político fundamental de la sociedad mexicana.

La hiperconcentración de poder de Morena a partir de 2024 no se corresponde con su votación a la Cámara de Diputados, de 40%, porcentaje inferior que obtenía el PRI ya en su fase de declive como fuerza mayoritaria en la década de 1990. Aunque hay datos que apuntan a la concentración del poder y de la representación, no puede afirmarse que México esté ya bajo un régimen de partido hegemónico, aunque el partido del gobierno así lo pretenda. Y ello se debe a que la ciudadanía sigue ejerciendo un voto plural.

Conviene prestar atención ahora a la sobre y subrepresentación a través del índice de Gallagher, lo que evidencia problemas en las reglas de traducción de votos ciudadanos en curules parlamentarias. La sobrerrepresentación de alguna o algunas fuerzas siempre implica la subrepresentación de otros partidos respecto al voto ciudadano que recibieron. En la gráfica 2.4 pueden apreciarse tres periodos de crecimiento del índice en la Cámara de Diputados entre 2000 y 2006; después, entre 2009 y 2018; y finalmente, entre 2021 y 2024.

En 1997, el PRI logró el 38% de los votos y el 48% de los asientos en la Cámara (véase la tabla 2.2). Para el 2000 se da una disminución del índice, por lo que la traducción entre votos y escaños mejoró en buena medida porque se distribuyeron más los triunfos distritales de mayoría relativa. Sin embargo, en 2003 y, en especial, en 2006, se da un notable aumento de la sobre y subrepresentación. En 2006, el repunte de índice de Gallagher a 8.86 se explica en buena medida por la polarización en dos opciones a la presidencia, que tuvo su correlativa expresión en la votación a la Cámara de Diputados. Ello implicó que las dos fuerzas más votadas (el PAN y la coalición que encabezó el PRD) se hicieran con el grueso de las victorias de diputados de mayoría relativa, en detrimento a los triunfos del PRI, el cual, situándose en tercer lugar, logró escasos triunfos distritales.[22] Esto hace evidente que las elecciones de mayoría relativa (el ganador de cada distrito se lleva el 100% de la representación) no ayudan a reflejar mejor las preferencias agregadas del electorado en la composición de la Cámara.

En 2009 cae de nuevo el índice de sobrerrepresentación y comienza un ligero aumento en las siguientes dos elecciones, hasta llegar al máximo en 2018, cuando alcanza 10.65 puntos. Esa distorsión fue de tal magnitud que permitió que la coalición encabezada por Morena tuviese una sobrerrepresentación de 16 puntos entre los porcentajes de votos y curules.

Para 2021 se corrigió la sobrerrepresentación, mas el índice de Gallagher fue superior al registrado en la conformación de la Cámara tras las elecciones de 2000, 2003 y 2009. Pero en 2024 la sobrerrepresentación se dispara de nueva cuenta a 8.9 puntos. Eso quiere decir que hay un profundo retroceso en términos de la forma en que la voluntad popular depositada en las urnas se refleja en la composición de la Cámara de Diputados. Ello se explica, qué duda cabe, por la decisión del INE y del Tribunal Electoral de conceder una mayoría calificada a la coalición del gobierno que no se corresponde con la votación ciudadana, y por no haber aplicado a las coaliciones el límite del 8% de sobrerrepresentación.

Corregir la distorsión entre votos y diputados es la asignatura pendiente con mayor relevancia del sistema electoral mexicano. Sin embargo, en vez de avanzar hacia la corrección de esa disfuncionalidad, la propuesta del entonces presidente López Obrador, respaldada por la actual presidenta Claudia Sheinbaum, consiste en agudizarla mediante la desaparición de los legisladores de representación proporcional. Con una ultramayoría parlamentaria artificial se cambia la Constitución para asegurar la existencia de ese mayoritarismo en el futuro, al eliminar la vía por excelencia para la representación de las minorías: la proporcionalidad.

XV. El Senado: una pluralidad contenida y un pacto federal distorsionado[23]

Al igual que la Cámara de Diputados, la integración del Senado fue objeto de profundos debates en distintas reformas electorales. En 1986 se especificó que cada entidad tendría dos senadores que corresponderían al partido más votado, si bien la Cámara Alta se renovaría por mitades cada tres años, lo que hizo que en 1988 el PRI, habiendo obtenido el 49% de los votos, se hiciera con 94% de los escaños. Para la reforma de 1994, el Senado se amplió a 128 senadores, cuatro por entidad, de los cuales tres (75%) se le asignaban al partido más votado y uno (25%) a la segunda fuerza, lo cual seguía premiando la sobrerrepresentación de la fuerza política preponderante. En 1996 se llegó al acuerdo de la fórmula actual y a la renovación total del Senado cada seis años: 128 legisladores, de los cuales 96 surgen directamente de las entidades federativas (cada entidad cuenta con tres senadores: dos que se le asignan a la fuerza más votada y uno al segundo lugar) y 32 de una lista nacional.

Con esta fórmula, el partido o coalición que logra más votos en cada entidad cuenta con el 66.7% de la representación de ese estado y la segunda fuerza, con el 33.3%. Sin embargo, no es usual que el apoyo electoral para primero y segundo lugar sea de tan amplias magnitudes. Así que, con la fórmula vigente, no hay lugar para que una tercera fuerza alcance la representación directa de alguna entidad. La distorsión agregada entre porcentajes de la votación y de legisladores se atempera gracias a la presencia de 32 senadores de lista nacional con proporcionalidad directa, aunque ello tiene el inconveniente de no respetar el principio de que el Senado, como expresión del pacto federal, se integra solo por legisladores surgidos del interior de las entidades federativas.

La tabla 2.9 muestra la integración de la llamada Cámara Alta a lo largo del siglo XXI. Con el diseño constitucional vigente, que se utilizó a partir de la elección del año 2000, se dio también la primera conformación del Senado en donde el presidente no tuvo mayoría. Esa situación se repitió en 2006 y 2012, de tal suerte que, durante tres sexenios diferentes (2000-06, 2006-12 y 2012-18), el titular del Ejecutivo enfrentó contrapesos en ambas Cámaras del Congreso de la Unión, lo cual, si bien complicó la aprobación de leyes, también reforzó la necesidad del diálogo y de los acuerdos entre fuerzas políticas adversarias. Fueron años en los que la voluntad presidencial estuvo lejos de ser suficiente

Tabla 2.9. Votos y escaños en el Senado de la República, 2000-2024

	2000		2006		2012		2018		2024	
	Votos %	Escaños %*	Votos %	Escaños %**	Votos %	Escaños %	Votos %***	Escaños %	Votos %	Escaños %
PAN	40.70%	36%	35.3%	40.6%	28.0%	29.7%	19.7%	18.0%	17.6%	17.2%
PRI	39.20%	47%	29.3%	25.8%	33.1%	42.2%	17.8%	10.9%	11.3%	12.5%
PRD	20.10%	12%	31.1%	22.7%	19.7%	17.2%	5.9%	6.3%	2.4%	1.6%
PT	n.d.	1%	n.d.	1.6%	4.9%	3.9%	4.3%	4.7%	5.6%	7.0%
PVEM	n.d.	4%	n.d.	4.7%	6.1%	5.5%	5.0%	4.7%	9.3%	10.9%
MC	n.d.	1%	n.d.	3.9%	4.3%	0.8%	5.2%	5.5%	11.3%	3.9%
Morena	n.a.	n.a.	n.a.	n.a.	n.a.	n.a.	42.0%	43.0%	42.5%	46.9%
Otros			4.2%	0.8%	3.9%	0.8%		7.0%	0.0%	0.0%
Total	100%	100%	100.0%	100.0%	100.0%	100.0%	100.0%	100.0%	100.0%	100.0%
Partido o coalición gobernante	PAN-PVEM		PAN		PRI-PVEM		JHH		SHH	
Porcentajes	41%	40%	35.3%	40.6%	47.7%	47.7%	46.3%	53.9%	57.4%	64.8%

*En 2000 el PT y MC compitieron en coalición con el PRD bajo un mismo emblema y no puede saberse cuántos votos correspondieron a cada partido.

** En 2006 el PVEM compitió en un mismo emblema con el PRI; el PT y MC lo hicieron con el PRD.

*** En 2018, Nueva Alianza y Encuentro Social recibieron 1 y 8 senadores por ir en coalición aunque perdieron su registro al no recibir el 3% de los votos válidos

Fuente: elaboración propia a partir de acuerdos de asignación de senadores del IFE/INE de 2000 a 2024.

para conseguir que se aprobaran sus iniciativas parlamentarias. El México del presidencialismo omnipotente, característico de los años del régimen autoritario, se diluía.

Sin embargo, como sucedió en la Cámara de Diputados, a partir de 2018 la coalición de Morena logró la mayoría simple del Senado, y lo hizo sin que eso se debiera a una mayoría de votos ciudadanos por los partidos que respaldaron a López Obrador: los datos de la tabla 2.9 dan cuenta de que la coalición Juntos Haremos Historia —que integraron Morena, el PT y el PES— sumó menos de la mitad de los sufragios populares al Senado (46.3%), pero recibió más de la mitad de los legisladores (53.9%). En este caso, a diferencia de lo que ocurrió en la Cámara de Diputados, que la minoría de votos se haya convertido en mayoría parlamentaria no se debe a algún fraude a la ley, sino que se explica por la fórmula de integración del Senado: la coalición fue la primera fuerza en 25 entidades, lo que le dio dos senadores por cada una de ellas, y fue segundo lugar en otros cinco estados, lo que da 55 legisladores. Además, de la lista nacional, Morena recibió 13 senadores y el PT uno, así que sumaron en total 69 (el 53.9% del total).

Los datos de la composición del Senado a lo largo del siglo XXI dan cuenta, como ocurre en la Cámara de Diputados, de un hecho político fundamental: no ha existido una fuerza política o coalición de partidos capaz, por sí sola, de modificar la Constitución. Para ello se requiere, en términos del artículo 135 de la Carta Magna, más de dos terceras partes de los senadores, es decir, 86 legisladores (67%). Así, aun habiendo mayoría simple del presidente entre 2018 y 2024, no pudo aprobar una sola reforma constitucional sin el apoyo, al menos, de uno de los principales partidos de la oposición. Eso explica por qué, también, fueron detenidas importantes reformas constitucionales y por qué, al final de su gobierno, el presidente López Obrador insistió en impulsar reformas que buscaron asfixiar la expresión de la pluralidad real de la sociedad en el Congreso.

En 2024, Morena recibió 60 senadores; el PVEM, 14; y el PT, nueve. Sumaron, así, 83 legisladores, sin alcanzar los 86 requeridos para la mayoría calificada. De forma lamentable, aun antes de que se instalara la LXVI Legislatura, los dos senadores que obtuvo el PRD se sumaron a la bancada de Morena y ese partido logró el apoyo incondicional de un senador del PAN, con lo cual la llamada Cámara Alta quedó supeditada, del todo, al Ejecutivo, y aprobó, con obediencia impropia de un parlamento, las reformas que extinguieron la democracia constitucional en México.

XVI. Regresión autoritaria: reducir o eliminar la representación proporcional

Como se ha explicado en las secciones previas, incluir la representación proporcional fue pieza indispensable del proceso de democratización en México. Esta figura legislativa dio pie a que las minorías dejaran de ser testimoniales y se convirtieran en auténticos contrapesos legislativos. Entre 1997 y 2018 todos los presidentes coexistieron con integraciones de la Cámara de Diputados donde su partido o coalición no contaba con la mayoría absoluta, estando obligados, por tanto, a negociar con otras fuerzas políticas todas las iniciativas de ley, incluida la aprobación anual del presupuesto de egresos de la federación, por no hablar de los cambios constitucionales. Lo mismo ocurrió en el Senado entre el 2000 y el 2018.

Sin embargo, cuatro presidentes, surgidos de tres partidos políticos distintos, buscaron disminuir la representación proporcional en el Congreso con el propósito de facilitar la conformación de mayorías parlamentarias, así fueran artificiales respecto a los votos expresados en las urnas. En 2009, el presidente Felipe Calderón propuso reducir el Senado a 96 integrantes, eliminando a los 32 de representación proporcional, y recortar la Cámara de Diputados a 400 legisladores, con 240 de mayoría relativa y 160 de representación proporcional.[24] En la misma dirección, Enrique Peña Nieto[25] quiso eliminar la representación proporcional en el Senado y prescindir de la mitad de los diputados plurinominales en la llamada Cámara Baja. Se trató de propuestas regresivas, sin duda, pero no del todo destructivas, pues mantenían viva la figura de la representación proporcional, aunque la acotaban.

Sin embargo, en 2021, Andrés Manuel López Obrador hizo pública su intención de abolir a los diputados plurinominales. En febrero de 2024, en el ocaso de su gobierno, López Obrador presentó una iniciativa constitucional para modificar la integración del Congreso de la siguiente forma: eliminando por completo a los diputados de representación proporcional y reduciendo a la mitad el Senado para tener dos legisladores por entidad electos por el principio de mayoría relativa.[26] Esta última propuesta fue adoptada, al pie de la letra, por Claudia Sheinbaum cuando llegó a la presidencia, en octubre de 2024.[27]

Como puede verse, la intención desde distintas presidencias de reducir —o, en el extremo, eliminar— a los plurinominales se nutre de la añoranza de controlar al Congreso aun sin recibir el suficiente respaldo ciudadano.

La cancelación de la representación proporcional, que puede ser posible gracias a la sobrerrepresentación que el INE y el Tribunal Electoral concedieron a Morena y sus aliados en 2024, es una medida extrema contra la expresión del pluralismo. Con el 54.7% de los votos logrados a la Cámara de Diputados, ya sin plurinominales, Morena podría haberse hecho con el 85% de los legisladores, pues ganó ese porcentaje de distritos electorales.

Lo mismo ocurre en el Senado. En 2018, Morena y aliados obtuvieron el 57.4% de los votos a la Cámara alta, pero, de no haber sino 64 legisladores que son asignados a la opción más votada en cada entidad federativa, entonces los 30 primeros lugares de votación les habrían significado el 94%, una sobre-rrepresentación de más de 36 puntos porcentuales. Se pretende lograr una aplanadora en el Senado que no se corresponde con la pluralidad de votos que se expresa en las entidades federativas.

No han sido solo los gobernantes quienes llegaron a ver al pluralismo en el Congreso como un obstáculo que debía remo-verse. La intención de afectar la representación para construir mayorías artificiales fue propuesta al final de la primera década del siglo XXI por analistas como José Córdoba Montoya y Jor-ge Castañeda. Su argumentación consistía en que las reformas que el país requería estaban siendo bloqueadas por los partidos minoritarios y era indispensable, entonces, introducir fórmulas legales que aseguraran la existencia de mayorías y, en el extremo, gobernar plebiscitariamente, prescindiendo de la intermedia-ción parlamentaria que es propia de las democracias.

En una discusión convocada por la revista *Nexos* (abril de 2010), «Casa de diez puertas. Una discusión sobre la reforma po-lítica de México», José Córdoba diagnosticó: «Desde que ningún partido tiene mayoría parlamentaria, el Congreso ha sido incapaz de aprobar las reformas estructurales que el país necesita. Con excepción de la reforma del ISSSTE, las reformas que se han apro-bado en temas de fondo —electoral, fiscal, energético— han sido contrarreformas, en el sentido de que probablemente han dejado las cosas peor que como estaban». Y, en consecuencia, sugirió «consolidar el régimen presidencial mexicano, que tiene a nivel constitucional una admirable continuidad histórica, y, para ello, reducir la proporcionalidad de nuestro sistema de representación electoral». Más adelante, Córdoba Montoya señaló: «Espero también que se eliminen 32 senadores y 100 diputados plurinominales. Deseo que se elimine el tope arbitrario de ocho puntos porcentuales impuesto a la "sobrerrepresentación" del partido más grande. Deseo, finalmente, que se apruebe el referéndum constitucional».[28]

En esa misma discusión convocada por *Nexos*, Jorge G. Castañeda, al explicar su opinión sobre el diseño de la representación en México, argumentó: «Era tremendamente funcional para el régimen autoritario que existió en México hasta 1997. Como ya no existe ese régimen, me parece totalmente disfuncional. Ahora tenemos la oportunidad de escoger qué tipo de estructura queremos. Yo quiero un gobierno, una presidencia fuerte, democrática, con mayorías, con opciones para cambiar la Constitución. Cuando esto no se pueda en el Congreso, hacerlo vía el referéndum».

Como es evidente, la ausencia de mayorías se llegó a leer como una situación disfuncional para el sistema político y como una traba para la aprobación de reformas «necesarias» para el país, a los ojos de sus promotores.[29] Es decir, el contrapeso legislativo y la expresión del pluralismo no eran valorados como activos que la democratización trajo al sistema político mexicano, sino como meros obstáculos que era necesario remontar.

A propósito de ese debate, Lorenzo Córdova alertó sobre las implicaciones de generar mayorías de forma artificial. En sus palabras: «Si mediante fórmulas como la adopción de un sistema electoral determinado, o bien a través de mecanismos como las "cláusulas de gobernabilidad", se induce la formación de una mayoría, podríamos estar formando una determinada fracción parlamentaria mayoritaria que, en los hechos, no refleje la voluntad de la mayoría de los gobernados». Añadía: «De ahí la importancia de subrayar, como lo hemos hecho antes, siguiendo a Michelangelo Bovero, que no toda representación política es democrática y que ese carácter lo adquiere solo, siempre y cuando, además de ser el resultado de una elección fundada en el sufragio universal y en el respeto irrestricto de los derechos políticos de los ciudadanos, el órgano representativo efectivamente refleja la composición política de la sociedad» (Córdova, 2010: 123).

En la mesa redonda convocada por la revista *Nexos* participó, con otro punto de vista, José Woldenberg, quien explicó:

El hecho de que en el Congreso exista un equilibrio de fuerzas políticas no debe llevarnos a la desesperación, a tratar de saltarnos al Congreso. Un presidente que acude de manera regular al referéndum para sacar sus reformas constitucionales, haría prácticamente decorativas a las instituciones mediadoras donde se expresa la pluralidad política del país. Me refiero al Congreso. El referéndum tiene que ser una fórmula extrema y complementaria de la democracia representativa, no una catapulta para desgastar aún más al circuito representativo.

A partir de ahí, hizo una propuesta distinta:

Creo que la representación en el Congreso debe mantener una correlación lo más exacta posible entre votos y escaños. ¿Por qué? Porque se debe reflejar de la mejor manera posible el aval que las diferentes ofertas políticas tienen. Yo aprecio —y mucho— que las diferentes corrientes estén en el Legislativo representadas de acuerdo a su votación [...]. Entonces, si la solución no es excluir partidos ni artificialmente convertir a una mayoría relativa de votos en una mayoría absoluta de representantes, hay que operar sobre el sistema de gobierno para facilitar la edificación de una mayoría. Un sistema como el parlamentario obliga a la generación de mayorías. Porque si no se tienen ni votos ni escaños suficientes, a lo que obliga es a un gobierno de coalición.

Así, Woldenberg colocó sobre la mesa la discusión del sistema de gobierno, ya no del electoral. Sin embargo, la propuesta de avanzar hacia un sistema parlamentario se ha concentrado en algunos circuitos académicos e intelectuales,[30] sin que haya logrado formar parte de la agenda de deliberación entre los partidos políticos.

Como se puede apreciar, el pluralismo y su expresión han llegado a ser vistos, con frecuencia por quienes ocupan cargos en el gobierno —pero también por relevantes analistas políticos—, como elementos nocivos para la gobernabilidad o el impulso de determinadas agendas de reformas, con independencia de su orientación política y sello ideológico. Esas posturas se acercan, de forma peligrosa, a la idea de que solo un gobierno fuerte y sin contrapesos puede ser eficaz. No deja de ser llamativo que Andrés Manuel López Obrador y José Córdoba Montoya —quien fuera jefe de la oficina del presidente Salinas de Gortari—, a quienes se podría situar en las antípodas del espectro político ideológico, hayan coincidido en identificar al pluralismo parlamentario como un inconveniente para sus respectivos proyectos políticos.

Pero eso no hace sino subrayar la virtud del diseño democrático: la división de poderes puede ser una complicación para una u otra agenda política —desde el punto de vista del procedimiento democrático, lo mismo da si la pretensión es imponer profundas reformas pro mercado o su reverso hacia la estatización—, pues justo de eso se trata, de que el acuerdo fundamental de una sociedad y las reglas que están plasmadas en su Constitución sean fruto de un amplio consenso y no solo de la voluntad de quien, en un momento determinado, ocupa el poder, ya que ese es otro ingrediente fundamental del arreglo democrático: los gobiernos son temporales y las minorías de hoy pueden ser las mayorías de mañana, y viceversa.

Es importante señalar, además, que el que se haya esgrimido con frecuencia el argumento de la «parálisis legislativa» para justificar medidas en favor de crear mayorías artificiales en el Legislativo, castigando la representación de las minorías, no implica que dicha afirmación sea veraz. Los hechos comprobables evidencian lo contrario: desde que la conformación del Congreso volvió indispensable el acuerdo entre distintas fuerzas políticas para cambiar la Constitución, y mientras que ninguna fuerza política pudo cambiar la Carta Magna en solitario, se hicieron más reformas constitucionales que en los ochenta años que corrieron entre 1917 y 1997.

Lo anterior fue evidenciado por el doctor Jorge Carpizo, quien explicó: «se estudiaron las reformas constitucionales efectuadas a partir de las elecciones federales de 1997 hasta junio de 2008, y se concluyó que en poco más de once años se alteraron 91 artículos, siendo los mandatos de los presidentes Zedillo y Calderón especialmente activos» (Carpizo, 2011: 579).

La información de la propia Cámara de Diputados[31] señala que, durante el gobierno de Ernesto Zedillo, se reformaron 78 artículos de la Constitución; 31 en los años del sexenio de Vicente Fox; 110 en el de Felipe Calderón; 156 en el de Enrique Peña Nieto; y hasta antes de que Morena tuviera la mayoría calificada a partir de septiembre de 2024, se habían reformado 62 artículos constitucionales en el gobierno de Andrés Manuel López Obrador.

No existió entonces la parálisis legislativa que, se suponía, daba lugar a las propuestas de reforma para castigar la representación del pluralismo de la sociedad. De tal manera confluyeron dos problemas sobre este asunto: primero, se prescindió de un diagnóstico o se diagnosticó algo que no ocurría; y segundo, el remedio propuesto tiene consecuencias de sobra dañinas para el sistema democrático. No entendieron que el obstáculo para impulsar las reformas que estimaban necesarias era, en realidad, una barrera de protección a favor del pluralismo y contra la tiranía de una circunstancial mayoría.

No deja de ser llamativo que todos los actores políticos que propusieron minar la expresión del pluralismo en la Cámara de Diputados lo hicieran siempre que estuvieron en el poder, mas no desde la oposición. Es decir, no fueron propuestas neutras ni desinteresadas, formuladas desde el velo de la ignorancia al que apelaba John Rawls en su teoría de la justicia (1971), en el sentido de que quien diseña reglas del juego imparciales lo ha de hacer ignorando la posición que desempeñará como jugador, es decir, excluyendo la búsqueda de determinado beneficio propio. En vez de con el velo de la ignorancia, las iniciativas se formularon con la lupa del interés manifiesto por constreñir la expresión formal de un pluralismo político que, a su vez, los limitaba como gobernantes.

Los intentos de exorcizar al pluralismo no prosperaron, pero sí puede triunfar la pretensión de ahogar la representación formal de ese pluralismo. Retomando a Carlos Pereyra, si la democracia siempre es política, formal, plural y representativa, la contrarreforma para anular a los plurinominales busca justo lo contrario: impedir la representación política formal de la pluralidad de la sociedad mexicana.

Solo recuperando la independencia del Legislativo frente al Ejecutivo será posible volver a contar con una democracia constitucional en México. La agenda de la redemocratización o del regreso de la democracia pasa, necesariamente, por la vuelta a un Congreso donde la diversidad política de la sociedad mexicana se exprese y refleje, sin distorsiones artificiales ni autoritarias.

XVII. Cinco elecciones presidenciales: tres alternancias

El contraste no podría ser mayor: a lo largo de las últimas siete décadas del siglo pasado en México gobernó una sola fuerza política, y en las primeras dos décadas y media del siglo XXI se dieron tres alternancias en el Ejecutivo federal.

La centuria pasada, desde el nacimiento del Partido Nacional Revolucionario —luego de la Revolución mexicana y, más tarde, Revolucionario Institucional (PRI)—, a fines de la década de 1920 (González Compean y Lomelí, 2000) y hasta la elección de 1994, un mismo partido se hizo invariablemente con la presidencia. En el actual siglo, en el año 2000 ganó el Partido Acción Nacional (PAN), desplazando al PRI, y repitió el triunfo por un escaso margen en 2006; en 2012 el PRI regresó al poder para perderlo a la siguiente elección, en 2018, cuando Morena, un partido que surgió formalmente en 2014, alcanzó la presidencia; en 2024, una coalición integrada por Morena, el PVEM y el PT repitió la victoria, de forma holgada.

En las cinco elecciones presidenciales celebradas en México entre 2000 y 2024 se dieron tres cambios de partido en el gobierno, lo cual arroja un índice de alternancia sin precedente del 60%. En las elecciones presidenciales de 2012 y 2018 (tabla 2.10), el partido en el gobierno no solo no consiguió refrendar su triunfo, sino que quedó relegado al tercer lugar de las elecciones

Tabla 2.10. Votación en las elecciones presidenciales, 2000-2024									
	2000		**2006**		**2012**		**2018**		**2024**	
Votación	Absoluta	%	Absoluta	%	Absoluta	%	Absoluta	%	Absoluta	%
PAN	15,989,636	43.5	14,916,927	37	12,732,630	26	12,610,120	22.9	16,502,607	28.1%
PRI	13,579,718	36.9	9,237,000	22.9	19,158,592	39.2	9,289,853	16.9		
PRD	6,256,780	17	14,683,096	36.4	15,848,827	32.4				
MORENA	No aplica (NA)	NA	NA	NA	NA	NA	30,113,483	54.8	35,924,519	61.3%
OTROS	955,866	2.6	1,521,830	3.8	1,146,085	2.3	2,961,732	5.4	6,204,710	10.6%
Total*	36,782,000	100	40,358,853	100	48,886,134	100	54,975,188	100	58,631,836	

Fuente: Elaboración propia con base en Cómputos Distritales INE.
*Se usó la votación válida emitida que es la que resulta de restar a la votación total emitida, los votos nulos y los votos por candidatos no registrados.
En la tabla se presentan a los partidos que encabezaron coaliciones y fueron los más votados al interior de las mismas. En 2000, el PAN encabezó la coalición Alianza por el Cambio junto con el Partido Verde Ecologista de México (PVEM); en 2018 conformó junto con el PRD y Movimiento Ciudadano la coalición «Por México al Frente» y en 2024 junto con el PRI y el PRD participó en la coalición «Fuerza y Corazón por México». En 2006 PRI y PVEM formaron la coalición «Alianza por México»; en 2012 conformaron la coalición «Compromiso por México» y en 2012, junto con Nueva Alianza, la coalición «Todos por México». El PRD, por su parte, se alió en 2000 con los partidos del Trabajo, Convergencia, Sociedad Nacionalista y Alianza Social; en 2006 con el PT y Convergencia formó la coalición «Por el bien de todos»; en 2012, junto con el PT y Movimiento Ciudadano la coalición «Movimiento Progresista». La votación de Movimiento Ciudadano en 2024 aparece en la fila «otros». Morena se alió en 2018 con el PT y el Partido Encuentro Social y en 2024 con el PVEM y el PT.

(Murayama, 2019), lo que demuestra que estaba lejos de controlar los comicios.

El alto índice de alternancias evidencia un electorado de amplia volatilidad que usa, cada vez más, el sufragio como un instrumento de castigo hacia malos gobiernos. En el año 2000, el PRI perdió las elecciones tras gobernar por un dilatado periodo; en 2006, el PAN vio disminuir su apoyo electoral respecto a la votación presidencial previa y lo hizo más aún en 2012, cuando perdió el poder; en 2018, el PRI no solo no logró mantener la votación de 2012, sino que perdió más de la mitad de los sufragios que obtuvo seis años antes.

Pero ese voto de castigo se rompe en 2024, cuando Morena no solo ratifica su triunfo de 2018, sino que lo hace con mayor apoyo popular a la presidencia. Además, Morena se confirma como la fuerza más votada en prácticamente la totalidad de las entidades, como puede constatarse en la tabla 2.10, que muestra cómo cambian los triunfos al interior de las entidades por partido político durante las cinco elecciones presidenciales celebradas en lo que va del siglo XXI.

La clara victoria de Claudia Sheinbaum en 2024 debe atribuirse a distintos factores, tanto legítimos como ilegítimos. En

Tabla 2.11. Número de entidades ganadas en las elecciones presidenciales, 2000-2024					
Partido postulante de candidatura de la Coalición	2000	2006	2012	2018	2024
PAN	20	16	4	1	1
PRI	11	0	20	0	
PRD	1	16	8		
MORENA	No existía	No existía	No existía	31	31
Total	32	32	32	32	32
Fuente: Elaboración propia con base en Cómputos Distritales INE.					

los primeros, cabe subrayar la alta popularidad entre la ciudadanía de su antecesor, Andrés Manuel López Obrador, así como el apoyo social a su llamado proyecto de transformación del país.[32] Otro aspecto que subyace en la continuidad del gobierno es la identificación popular que se dio de los programas sociales con Morena: 56% de los electores declaró ser beneficiario de algún programa y, de esos ciudadanos, el 69% votó por Sheinbaum.

Entre los elementos ilegítimos en el triunfo de Sheinbaum pueden señalarse tres, que además significaron conductas ilegales de quienes ostentaban el poder en 2024: 1) un claro adelanto en el periodo en que empezó la promoción de la candidatura oficial; 2) el uso de recursos de origen desconocido en la precampaña de Claudia Sheinbaum, que no fueron debidamente fiscalizados; y 3) la continua intervención del presidente de la República en todo el proceso electoral, violando el artículo 134 constitucional, además de que no cejó en la emisión de propaganda gubernamental a través de sus conferencias matutinas en contravención con el artículo 41 de la Constitución, lo que ameritó 35 medidas cautelares emitidas por el INE, ordenando al presidente dejar de afectar la integridad del proceso electoral.[33] De forma lamentable, el titular del Ejecutivo no respetó la Constitución, las leyes ni las decisiones de las autoridades electorales. La principal fuente de contravención a la legalidad electoral provino del poder político, de la presidencia.

Se trató de elecciones donde los votos se contaron bien, pero las reglas de la legalidad y la equidad no se respetaron. Como afirmó el exembajador de Estados Unidos en México, Jeffrey Davidow, en una mesa de análisis de las elecciones que se realizó en el Centro de Estudios-México Estados Unidos de la Universidad de California, en San Diego, el 6 de junio de 2024: «Mexico had a free election but not a fair election». Limpia en las urnas, pero injusta en el resto.

Una vez que Morena alcanzó el poder, atentó contra todas las reglas del juego limpio que las oposiciones habían exigido. Se trató de una profunda deslealtad democrática.

XVIII. Federalismo: la era de las alternancias en las gubernaturas[34]

La democratización de México permitió que la decisión de quién gobernaba las entidades federativas se desplazara, de la presidencia, a los electores libres de cada estado. Desmontar el autoritarismo implicó, en buena medida, que el presidente no fuera capaz de controlar la dinámica política local (Corneluis, 1999). Ese objetivo se consiguió, tal como lo prueba el alto nivel de alternancias que se han experimentado en los gobiernos locales: cada vez más partidos se hacían con el poder de los estados, arrojando un mapa multicolor del panorama político federal. Sin embargo, en los últimos tiempos se presenta un movimiento pendular, que tiende a la reconcentración de poder en una sola fuerza, Morena, que, al final de 2024, gobernaba 24 entidades federativas. Pero antes de llegar al momento actual, conviene ver el proceso de cambio político local para valorar su relevancia.

En la época en que las elecciones eran un ritual con ganadores y perdedores conocidos de antemano, cuando todos los gobernadores —y las escasas gobernadoras— pertenecían a un mismo partido, el presidente era, en los hechos, el gran elector a nivel local: su selección de las candidaturas del PRI era, en realidad, la definición de quién ocuparía una gubernatura. Ello tenía repercusiones sobre el federalismo, otra característica fundamental de la República definida en la Constitución desde 1917, pero que, en los hechos, el sistema imperante anulaba: los gobernadores no se debían tanto a su electorado como sí a la designación presidencial desde la capital del país. A través de los mandatarios locales, que contaban con amplias mayorías en sus Congresos locales, el presidente ejercía el poder desde el centro hasta el ámbito local y municipal.

Que los votos se respetaran en las elecciones locales se volvió, así, tanto una condición como un objetivo para la democratización de México. Si desde que surgió el régimen político posrevolucionario, y hasta 1989, no existió ninguna alternancia en los gobiernos de los estados, el siglo XXI se caracteriza por una intensa y creciente era de cambios en los partidos que gobiernan las entidades. Las cifras públicas y verificables, una vez más, soportan esa afirmación: México es un país plural y multipartidista que muy lejos está de caber dentro de una sola fuerza política.

La ciudadanía en las entidades federativas decidió remover con su voto la existencia de una fuerza hegemónica y dio lugar a un mapa multicolor de gobiernos. Véase en las líneas siguientes la magnitud del cambio político a nivel local y cómo lo predominante fue, en los años de las elecciones competidas, el ejercicio del voto de castigo por parte de la gente hacia sus gobernantes.

A continuación, se ofrece el panorama que dejan dos centenas de elecciones a gubernaturas, en un mural que va de 1989 —cuando se dio la primera alternancia en una gubernatura— hasta los comicios celebrados en 2024.

A lo largo de estas tres décadas y media, se convocó a 203 elecciones para renovar el Poder Ejecutivo de las 32 entidades federativas. En 78 ocasiones ganaron candidaturas de oposición, lo que equivale a 4 de cada 10 (39%), y 31 entidades (97%) han vivido cambio de partido en el gobierno. Si se toman en cuenta las votaciones más cercanas a gubernaturas —las de la última década, organizadas por el INE en colaboración con las autoridades locales desde 2015—, se han dado derrotas del partido gobernante en 42 de 67 elecciones, con una tasa de alternancia de casi dos tercios (63%).

Así que existe casi el doble de probabilidades de que un partido en el poder de una entidad pierda las elecciones a que siga al frente del Ejecutivo local. Estas cifras revelan que México logró vivir una auténtica era de alternancias y de renovación libre y genuina del poder local.

Gráfica 2.5. Tasa de alternancia en elección de gubernaturas por sexenio, 1988-2024

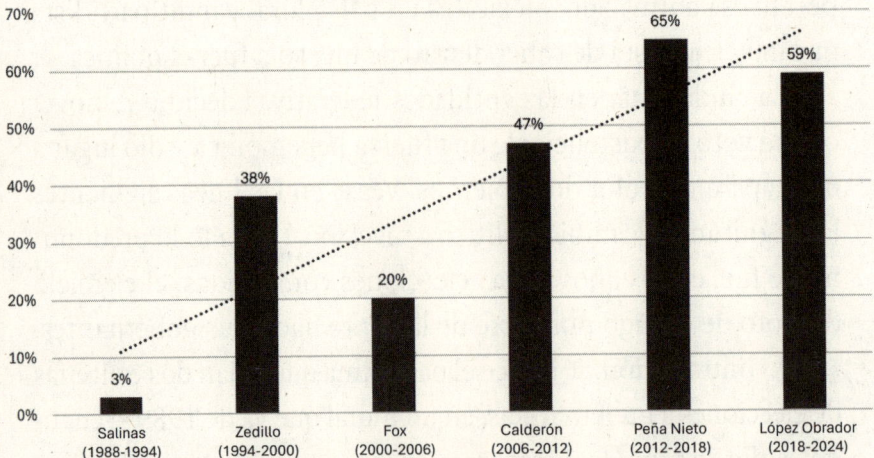

Sexenio	Tasa
Salinas (1988-1994)	3%
Zedillo (1994-2000)	38%
Fox (2000-2006)	20%
Calderón (2006-2012)	47%
Peña Nieto (2012-2018)	65%
López Obrador (2018-2024)	59%

Fuente: elaboración propia a partir de datos del INE y de Organismos Públicos Locales

Ciertamente, el partido que más se ha beneficiado de esta dinámica durante el último ciclo de renovación de gubernaturas es Morena, que gobierna 24 de las 32 entidades federativas, 3 de cada 4 (75%). También lo es que en las nueve elecciones locales de 2024, Morena se hizo con siete victorias, refrendando los seis gobiernos locales que ya tenía —Ciudad de México, Chiapas, Morelos, Puebla, Tabasco y Veracruz— y conquistando Yucatán —el PAN ganó en Guanajuato y Movimiento Ciudadano, en Jalisco—. Pero en el pasado no lejano, quien cosechó el enojo con los malos gobiernos locales fue el PAN, que llegó a gobernar en 21 entidades federativas distintas a lo largo de las dos décadas previas; y, en menor medida, el PRD, que ganó gubernaturas en diez entidades diferentes.

Antes de dar por hecho que estamos ante la presencia de un nuevo partido hegemónico que habrá de dominar el panorama de las elecciones locales, conviene poner atención a algunas características de las alternancias en las entidades federativas, las cuales muestran frecuentes mutaciones en las preferencias de electorados cada vez más volátiles y expertos en usar su voto como instrumento de sanción política.

XIX. Del carro completo a las alternancias múltiples

Hasta 1988, el PRI tenía los 31 gobernadores de los estados y, en los hechos, también la capital del país, pues, si bien en el Distrito Federal no se elegía a las autoridades locales, el regente era designado por el presidente.

El dique de la unanimidad se rompió en 1989, con la primera alternancia local en el sexenio de Salinas de Gortari, cuando Ernesto Ruffo, del PAN, ganó las elecciones a la gubernatura de Baja California. En el gobierno de Ernesto Zedillo, sobre todo

Tabla 2.12. Elecciones a gubernaturas y alternancias en México por sexenio, 1989-2024							
	Salinas	Zedillo	Fox	Calderón	Peña	López O.	Total
Elecciones a gubernaturas	32	34	35	34	34	34	203
Alternancias	1	13	7	16	22	20	79
Tasa de alternancia	3%	38%	20%	47%	65%	59%	39%
Entidades con 1era alternancia	1	13	3	6	4	4	31

Fuente: Elaboración propia a partir de datos del INE y de Organismos Públicos Locales electorales.

a raíz de la reforma electoral de 1996 que equilibró las condiciones de la competencia electoral con financiamiento público equitativo, ocurrieron trece nuevas alternancias. En la administración de Vicente Fox sucedieron siete más (cuatro de ellas en entidades donde ya se había dado un cambio previo de partido gobernante). Las alternancias en las gubernaturas llegaron al 47% y fueron lo predominante en los gobiernos de Peña Nieto (65%) y López Obrador (59%), tal como muestra la tabla 2.12.

En promedio, cada entidad ha tenido 6.3 elecciones de titular del Ejecutivo desde 1989 y la media de alternancias locales es de 2.4, con una moda aritmética de 3, es decir, lo más frecuente son las entidades donde los electores le han dado la espalda al partido que los gobierna en tres ocasiones distintas.

Mientras que Coahuila es la excepción en las alternancias, hay seis entidades donde se ha dado un único cambio de partido en el gobierno, es decir, han surgido titulares del Ejecutivo local de dos partidos distintos.[35] Siete entidades más han vivido ya dos diferentes alternancias.[36] En trece, el cambio de partido gobernante ha ocurrido en tres ocasiones.[37] Finalmente, hay cinco estados donde se han producido hasta cuatro alternancias[38] (tabla 2.13). Otro indicador que revela la mutabilidad de la vida política local es el número de partidos diferentes que han gobernado. El promedio es de 2.8 partidos distintos al frente de las entidades federativas, con una moda de 3.

En Coahuila solo ha gobernado el PRI, y hay diez entidades con gobiernos que surgieron de dos partidos políticos diferentes

Tabla 2.13. Elecciones y alternancias en gubernaturas, 1989-2024.								
	Salinas	Zedillo	Fox	Calderón	Peña	López O.	Elecciones a gubernatura	Alternancias	Partidos gobernantes
Aguascalientes	PRI	PAN	PAN	PRI	PAN	PAN	6	3	2
Baja California	PAN	PAN	PAN	PAN	PAN	MORENA	7	2	2
Baja California Sur	PRI	PRD	PRD	PAN	PAN	MORENA	6	3	4
Campeche	PRI	PRI	PRI	PRI	PRI	MORENA	6	1	2
Coahuila	PRI	PRI	PRI	PRI	PRI	PRI	6	0	1
Colima	PRI	PRI	PRI	PRI	PRI	MORENA	7	1	2
Chiapas	PRI	PRD	PRD	PVEM	MORENA	MORENA	6	3	4
Chihuahua	PRI	PAN	PRI	PRI	PAN	PAN	6	3	2
Ciudad de México	PRI	PRD	PRD	PRD	MORENA	MORENA	6	2	3
Durango	PRI	PRI	PRI	PRI	PAN	PAN+PRI	6	1	2
Guanajuato	PRI	PAN	PAN	PAN	PAN	PAN	7	1	2
Guerrero	PRI	PRI	PRD	PRD	PRI	MORENA	6	3	3
Hidalgo	PRI	PRI	PRI	PRI	PRI	MORENA	6	1	2
Jalisco	PRI	PAN	PAN	PAN	PRI	MC	7	3	3
México	PRI	PRI	PRI	PRI	PRI	MORENA	6	1	2
Michoacán	PRI	PRI	PRD	PRD | PRI	PRD	MORENA	7	4	3
Morelos	PRI	PAN	PAN	PRD	MORENA	MORENA	6	3	4
Nayarit	PRI	PAN	PRI	PRI	PAN	MORENA	6	4	3
Nuevo León	PRI	PAN	PRI	PRI	Independiente	MC	6	4	4
Oaxaca	PRI	PRI	PRI	PAN+PRD	PRI	MORENA	6	3	3
Puebla	PRI	PRI	PRI	PAN	PAN	MORENA	8	2	3
Querétaro	PRI	PAN	PAN	PRI	PAN	PAN	6	3	2
Quintana Roo	PRI	PRI	PRI	PRI	PAN	MORENA	6	2	3
San Luis Potosí	PRI	PRI	PRI	PAN	PRI	MORENA	6	3	3
Sinaloa	PRI	PRI	PRI	PAN	PRI	MORENA	6	3	3
Sonora	PRI	PRI	PRI	PAN	PRI	MORENA	6	3	3
Tabasco	PRI	PRI	PRI	PRD	MORENA	MORENA	7	2	3
Tamaulipas	PRI	PRI	PRI	PRI	PAN	MORENA	6	2	3
Tlaxcala	PRI	PRD	PAN	PRI	PRI	MORENA	6	4	4
Veracruz	PRI	PRI	PRI	PRI	PAN | MOR	MORENA	7	2	3
Yucatán	PRI	PRI	PAN	PRI	PAN	MORENA	8	4	3
Zacatecas	PRI	PRD	PRD	PRI	PRI	MORENA	6	3	3
Total							203	79	89
Promedio							6.3	2.5	2.8
Fuente: elaboración propia a partir de información del INE y de los Organismos Públicos Locales electorales.									

(seis con el binomio de alternancia PRI o PAN, así como cuatro con el PRI o Morena).[39] En la mitad de las entidades, 16,[40] ya ha habido gobiernos de tres opciones políticas diferentes y cinco estados han experimentado gobiernos de cuatro alternativas distintas.[41] México está lejos de poder considerarse bipartidista en la dinámica política local.

XX. Ganador un día, perdedor al otro

El recuento de las alternancias también permite conocer cómo les fue a los ganadores cuando, ya siendo gobierno, se sometieron a las urnas. Los datos evidencian la dificultad de refrendar triunfos. De las 79 alternancias, hay 60 donde a los partidos ganadores ya les tocó ir a la siguiente elección,[42] con este saldo: 31 (el 52%) retuvieron la gubernatura y 29 (48%) la perdieron a la siguiente cita con las urnas. Prácticamente la mitad de los gobiernos surgidos de las alternancias, que despertaron simpatías siendo opositores, fueron reprobados por sus electores y echados del poder en la primera evaluación.

Veamos este fenómeno por cada fuerza política.

El PAN ganó nueve estados durante los sexenios de Salinas y Zedillo;[43] de esos triunfos, logró preservar ocho a la siguiente elección a la gubernatura. Con Fox, el partido blanquiazul ganó dos nuevos estados por vez primera,[44] mismos que perdió en la votación siguiente. En el sexenio de Calderón, el PAN se hizo con seis entidades que no había gobernado,[45] pero perdió cuatro de ellas en la elección inmediata. A lo largo del gobierno de Peña Nieto, el PAN ganó cuatro estados por primera vez,[46] de los que en tres fue derrotado a la siguiente oportunidad (tabla 2.13). Finalmente, durante el sexenio de López Obrador, el blanquiazul no consiguió ganar ninguna nueva entidad federativa.

En total, han emanado 46 gobernadores de las filas del PAN en 21 entidades federativas distintas. Solo hay tres estados donde el PAN ha logrado superar los dos gobiernos consecutivos: Baja California —de 1989 a 2019—, Guanajuato —que gobierna ininterrumpidamente desde la década de 1990— y Jalisco —de 1995 a 2013—. Hay diez estados donde el PAN ha ganado ya siendo gobierno;[47] cinco donde volvió a triunfar tras gobernar y perder;[48] y ocho más de debut y despedida, pues gobernó una vez, perdió y no ha vuelto al poder (tabla 2.13).[49]

El PRD ganó cinco entidades durante el sexenio de Zedillo[50] y conservó cuatro en la siguiente elección. En el sexenio de Fox, el partido del sol azteca ganó dos nuevas gubernaturas, que refrendó.[51] Durante el gobierno de Calderón, el PRD ganó tres estados,[52] mismos que perdió en la votación posterior inmediata. El último triunfo local del PRD fue en Michoacán, en 2015, y lo perdió en 2021. Hoy no cuenta con gobierno local alguno y, encima, en 2024 perdió su registro como partido político nacional.

Del PRD surgieron 19 gobernantes en diez entidades distintas. Solo en la capital del país logró cuatro triunfos seguidos (1997, 2000, 2006 y 2012). En cinco más gobernó durante dos periodos y en cuatro, fue incapaz de que los electores le ratificaran, al menos una vez, su adhesión en las urnas.

El panorama general indica que las entidades se han identificado menos con una fuerza política o una ideología —aunque a la Ciudad de México la ha caracterizado el voto de izquierda, Coahuila es priista y Guanajuato muy panista, por ejemplo— y que, más que lealtad a unas siglas partidistas, lo que reflejan las cambiantes preferencias electorales de la ciudadanía es la búsqueda de gobiernos menos malos, sean del color que sean.

XXI. Perder, regresar al poder... y volver a perder

Como es evidente, el viejo partido hegemónico, el PRI, resultó el gran perdedor de la democratización en términos de cargos que habían sido su monopolio. En el amplio periodo de elecciones locales aquí analizado, de las 31 entidades que perdió el tricolor, en 16 el electorado le volvió a dar otra oportunidad de gobernar,[53] como ocurrió también con la presidencia en 2012. Pero cuando el PRI regresó al poder en algún estado antes perdido, solo se logró quedar en cinco durante dos sexenios seguidos y en diez más solo tuvo una administración, mientras que en Durango regresó apenas en 2022, en alianza con el PAN. Pero de esos 16 estados que el PRI recuperó, hasta la fecha ya perdió todos donde volvió a haber elecciones: 15 de 15.

De los 21 estados que llegó a ganar el PAN, solo no ha perdido en dos —Durango y Guanajuato—, así que ha tenido que desalojar los palacios de gobierno en 19 entidades. En cinco, los electores le permitieron regresar al poder.[54] Pero hay catorce en donde el PAN, una vez fue separado del gobierno por decisión de las urnas, no ha logrado regresar.

El PRD fue un partido efímero como gobernante local y al que le costó rehacerse tras dejar el poder. De las diez entidades que llegó a gobernar, luego de perder ahí las gubernaturas solo fue capaz de ganar de nuevo en una entidad —Michoacán—, donde, a la siguiente ocasión, fue derrotado. No queda ningún gobernador de extracción perredista.

Movimiento Ciudadano ganó dos gubernaturas: Jalisco y Nuevo León; la primera la ratificó en 2024; la segunda se elegirá en 2027.

El Partido Verde ganó Chiapas en 2012 y lo perdió en 2018.

Solo ha existido un gobernador que ganó como candidato independiente: en Nuevo León, de 2015 a 2021.

Morena encabeza el Poder Ejecutivo en 24 entidades federativas. Sus primeras cinco gubernaturas las conquistó en las elecciones concurrentes con la presidencial de 2018.[55] Ganó otras dos en 2019,[56] once más las obtuvo en 2021,[57] cuatro en 2022,[58] una más en 2023[59] y otra en 2024.[60] Logró arrebatarle al PRI cuatro gobiernos donde ningún otro partido había ganado desde la oposición local.[61]

De las 24 gubernaturas que tiene Morena, en siete ganó por segunda vez siendo gobierno estatal.[62] En la mayoría de los estados (17) no le ha tocado pedir el voto donde ya debe rendir cuentas de sus gestiones a la ciudadanía.

La historia de los años de la vida democrática en México mostró una intensa era de alternancias locales, fruto del pluralismo de la sociedad. Por ello, más allá de la confirmación de los triunfos de Morena en 2024, es muy difícil considerar que se trate de una fuerza inmune a las derrotas y ajena a la exigencia ciudadana de mejores gobiernos, o que estemos de vuelta en una época de partido hegemónico como la que se vivió con el PRI desde la década de 1930 a la de 1990.

El futuro no está escrito. Será clave el desempeño de los actores políticos, los resultados que ofrezcan los gobernantes, las alternativas creíbles que sean capaces de construir las oposiciones y la existencia de reglas que aseguren el juego limpio en las elecciones. Puede decirse, sin faltar a la verdad, que en 2024 el gobierno de López Obrador demostró lo lejos que está de respetar la legalidad y las condiciones equitativas de la competencia electoral, pero la propia experiencia de las alternancias aquí relatada —decenas de triunfos de las oposiciones se dieron frente a un PRI que se asumía imbatible y hegemónico— nos indica que, cuando la ciudadanía se harta de los malos gobiernos, el poder del voto de castigo es inmenso. Por eso es fundamental mantener abierta la vía electoral y no renunciar al sufragio efectivo, condición indispensable para la vida democrática.

XXII. Democracia directa: la malograda experiencia en México

En los últimos años, la desafección hacia la democracia representativa se ha tratado de revertir a través de la expansión de ejercicios de democracia directa. Se ha tratado de iniciativas tanto de buena fe para acercar a la ciudadanía a ejercicios cívicos, como de mala intención para afectar los mecanismos institucionales de intermediación del poder en la democracia, al debilitar, por ejemplo, a los parlamentos y favorecer la interpelación directa de quien tiene el poder con el electorado.

Y es que, como ha señalado Yanina Welp, si bien «la democracia representativa y el sistema de partidos pueden fortalecerse con la regulación y activación de mecanismos de democracia directa en manos de la ciudadanía» (Welp, 2022: 16), resulta necesario reconocer que esas prácticas pueden complementar, mas no sustituir, a la democracia representativa en las sociedades masivas y complejas de nuestro tiempo.

La historia reciente de distintos ejercicios plebiscitarios en el mundo arroja lecciones sobre las dificultades que entrañan tales mecanismos para, por ejemplo, procesar decisiones complejas, que acaban siendo presentadas ante la población solo con opciones binarias (sí o no), lo que, además de simplificar temas que no lo son, también llega a alimentar la polarización política, por lo que, en vez de contribuir a resolver los problemas de la convivencia social, puede exacerbarlos. Es el caso, por ejemplo, del Brexit (Hobolt, Leeper y Tilley, 2021) en Reino Unido, a partir del cual ese país abandonó el proceso de unificación europea que surgió como un instrumento de paz y cooperación en el viejo continente después de la Segunda Guerra Mundial; o bien, el plebiscito que rechazó los acuerdos de paz en Colombia en 2016 (Murayama, 2016);

también puede mencionarse el bloqueo plebiscitario, en dos ocasiones, para reformar la Constitución de Chile en 2022 y 2023.

En su monumental libro *Vida y muerte de la democracia* (2018), John Keane recrea cómo esta civilizatoria y frágil forma de gobierno ha visto la luz y ha fenecido en diferentes momentos de la historia de la humanidad. Al despuntar el siglo XXI, Keane alertó del hecho de «que la mayoría de los nuevos enemigos de la democracia afirmaran ser amigos del pueblo» y que, si lograban abrirse paso en el mundo, entonces resultaría cierto que la democracia «sería destruida en nombre de la democracia» (Keane, 2018: 794).

Es oportuno, entonces, analizar hasta qué punto en el caso de México los ejercicios de democracia directa han contribuido a nutrir este sistema político o pueden, por el contrario, ser mecanismos para lesionarlo.

En nuestro país, la historia de los mecanismos de democracia directa es reciente, pues la figura se incluyó en la Constitución por primera vez en 2012 para contemplar las consultas populares. Después, en 2019, se incorporó también la revocación de mandato.

A la fecha, se han realizado dos ejercicios nacionales de democracia directa, que pueden considerarse malogrados por dos razones fundamentales: su realización no se apegó, en buena medida por decisiones jurisdiccionales, al estricto mandato constitucional y, además, hubo una escasa concurrencia por parte de la ciudadanía en las urnas, por lo cual carecieron de efecto jurídico alguno. Es preciso dejar breve constancia, en unas cuantas líneas, de esas dos experiencias.

En 2012 se introdujo a la Constitución la consulta popular[63] «sobre temas de trascendencia nacional» que podría ser convocada por el Congreso de la Unión a petición del presidente de la

República, el equivalente al 33% de los integrantes de alguna de las Cámaras del Congreso de la Unión, o el 2% de los ciudadanos inscritos en la lista nominal de electores.

Para que una consulta popular tuviese efectos vinculantes, la Constitución estableció que debería participar, al menos, el 40% de los ciudadanos inscritos en el listado nominal de electores.

La reforma constitucional de 2012 también previó que ese ejercicio se realizaría en coincidencia con la jornada electoral federal, es decir, podría celebrarse cada tres años aprovechando la organización de los comicios para renovar la Cámara de Diputados o en coincidencia con la elección presidencial. Era algo similar a las consultas que se hacen en otros países —Estados Unidos o Uruguay— para aprovechar las elecciones ordinarias e incluir temas de interés adicionales sobre los que pudiera expresarse la ciudadanía. En la Carta Magna de nuestro país se determinó que no «podrán ser objeto de consulta popular la restricción de los derechos humanos reconocidos por esta Constitución; los principios consagrados en el artículo 40 de la misma; la materia electoral; los ingresos y gastos del Estado; la seguridad nacional y la organización, funcionamiento y disciplina de la Fuerza Armada permanente. La Suprema Corte de Justicia de la Nación resolverá, previo a la convocatoria que realice el Congreso de la Unión, sobre la constitucionalidad de la materia de la consulta».

En 2015, distintos grupos de ciudadanos hicieron llegar al Instituto Nacional Electoral solicitudes para la celebración de consultas populares, pero en todos los casos la Suprema Corte de Justicia de la Nación (SCJN) estimó que se trataba de materias no permitidas por la Constitución.

Más adelante, en 2019 se dio otra reforma a la Constitución que incorporó una figura adicional: la revocación de mandato. Con esa reforma, además, se cambió el tiempo en el que podrían realizarse las consultas populares, las cuales ya pueden celebrarse todos los años y sin coincidir con una jornada electiva.[64] La revocación se definió como un instrumento de participación ciudadana para determinar la conclusión anticipada de la presidencia a partir de la pérdida de la confianza.[65]

XXIII. La consulta popular sobre los expresidentes

Al acercarse al ecuador de su mandato, en 2021, el presidente López Obrador presentó una solicitud de consulta popular con la siguiente pregunta: «¿Está de acuerdo o no con que las autoridades competentes, con apego a las leyes y procedimientos aplicables, investiguen, y en su caso sancionen, la presunta comisión de delitos por parte de los expresidentes Carlos Salinas de Gortari, Ernesto Zedillo Ponce de León, Vicente Fox Quesada, Felipe Calderón Hinojosa y Enrique Peña Nieto antes, durante y después de sus respectivas gestiones?».

Correspondió a la Suprema Corte, tal como contempla la Carta Magna, verificar que dicha solicitud y la pregunta planteada resultasen constitucionales. El proyecto que elaboró el ministro Luis María Aguilar Morales consideró que «se trata de un concierto de inconstitucionalidades que pudieran incidir negativamente en el acceso a la justicia, la persecución de los delitos y el Estado de derecho mismo, lo cual implica la afectación de los derechos humanos de todas las mexicanas y los mexicanos».

El análisis del proyecto del ministro Aguilar Morales permitió a Roberto Lara Chagoyán (2020) concluir que: «a) la consulta es contraria al contenido del artículo 35 constitucional, porque se refiere a una restricción de derechos humanos y garantías; b) pone en riesgo los derechos de las víctimas y ofendidos de los delitos; c) vulnera la presunción de inocencia; d) afecta negativamente las funciones constitucionales de procuración e impartición de justicia, así como del debido proceso legal; y e) rompe con el principio de igualdad».

Sin embargo, en la deliberación de la Corte, seis ministros consideraron constitucional la materia de la consulta, pero modificaron la pregunta sin que la Constitución les facultara para ello (Vivanco, 2020). Así que en la boleta de la consulta popular apareció el siguiente enunciado: «¿Estás de acuerdo o no en que se lleven a cabo las acciones pertinentes, con apego al marco constitucional y legal, para emprender un proceso de esclarecimiento de las decisiones políticas tomadas en los años pasados por los actores políticos, encaminados a garantizar la justicia y los derechos de las posibles víctimas?».

Como plantearon varios académicos del Instituto de Investigaciones Jurídicas y del Centro de Investigación y Docencia Económicas, la Corte terminó por formular una «pregunta radicalmente distinta, ambigua y vaga» (Garza, *et al.*, 2021). Detectaron, además, problemas jurídicos en la decisión de la Corte:

no queda del todo claro que esta nueva formulación respeta la prohibición del artículo 35 de la Constitución, consistente en que no pueden restringirse, vía consulta popular, los derechos humanos y sus garantías. Supongamos que una mayoría vota en contra de que «se lleven a cabo las acciones pertinentes» con la finalidad de «garantizar la justicia y los derechos humanos de las probables víctimas» y que además se alcanza el umbral de votación. En ese escenario, puesto que la consulta es vinculatoria, entonces alguna o algunas autoridades estarían obligadas a no emprender dichas acciones. Y, con ello, se restringiría: i) el derecho de acceso a la justicia y la obtención de medidas de restauración y reparación para las víctimas y ii) las garantías necesarias para la protección de dichos derechos, en la medida en que podría afectar la función constitucional de procuración de justicia (*ibidem*).

Con esa marcada deficiencia en la formulación de la pregunta, la consulta se llevó a cabo el primer domingo de agosto de 2021. El INE no recibió los recursos presupuestales para realizar el ejercicio, pero, aprovechando el trabajo organizativo de los comicios federales de dos meses previos, logró que los funcionarios de casilla previamente capacitados también instalaran las mesas de votación para la consulta popular.

De un total de 93 671 697 ciudadanos convocados a participar, acudieron a la consulta popular 6 663 208, es decir, el 7.1%. Los resultados de la consulta fueron publicados en el *Diario Oficial de la Federación* el 2 de noviembre de 2021 en los siguientes términos: «Al quedar firmes los resultados de la Consulta Popular, se desprende que el "Sí" obtuvo un total [*sic*] 6 511 385 opiniones emitidas, esto es, el 97.72%; el "No" obtuvo un total de 102 945 opiniones emitidas, esto es, el 1.54%; y papeletas anuladas fueron 48 878, esto es, el 0.73%. La participación ciudadana fue del 7.11%».[66] Así, al tener una concurrencia de la ciudadanía muy lejana al 40% que establece la Constitución, la primera consulta popular celebrada en México careció de efecto jurídico alguno. Y dada la pregunta sometida a votación, resultó una fortuna que así fuera.

XXIV. La revocación de mandato presentada como ratificación[67]

La reforma constitucional de diciembre de 2019 al artículo 35 incorporó el derecho de la ciudadanía a promover la revocación de mandato del presidente en caso de pérdida de confianza. Esa reforma introdujo varios artículos transitorios que gravitaron directamente sobre el primer ejercicio de revocación. En primer lugar, contempló que era aplicable hacia el presidente constitucional en funciones, Andrés Manuel López Obrador, aun cuando este fue electo en 2018 para un periodo que concluiría el 30 de septiembre de 2024, de tal manera que hubo una suerte de retroactividad de la norma. También se especificó que la revocación debía solicitarse por «la pérdida de confianza» en el gobernante por parte de quienes impulsaran el ejercicio, es decir, por personas interesadas en que el titular del Ejecutivo abandonara su cargo antes de tiempo. Además, se estableció un plazo de 180 días para que se aprobara la legislación secundaria de la revocación.

Sin embargo, el Legislativo no atendió el plazo que se había dado a sí mismo. Con todo, al aprobar de forma tardía la Ley Federal de Revocación de Mandato, la mayoría legislativa simple definió que la pregunta objeto del proceso sería (artículo 19): «¿Estás de acuerdo en que a (nombre), presidente de los Estados Unidos Mexicanos, se le revoque el mandato por pérdida de confianza o que siga en la Presidencia de la República hasta que termine su periodo?».

Distintas bancadas parlamentarias, inconformes, impugnaron esa redacción ante la scjn[68] por considerar que la pregunta ampliaba indebidamente el ejercicio a una ratificación presidencial contraviniendo lo que señala la Carta Magna. El 1 de febrero de 2021 la mayoría de los ministros dio la razón a los quejosos. Siete de once jueces constitucionales consideraron que la pregunta sí desnaturalizaba el ejercicio y violaba la Constitución.[69] Sin embargo, como en México existe una excéntrica regla que establece que solo puede declararse anticonstitucional una norma cuando se tiene una mayoría calificada en la Corte, la pregunta subsistió.

El primer ejercicio de revocación de mandato fue uno de los procesos en los que más se contravinieron las leyes electorales. Desde el principio se detectó que se presentaron miles de firmas falsas para convocar a la revocación de mandato. La Constitución establece que se necesita contar con al menos el 3% de los ciudadanos inscritos en el listado nominal. En la revisión, el INE detectó que la asociación civil «Que siga la democracia» entregó casi 18 mil firmas de personas fallecidas, más de 40 000 credenciales con pérdida de vigencia y más de 1 200 que se encontraban con suspensión de sus derechos políticos (por estar en prisión).[70] Otra falta frecuente de quienes promovieron la revocación fue la instalación de mesas en decenas de plazas públicas del país donde se recababan firmas para una «ratificación de mandato», figura inexistente en el marco legal.

Otra serie de irregularidades comenzó a raíz de la emisión de la convocatoria por parte del INE, el 4 de febrero de 2022, y la consecuente entrada en vigor de las prohibiciones y limitaciones establecidas en la Constitución y las leyes en cuanto a la comunicación gubernamental y el principio de imparcialidad al que están obligados los funcionarios públicos. Según el Acuerdo INE/CG202/2022,[71] por el que se efectuó el cómputo total y se realizó la declaratoria de resultados del proceso de revocación de mandato, la Comisión de Quejas del INE recibió 188 quejas y denuncias en contra de servidores públicos por diversas violaciones al marco legal. A partir de esas denuncias, la Comisión de Quejas resolvió 108 solicitudes a través de 51 acuerdos de medidas cautelares, concediéndolas en 28 casos. Así fue como el presidente, integrantes de su gabinete, distintos gobernadores y legisladores atentaron contra el deber de neutralidad electoral que les impone la Constitución. De las 28 medidas cautelares declaradas como procedentes contra servidores públicos, se les llamó a respetar la ley en cinco ocasiones al presidente, cuatro a su consejería jurídica y vocero, tres a la jefa de Gobierno de la Ciudad de México, una o dos veces a 18 gobernadores y, en un acuerdo, a 61 senadores.

Por otro lado, y a propósito de la revocación de mandato, se dio una amplia campaña de publicidad electoral para incidir en la decisión de los ciudadanos llamados a las urnas, y que se caracterizó por su opacidad. Se instalaron cientos de espectaculares a lo largo y ancho del país con la imagen y el nombre del presidente. Una suerte de campaña presidencial, pero de la cual nadie supo quién ordenó desplegar y cuyo origen de los recursos fue desconocido.

Con ese accidentado trayecto, la consulta se realizó el 10 de abril de 2022; 16.5 millones de personas acudieron a las urnas, equivalentes al 17.77% del listado nominal. El 91.8% votó por que el presidente continuara en su cargo; el 6.5%, por que se le revocara el mandato; y el 1.7% fueron votos nulos.[72] Como había ocurrido con la consulta popular, el escaso interés de la ciudadanía generó, como consecuencia, que la revocación de mandato no tuviese efecto jurídico alguno.

La revocación de mandato, concebida constitucionalmente como un acto de interpelación ciudadana frente al poder en 2022, fue autopromovida desde este último, desnaturalizando su propósito y lastimando la legitimidad del ejercicio.

La ausencia de participación ciudadana, derivada del escaso interés que generaron los ejercicios de democracia directa promovidos por el gobierno, tuvieron como consecuencia que ninguno resultase vinculante. La gráfica 2.6 muestra lo lejos que quedó la participación ciudadana del umbral exigido por la Constitución.

Al revisar la experiencia de la democracia directa en América Latina, la cual abarcó más de tres décadas de análisis, Daniel

Gráfica 2.6. Participación en Consulta Popular (2021) y Revocación de Mandato (2022)

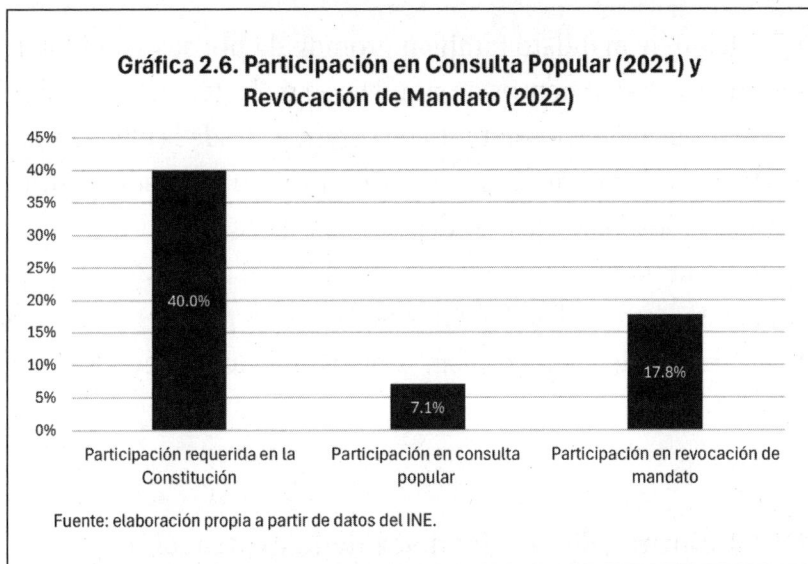

Fuente: elaboración propia a partir de datos del INE.

Zovatto (2015) concluyó: «En cuanto a los resultados en la aplicación de estos mecanismos, cabe destacar que en nuestra región han tenido un resultado mixto, oscilante entre intentos de manipulación neopopulistas y posiciones conservadoras o tradicionalistas».

Así que conviene atender la advertencia de Yanina Walp cuando escribe: «no debemos olvidar que los mecanismos de democracia directa enfrentan al menos un desafío fundamental: que pueden convertirse en instrumentos que favorezcan el surgimiento y consolidación de lo que Alexis de Tocqueville llamó la "tiranía de la mayoría", aquella en la que solo la mayoría importa y hace valer su voz a costa de las minorías, aniquilando así la pluralidad y la inclusión de todas las voces» y, más aún, «los instrumentos de democracia directa o son de la ciudadanía, hablan sobre lo que la ciudadanía quiere y le importa, o no son democráticos» (Walp, 2022: 11-16). Lamentablemente, tanto la consulta popular impulsada por el presidente como la revocación de mandato también promovida por sus seguidores, fueron más instrumentos de simulación de la democracia desde el poder que ejercicios auténticos surgidos desde la ciudadanía.

Lo anterior pone de manifiesto el riesgo señalado al principio: que los ejercicios de democracia directa sean utilizados como herramientas de manipulación desde el poder, más que de fortalecimiento de los derechos de los gobernados. No se trata de prescindir de los mecanismos de democracia directa sino de evitar su adulteración.

XXV. Reforma electoral: en vez de la destrucción, una propuesta minimalista y correctiva

La intensidad de la vida político-electoral que se documentó en las páginas previas puede soportar la idea de que, en México, los comicios competidos y limpios se habían asentado como parte de la realidad cotidiana; que, a diferencia de lo que ocurría el siglo pasado, el tema electoral se había solucionado; y que este dejó de ser un problema. Las elecciones de 2024 —caracterizadas por la intervención gubernamental y la afectación a la equidad, junto con la idea desde el poder de capturar del todo a las autoridades electorales y de poner fin a la representación proporcional en el Congreso— muestran que no es así: de nuevo, mantener y recuperar un sistema electoral íntegro es condición *sine qua non* para que la vida democrática no sea asfixiada en México.

El expresidente López Obrador lanzó, al final de su gobierno, la propuesta de una reforma electoral para elegir, por voto popular, a los consejeros del INE y magistrados del Tribunal Electoral, con lo cual la fuerza política predominante se haría del control de los árbitros de las contiendas políticas para acabar con la representación proporcional en el Congreso de la Unión. A ese propósito destructor se sumó su sucesora al frente del Ejecutivo, Claudia Sheinbaum.

De concretarse esa iniciativa, se estará desandando el camino político que hizo posible la democratización. La coalición de Morena cuenta con los votos suficientes en el Congreso para concretar esa ominosa reforma. En el ecuador de 2025 seguía sin presentarse esa iniciativa, que pende como espada de Damocles sobre la nuca del pluralismo político del país.

Frente a esa pretensión autoritaria, el sistema electoral aún vigente sí podría mejorarse, si se hace desde un ánimo de los derechos políticos de la ciudadanía y no para extirpar la pluralidad de los espacios formales de representación política.

Como se advirtió desde que se ofreció el análisis acerca de la sobrerrepresentación legislativa, hay un asunto relevante del actual diseño electoral que ha dado lugar a un sinsentido democrático: que el voto de la mayoría de los ciudadanos pueda llegar a convertirse en minoría en la representación formal en el Congreso de la Unión, tal como sucedió en 2021. Los demás temas de una posible reforma electoral son accesorios, aunque algunos pertinentes (el voto electrónico, o la simplificación de ciertos procedimientos o documentos electorales). Por tanto, en las siguientes líneas se exponen los trazos de una reforma minimalista y correctiva: la que acabe con la distorsión de la traducción de votos en asientos legislativos.

La propuesta es minimalista porque no se plantea alterar el número de integrantes de ninguna Cámara del Congreso de la Unión ni reinventar las bases de un sistema electoral construido sobre el consenso democrático a lo largo de décadas, sino solo corregir las disposiciones normativas que impiden la más nítida traducción de la votación depositada en las urnas en la conformación legislativa.

XXVI. La Cámara de Diputados: acabar con la distorsión de la representación popular

La Constitución ha permitido, desde 1996, una sobrerrepresentación de hasta 8% entre porcentaje de curules y de votos ciudadanos. Es una cláusula que ya no tiene sentido. Por ello, el párrafo V del artículo 54 constitucional podría prever que cada partido político recibirá el número de diputados, por ambos principios, que mejor se corresponda con su porcentaje de votación nacional emitida. Ese sería todo el cambio constitucional, no más.

Además, para evitar que la figura de la colación electoral se use de forma tramposa, se oculten triunfos de mayoría relativa y se acceda a un elevado número de diputados plurinominales como ocurrió entre 2012 y 2024, la corrección a la fórmula legal resulta sencilla: para fines de asignación de diputados de representación, se considerarán los triunfos de mayoría relativa obtenidos por la coalición al partido de esta que resulte el más votado en cada distrito electoral.

La idea, así, no es inhibir ni prohibir las coaliciones, que son parte de la vida política de un sistema plural de partidos. Bastaría entonces con eliminar el trasvase de triunfos uninominales de un partido a otro: que a cada partido se le contabilicen las victorias distritales que los ciudadanos determinen con sus votos. No es mucho pedir; al contrario, es poner al sufragio como criterio rector por encima de convenios de coalición firmados antes de que la ciudadanía se manifieste en las urnas.

Las dos propuestas de cambio —una a la Constitución para abandonar la posibilidad de sobrerrepresentación del 8% y la otra a la ley de partidos para evitar que se oculten triunfos de mayoría y se reciban diputados plurinominales en exceso— no implicarían, cabe advertir, que el modelo garantice plena igualdad entre porcentaje de votos y de curules. Eso solo sería posible con un sistema de representación proporcional puro, mas no es lo que esta propuesta minimalista plantea, pues no busca alterar la conformación mixta de la Cámara de Diputados ni su dimensión vigente —300 diputaciones de mayoría relativa y 200 de representación proporcional—. Pero los índices de sub y sobrerrepresentación se abatirían notablemente. Veamos cómo sería ello a partir de los datos de las tres últimas elecciones federales: 2018, 2021 y 2024.

De haber contado con una legislación que no favoreciera la sobrerrepresentación, en 2018 la coalición de Morena habría obtenido 254 legisladores, el 50.8% de la Cámara, lo que se correspondería de manera diáfana con el 51% de la votación nacional emitida que recibieron los partidos que la conformaron (tabla 2.14). Los partidos de la oposición, por su parte, habrían tenido 246 diputados, el 49.2%, que se correspondería con el 49% de la votación nacional emitida que los electores les dieron. En vez de una sobrerrepresentación del 15.9% a favor del gobierno (tabla 2.4), la diferencia entre los porcentajes de votos y escaños habría resultado insignificante: 0.2 puntos (tabla 2.14), permitiendo una nítida traducción del voto popular en curules, sin castigos ni premios artificiales para nadie.

En 2021, cuando la coalición del gobierno recibió 7.8 puntos porcentuales de diputados por encima del porcentaje de votos populares (tabla 2.4), la fórmula aquí propuesta habría dado lugar a una asignación perfectamente igualitaria entre proporción de sufragios populares y de legisladores para las distintas fuerzas políticas (tabla 2.14), donde la oposición con el 52.2% del voto popular se habría hecho con exactamente el mismo porcentaje de diputados. Esta fórmula, clara, haría posible que la mayoría de los votos ciudadanos se tradujera en la misma mayoría de

Tabla 2.14. Escenarios alternativos de integración de la Cámara de Diputados. Votos reales, traducción en curules sin distorsión.

Escenario alternativo 2018							
	Votos	Porcentaje (A)	Curules MR	Curules RP	Total	Porcentaje (B)	Desviación (B-A)
PAN	10,093,012	19.9%	49	68	117	23.4%	3.5%
PRI	9,307,233	18.3%	13	62	75	15.0%	-3.3%
PRD	2,967,452	5.8%	3	20	23	4.6%	-1.2%
PT	2,210,988	4.4%	0	15	15	3.0%	-1.4%
PVEM	2,694,654	5.3%	1	18	19	3.8%	-1.5%
MC	2,484,185	4.9%	14	17	31	6.2%	1.3%
MORENA	20,968,859	41.3%	220	0	220	44.0%	2.7%
Total	50,726,383	100.0%	300	200	500	100.0%	0.0%
JHH	25,874,501	51.0%	221	33	254	50.8%	-0.2%
Oposiciones	24,851,882	49.0%	79	167	246	49.2%	0.2%

Escenario alternativo 2021							
	Votos	Porcentaje (A)	Curules MR	Curules RP	Total	Porcentaje (B)	Desviación (B-A)
PAN	8,967,785	20.4%	74	28	102	20.4%	0.0%
PRI	8,715,191	19.8%	31	68	99	19.8%	0.0%
PRD	1,792,348	4.1%	5	15	20	4.1%	0.0%
PT	1,594,635	3.6%	0	18	18	3.6%	0.0%
PVEM	2,670,677	6.1%	3	27	30	6.1%	0.0%
MC	3,449,804	7.8%	7	32	39	7.9%	0.0%
MORENA	16,756,189	38.1%	180	11	191	38.1%	0.0%
Total	43,946,629	100.0%	300	200	500	100.0%	0.0%
SHH	21,021,501	47.8%	183	56	239	47.80%	0.0%
Oposiciones	22,925,128	52.2%	117	144	261	52.20%	0.0%

Escenario alternativo 2024							
	Votos	Porcentaje (A)	Curules MR	Curules RP	Total	Porcentaje (B)	Desviación (B-A)
PAN	10,046,629	18.0%	32	58	90	18.00%	-0.04%
PRI	6,622,242	11.9%	10	42	52	10.40%	-1.49%
PVEM	4,992,286	9.0%	6	31	37	7.40%	-1.56%
PT	3,253,564	5.8%	0	20	20	4.00%	-1.84%
MC	6,495,521	11.7%	1	49	50	10.00%	-1.66%
Morena	24,277,957	43.6%	250	0	250	50.00%	6.40%
Independiente	72,012	0.1%	1	n.a.	1	0.20%	0.07%
Total	55,688,199	100.0%	300	200	500	100.00%	0.00%
SSH	21,021,501	58.4%	256	51	307	61.40%	3.00%
Oposiciones	22,925,128	41.6%	44	149	193	38.60%	-3.00%

Fuente: elaboración propia con base en cómputos distritales del INE.

legisladores, y no como ocurrió en 2021, cuando el gobierno, teniendo minoría de votos (47.8%), se hizo con la mayoría de curules (55.6%).

De igual forma, en 2024, la coalición del gobierno habría tenido, sin cláusulas que favorecen la sobrerrepresentación ni el trasvase de diputados vía coaliciones, un total de 307 legisladores, el 61.4%, porcentaje muy cercano a su votación nacional emitida de 58.4% (sin votos nulos, por candidatos independientes y por partidos que perdieron su registro). De esta forma, no se habría construido la mayoría calificada espuria en la Cámara de Diputados (con el 72.8% de los legisladores) que permitió desfigurar el régimen constitucional democrático de México durante el último trimestre de 2024.

La gráfica 2.7 demuestra, con nitidez, cómo la reforma minimalista habría corregido la sobrerrepresentación que distorsiona el mandato depositado en las urnas en la Cámara de Diputados.

La propuesta de eliminar la sobrerrepresentación tendría impacto, claro está, en el índice de Gallagher, el indicador utilizado para medir la disonancia entre el porcentaje de votos depositados en las urnas por los distintos partidos y el de curules a los que terminan asignándose a cada bancada parlamentaria.

Gráfica 2.7. Sobrerrepresentación en Cámara de Diputados: real y con escenario de reforma minimalista

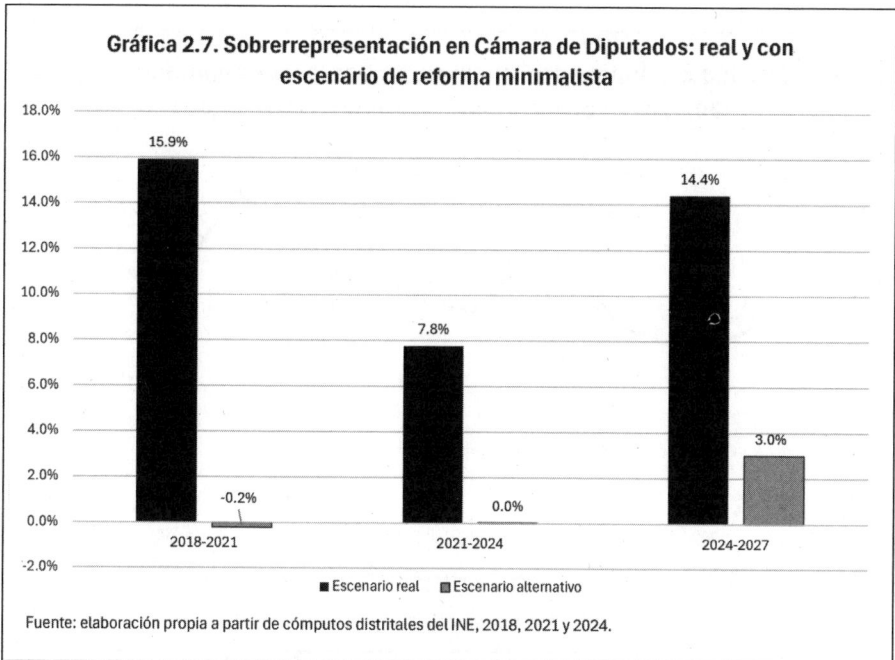

Escenario real: 2018-2021: 15.9%; 2021-2024: 7.8%; 2024-2027: 14.4%
Escenario alternativo: 2018-2021: -0.2%; 2021-2024: 0.0%; 2024-2027: 3.0%

■ Escenario real ■ Escenario alternativo

Fuente: elaboración propia a partir de cómputos distritales del INE, 2018, 2021 y 2024.

La gráfica 2.8 permite ver el benéfico efecto de la propuesta de traducir, sin alteraciones, el voto en curules: en 2018, en vez de un índice de 10.7, se habría tenido uno de 6.1, similar al de 2003; para 2021 se habría llegado a una correspondencia entre votos y curules inferior —y, por tanto, mejor— que la de cualquier otro momento y se habría conseguido la mejor traducción de la historia democrática entre votos y escaños; y en 2024, el índice de Gallagher con la fórmula alternativa habría sido más bajo de lo que resultó en cualquier momento de lo que va del siglo. Más allá de índices, la virtud básica de la propuesta es permitir que el voto ciudadano se refleje sin distorsiones en la conformación de la Cámara.

Como se ve, la propuesta es minimalista —apenas dos pequeñas modificaciones, una al artículo 54 constitucional y la otra a la ley electoral—, pero su efecto sería mayúsculo: se terminaría con la construcción artificial de mayorías en el Congreso y

Gráfica 2.8. Índice de Gallagher, en Cámara de Diputados 1997-2021 con escenario alternativo 2018 y 2021

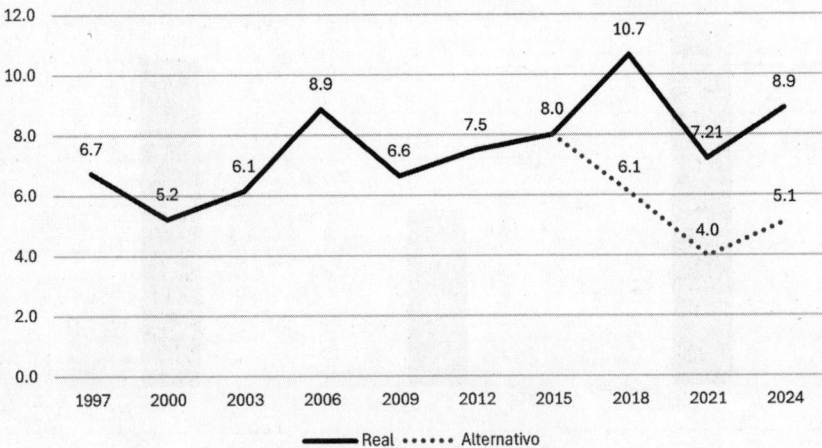

Fuente: Elaboración propia a partir de cómputos distritales del IFE/INE.

con la distorsión de la voluntad popular depositada en las urnas al traducir votos en curules. Permitiría que cada partido tuviera en la Cámara de Diputados el peso que la ciudadanía le otorgue a través del sufragio. Nada más, pero nada menos.

XXVII. El Senado: preservar la pluralidad y respetar el pacto federal

El ajuste en el Senado también sería menor, y con dos propósitos: evitar que alguna entidad federativa pueda tener más legisladores que otra en la Cámara alta y permitir que la pluralidad política real de las entidades se refleje, a su vez, en su representación.

Hasta ahora, como se explicó antes, el Senado se conforma por 128 integrantes, de los que 96 salen directamente de las entidades y hay 32 de una lista nacional. Los tres senadores que corresponden a cada entidad se asignan con un criterio que no distingue si la vida política local es más o menos competida: siempre el primer lugar tiene dos senadores (66.7%) y el segundo lugar, uno (33.3%).

El cambio consistiría en lo siguiente: a) eliminar la lista nacional y b) que en cada entidad se elijan cuatro senadores con el criterio de plena proporcionalidad. Con ello, por cada 25% de la votación que obtenga un partido, o la fracción más cercana a ese porcentaje en cada entidad, recibiría un senador.[73] Ello permitiría, en el extremo, que hasta cuatro partidos distintos pudieran llegar al Senado por alguna entidad si la vida política es muy competida e igualitaria entre ese número de fuerzas. También daría lugar, con más frecuencia, a que tres opciones distintas puedan representar a las entidades y no solo dos, como ocurre bajo las disposiciones actuales.

Baste un breve recuento de lo que hubiese significado en 2018 y 2024 una integración del Senado a partir de una fórmula de 32 entidades con proporcionalidad directa y resto mayor. En 2018, prácticamente todas las entidades habrían logrado una representación más plural que con el criterio vigente de conformación del Senado. Con la fórmula alternativa en las legislaturas LXIV (2018-2021) y LXV (2021-2024), casi todas las entidades del país —31 de 32— habrían estado representadas en el Senado por más de dos fuerzas políticas distintas; la excepción habría sido Tabasco (donde Morena alcanzó el 68% de los votos en 2018). Pero, además, cuatro entidades (Durango, Jalisco, Michoacán y San Luis Potosí) hubiesen contado con senadores de cuatro diferentes orígenes políticos cada uno, en consonancia con la mayor dispersión del voto que emitió la ciudadanía en esos estados. Incluso habría resultado electo un candidato independiente al Senado —Pedro Kumamoto, por Jalisco, quien, si bien quedó en tercer lugar, obtuvo el 23% de la votación de su estado—. Finalmente, 27 entidades habrían tenido representación de tres partidos políticos diferentes, por lo que, a lo sumo, la fuerza más votada tendría el 50% de la representación, mientras que la segunda y tercera fuerzas contarían con el 25% de la representación cada una.

Pero habría otro resultado aún más relevante: la mayoría de los escaños en el Senado se habría correspondido con la mayoría de los votos ciudadanos sin que la mayoría legislativa la obtuviera quien fue minoría en votos, como ocurrió. En 2018 la votación de los partidos de la coalición Juntos Haremos Historia fue 46.3% de la votación válida emitida al Senado y obtuvo 69 legisladores (55 asignados a Morena, 6 al PT y 8 al desaparecido Partido Encuentro Social), que representaron el 53.9% de la Cámara Alta, por lo que, teniendo menos de la mitad de los votos ciudadanos, se hicieron con más de la mitad de los asientos del Senado. En cambio, con la elección de cuatro senadores por entidad federativa, la coalición gobernante en 2018 habría recibido 57 senadores, que significan el 44.6% del total: la mayoría de los votos emitidos a favor de partidos opositores se habría reflejado en una mayoría de legisladores. Lo contrario a lo que sucedió con la regla vigente.

La fórmula aquí propuesta habría generado, en 2024, un escenario muy distinto al que prevalece. En 31 de las 32 entidades, Morena —o su coalición— ganó el primer lugar y obtuvo, en consecuencia, dos senadores (el 66.7% de la representación), si bien, en promedio, los votos por los partidos del gobierno al Senado en 2024 fueron el 57%. La primera minoría, un senador (33.3%), fue para la oposición que, como media, se hizo con el 43% de los votos válidos. Con la fórmula vigente de integración del Senado, en 2024 los partidos de la coalición del gobierno recibieron 83 escaños, el 65%, y se quedaron a tres legisladores de obtener, de entrada, la mayoría calificada —la conseguirían, después, por la vía de la compra y coacción de cuatro legisladores de oposición: dos del PRD, uno del PAN y otra más del PRI.

En cambio, el escenario alternativo aquí propuesto habría generado una representación de cada entidad más equilibrada con las preferencias ciudadanas. La cuantiosa votación por los partidos de la coalición Sigamos Haciendo Historia les habría permitido hacerse con tres de cuatro senadores en 13 entidades (el 75% de la representación local).[74] Pero en otras 19, Morena se habría hecho con 2 de 4 senadores, es decir, la mitad de la representación (50%) y no el 66.7%, como pasó con la fórmula vigente, y la otra mitad estaría en manos de partidos opositores. Además, en 10 estados[75] se habría dado la representación de tres fuerzas políticas distintas: la coalición del gobierno, el frente opositor y Movimiento Ciudadano.

Lo más relevante es que, expresando la pluralidad real de cada entidad federativa, los partidos del gobierno habrían tenido 77 senadores, el 60% del total, acorde con el 57% del voto ciudadano recibido en las urnas. Las oposiciones tendrían el 40% de la Cámara Alta, en concordancia con el 43% del voto que se les confirió en las elecciones de 2024 (tabla 2.15). En ese escenario, las reformas constitucionales tendrían que ser fruto del consenso entre las fuerzas políticas y no resultado de la imposición unilateral del gobierno. Por eso es fundamental defender una reforma electoral que permita la expresión del pluralismo y, con ella, la vigencia de un marco democrático ajeno a la tiranía de la mayoría.

Más allá del expediente electoral, sería deseable revisar el propio sistema presidencialista de México para avanzar hacia el parlamentarismo. Han sido los regímenes parlamentarios los que mejor han logrado contener la ola autoritaria, como se ha visto en Francia o Alemania, con «cordones sanitarios democráticos» frente al riesgo de que fuerzas extremistas arriben. En cambio, los populismos autoritarios emergen con más fuerza en los sistemas presidencialistas: Estados Unidos, Brasil o México.

Pero en el corto y mediano plazos, las condiciones para una deliberación democrática sobre el tipo de sistema político son adversas, pues lo que acecha en el horizonte es solo un autoritarismo descarnado. Aun así, es deber intelectual imaginar escenarios para la mejor convivencia política en las sociedades complejas y diversas de nuestro tiempo.

Tabla 2.15. Integración del Senado 2024-2030 y escenario alternativo.

| Coalición o partido | Votos | Porcentaje votos (A) | Escenario vigente | | | | | Escenario con reforma minimalista | | |
			Senadores Mayoría Relativa	Senadores Lista Nacional	Total de Senadores	Porcentaje Senadores (B)	Diferencia % votos y escaños (B-A)	Senadores. Escenario Alternativo	Porcentaje senadores (C)	Diferencia % (C-A)
SHH	32,672,088	57%	64	19	83	65%	7%	77	60%	3%
FCM*	17,786,011	31%	30	10	40	31%	0%	41	32%	1%
MC	6,460,220	11%	2	3	5	4%	-7%	10	8%	-4%
Total	56,918,319	100%	96	32	128	100%	0%	128	100%	0%

Fuente: elaboración propia a partir de los cómputos distritales del INE al Senado en 2024. * Coalición Fuerza y Corazón por México

XXVIII. Una democracia cada vez más frágil

Desde el punto de vista electoral, México tiene una democracia competitiva que refleja el profundo pluralismo de la sociedad, el cual nos ha permitido cambios de gobierno y alternancias políticas de forma pacífica e institucional. Podría decirse que México ha cumplido hasta ahora con la definición minimalista de la democracia hecha por Norberto Bobbio cuando se pregunta: «¿Qué cosa es la democracia sino un conjunto de reglas para solucionar los conflictos sin derramamiento de sangre?» (Bobbio, 1985: 136).

Pero la democracia no se reduce al mero expediente electoral. Si bien no hay democracia que no pase por elecciones dignas de tal nombre, la vida democrática trasciende al momento del voto: también es, necesariamente, gobierno acotado y sujeto a las leyes, independencia y división de poderes, y posibilidad de ejercer el conjunto de libertades y derechos políticos. Vista así, como un sistema que funciona más allá de las elecciones, la democracia mexicana resulta una obra inacabada, con déficits significativos en términos de vigencia de la legalidad, sujeción de los gobernantes a las normas y obligaciones de rendición de cuentas, división de poderes y efectiva garantía de los derechos ciudadanos más allá del sufragio.

La intensa vitalidad electoral de la democracia mexicana contrasta con los resultados que obtiene en distintos ejercicios de diagnóstico sobre la calidad del sistema político y, en especial, con el escaso aprecio que franjas importantes de la población tienen con respecto a ella. En la sociedad mexicana se expresan valoraciones cada vez más frecuentes de respaldo a alternativas autoritarias. Es necesario reconocer, entonces, que la democracia mexicana no goza de plena salud y que avanza el retroceso democrático, hecho que merece ser valorado con toda seriedad.

No se trata de una situación exclusiva de México: el mundo entero vive una suerte de cambio climático en los ecosistemas políticos, con una severa erosión de la democracia que ha implicado que países que antes contaban con libertades y derechos políticos los hayan perdido —naciones donde no se cumple, siquiera, la definición mínima de Bobbio y los ciudadanos no cuentan más con la posibilidad de deshacerse de malos gobiernos mediante el sufragio libre—, y que en múltiples casos se presenten retrocesos democráticos como sugiere el estudio *El estado de la democracia en el mundo y las Américas 2023* del Instituto Internacional por la Democracia y la Asistencia Electoral (IDEA, 2023). La conclusión de IDEA es que «ha habido un continuo declive de los principios democráticos en todo el continente americano. En la actualidad hay más países que presentan un bajo desempeño en todas las categorías del desempeño democrático que hace cinco años» (IDEA, 2023: 46).

La evaluación de IDEA se realiza a partir de cuatro categorías: 1) representación, 2) ejercicio de derechos, 3) Estado de derecho y 4) participación.[76]

Para el caso de México, la base de datos de IDEA permite ver que, a lo largo del presente siglo, se ha dado una reducción en las cuatro categorías (gráfica 2.9). Sin embargo, no todo ha sido una caída continua en el periodo analizado, sino que en tres categorías se verificaron mejoras en distintos momentos (ello ocurrió con la variable de Estado de derecho en los primeros años del siglo, con la participación en la segunda mitad de la primera década de la centuria, y también avanzó el ejercicio de derechos entre 2000 y 2015), pero a partir de 2018 la situación de la democracia mexicana no ha hecho sino empeorar. Al final del periodo, las categorías de mayor precariedad se refieren al ejercicio de los derechos y al Estado de derecho, es decir, se pone de manifiesto

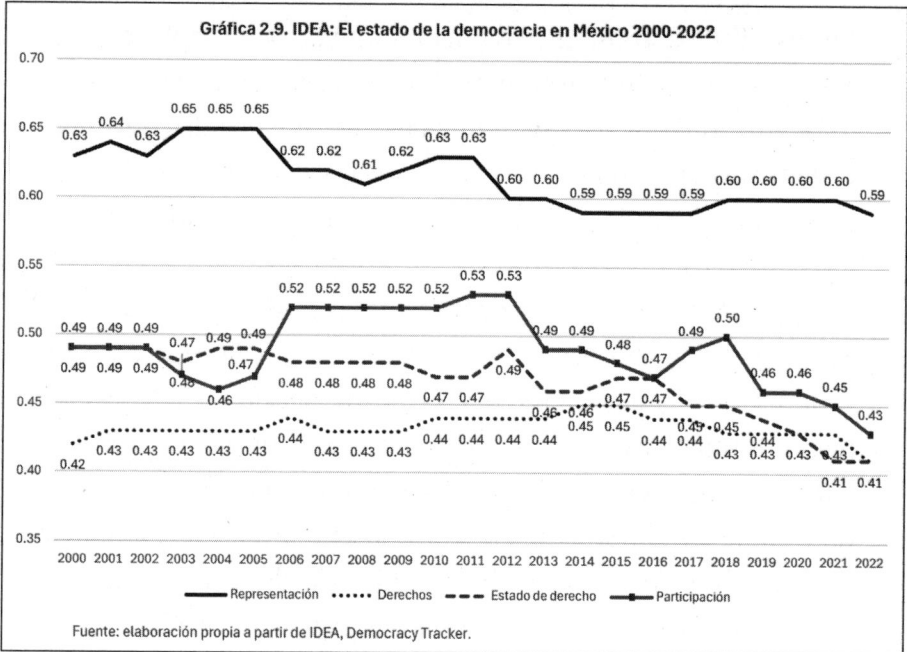

Gráfica 2.9. IDEA: El estado de la democracia en México 2000-2022

Fuente: elaboración propia a partir de IDEA, Democracy Tracker.

que las libertades civiles, en especial la libertad de expresión y de prensa, están retrocediendo, así como la aplicación predecible de la ley, la independencia del Poder Judicial, la seguridad de las personas y crece aún más la corrupción.

El análisis de IDEA permite concluir que México vive años de deconstrucción democrática.

Entre los aspectos que IDEA identifica como causas del deterioro democrático están el incremento de la militarización y los ataques a la prensa y a la libertad de expresión (IDEA, 2023: 46). En México, desde el poder se ataca a las instituciones de contrapeso, como las autoridades electorales independientes o la SCJN (IDEA, 2023: 48); se constata también una reducción del espacio cívico, y el ejercicio de violencia física e intimidación contra los defensores de derechos humanos (IDEA, 2023: 56). Además, en México hay disposiciones legales contrarias a los derechos humanos, como lo es la prisión preventiva oficiosa (IDEA, 2023: 58).

En los últimos años, el parlamento, en vez de cumplir con su rol como poder independiente, ha paralizado el nombramiento de funcionarios para desempeñarse en órganos de control al Ejecutivo y ha aprobado, de forma precipitada, reformas legales propuestas por el presidente, incluso violando el debido proceso legislativo (IDEA, 2023: 58).

Es significativo que buena parte de las causas que deterioran a la democracia mexicana tengan, en los años recientes, su origen en la acción de un gobierno que surgió de elecciones íntegras, lo que confirma que el expediente electoral es la primera condición para una democracia, pero no basta: es indispensable que la actuación de los gobernantes también se enmarque en los límites y parámetros constitucionales. La historia del siglo xx ofrece cruentos ejemplos de gobiernos que surgieron de elecciones limpias y después lesionaron los derechos básicos de millones de personas. No olvidemos que algunos de los más atroces tiranos ganaron elecciones y gozaron, en su momento, de amplísimo apoyo popular. La historia en el siglo xxi está evidenciando que los colapsos de las democracias no se deben a golpes externos a los sistemas democráticos, sino que ahora los daños provienen desde su interior y, con alta frecuencia, teniendo como artífices de la destrucción a gobernantes legítimamente electos.

Otra fuente para conocer cómo ha evolucionado la democracia mexicana en el siglo xxi la ofrece el semanario inglés *The Economist*, que elabora un índice de la democracia global (*Democracy Index*), el cual incluye cinco categorías: a) sistema electoral y pluralismo, b) funcionamiento del gobierno, c) participación política, d) cultura política y e) libertades civiles. A partir de ello, se establecen cuatro conjuntos de países: 1) los de plena democracia —con un índice superior a 8 en una escala de 0 a 10—, 2) con democracia débil —índice mayor a 6 y hasta de 8 puntos—,

3) en un régimen híbrido —más de 4 y hasta 6 puntos— y 4) regímenes autoritarios —con un índice de 4 puntos o menos—. El índice correspondiente a 2023, construido con información de 165 países, muestra un declive de la democracia a escala global entre 2008 y 2023, con una drástica caída en las categorías de libertades civiles y del sistema electoral y pluralismo, y un retroceso más moderado en las categorías de funcionamiento del gobierno y cultura política, mientras que solo la categoría de participación política muestra mejoría, lo que lleva al semanario británico a concluir que «el modelo democrático desarrollado durante las ocho décadas posteriores a la Segunda Guerra Mundial ha dejado de funcionar» (*The Economist*, 2024: 4).

México en 2023 fue calificado por el *Democracy Index* como una nación de «régimen híbrido», el cual caracteriza a países que, si bien tienen elecciones, padecen intentos para afectar la integridad de los comicios; donde los gobiernos suelen acosar a la oposición y a la prensa libre, sufren de corrupción generalizada y tienen un frágil Estado de derecho; y donde la independencia del Poder Judicial se encuentra bajo amenaza.

En la medición sobre México, la categoría con mejor desempeño es el sistema electoral y pluralismo (6.92), seguida por la participación política (6.67), las libertades civiles (5.59), el funcionamiento del gobierno (4.64) y, finalmente, la cultura política (1.88).

En la clasificación mundial de *The Economist* en 2023, México se situó en el lugar 90 de 16 decenas de países, con un índice general de 5.14 en una escala de 0 a 10, acompañando a países como Ecuador, Madagascar, Ucrania, Kenia, Marruecos, Bosnia, Honduras y El Salvador. En 2010, México se había situado en el lugar 50 a nivel mundial (tabla 2.16), por lo que el retroceso en menos de una década y media ha sido rotundo.

Incluso considerando solo a 24 países de América Latina y el Caribe, la democracia de México ocupa el lugar 16 —solo superando a Honduras, El Salvador, Guatemala, Bolivia, Haití, Cuba, Venezuela y Nicaragua; estos tres últimos considerados como regímenes autoritarios, y Haití, como un país en estado de colapso—, lo que hace manifiesta la debilidad de México también frente a otros países cercanos en cuanto a nivel de desarrollo y con problemas económicos, sociales, políticos y de seguridad similares.

La calificación de México en el índice de *The Economist* indica cómo la democracia en el país se debilita en la última década (tabla 2.16). Hasta 2013, México obtenía un índice superior a 6.9 y, a partir de 2014, inició un declive continuo con una caída considerable en 2021, año en el que el país ya no alcanzó un puntaje de seis, solo para seguir deteriorándose hasta 2023. El desmedro de la joven democracia mexicana vista a través de este indicador comenzó en la mitad de la segunda década del siglo, pero el deterioro se aceleró durante el gobierno de López Obrador, que es cuando el país dejó de ser considerado una democracia débil y pasó a ser catalogado como un régimen híbrido.

Cuando *The Economist* presentó el índice correspondiente a 2021, alertó que América Latina había tenido una caída frente al año anterior de 6.09 a 5.83 en su índice promedio, lo que implicó no solo la más pronunciada reducción de una región en el mundo para ese año, sino el retroceso más importante registrado desde que se creó el índice en 2006 (*The Economist*, 2022: 47). Mientras Latinoamérica y el Caribe disminuyeron su índice promedio en 26 décimas, México lo hizo en medio punto (0.5),

Tabla 2.16. *The Economist*: índice democrático de México, 2006-2023																
Año	2006	2008	2010	2011	2012	2013	2014	2015	2016	2017	2018	2019	2020	2021	2022	2023
Índice	6.67	6.78	6.93	6.93	6.9	6.91	6.68	6.55	6.47	6.41	6.19	6.09	6.07	5.57	5.25	5.14
Variación anual	n.a.	0.11	0.15	0	-0.03	0.01	-0.23	-0.13	-0.08	-0.06	-0.22	-0.1	-0.02	-0.5	-0.32	-0.11
Cambio porcentual	n.a.	1.6%	2.2%	0.0%	-0.4%	0.1%	-3.3%	-1.9%	-1.2%	-0.9%	-3.4%	-1.6%	-0.3%	-8.2%	-5.7%	-2.1%
Clasificación mundial	50															90

Fuente: Elaboración propia a partir *The Economist, Democracy Index 2023*.

casi el doble que la media regional. El seminario británico consideró que, en la región, el mal manejo de la pandemia de covid-19 pudo ampliar el descontento previo con gobiernos electos democráticamente debido a su incapacidad para resolver problemas, lo que, a su vez, alimentó tendencias autoritarias (*ibid.*).

La degradación de México en 2021 de una democracia débil a un régimen híbrido se dio, explica *The Economist* (2022: 50), por el intento del presidente López Obrador de concentrar el poder en el Ejecutivo, por la advertencia de que intentaría modificar a las autoridades electorales —a las que acusó de formar parte de la antidemocracia—, por el recrudecimiento de los ataques presidenciales a la libertad de prensa, por la mayor intolerancia del gobernante ante sus críticos y por la presencia del crimen organizado en las elecciones intermedias de 2021. Además, si bien el presidente mantuvo altos niveles de aprobación, ello contrastó con la escasa confianza en el desempeño gubernamental.

Es evidente que México dejó de perfilarse hacia ser una democracia plena, situación en la que se sitúan solo dos países de América Latina: Costa Rica y Uruguay. En 2013, México estuvo a un punto y diez décimas en la clasificación de *The Economist* de ser una democracia sólida y, en 2023, su deterioro lo acercó hacia las características de los regímenes autoritarios, de los que se colocó a un punto y 14 décimas.

Como toda metodología, la diseñada por *The Economist* puede ser objeto de revisión y crítica; aun así, ofrece un índice consistente en el tiempo y que se aplica a un amplio número de naciones, lo que permite analizar comparativamente a los países y revisar, a la vez, el desempeño de cada nación frente a sí misma. La conclusión sobre México no puede pasarse por alto: en el plano internacional, su democracia retrocede, pero, lo que es más grave aún, vive un debilitamiento interno provocado por la amenaza autoritaria que daña la cultura política a través de la polarización, y busca asfixiar al pluralismo, a la independencia de poderes y a las libertades civiles.

Un tercer estudio internacional sobre el estado de la democracia lo ofrece el Pew Research Center que, en febrero de 2024, publicó el informe *Representative Democracy Remains a Popular Ideal, but People Around the World Are Critical of How It's Working*, el cual revela una amplia insatisfacción entre la población de 24 países con respecto al funcionamiento de sus sistemas políticos. Se da cuenta, por ejemplo, de que en ocho países de distintos continentes y de muy diferente tradición democrática creció, entre 2017 y 2023, el respaldo a líderes fuertes que puedan gobernar sin interferencia del parlamento y del Poder Judicial, lo que implica un respaldo social a un tipo de gobierno autocrático, que es el término utilizado en el estudio referido. Entre esas naciones se incluye a México —además están Alemania, Argentina, Brasil, Corea del Sur, India, Kenia y Polonia— que, junto con Kenia, son los únicos países donde hay más gente que considera más positivo (50%) que negativo (48%)[77] que el líder gobierne sin contrapesos de otros poderes (Pew Research Center, 2024: 29).

Preocupante es el hecho de que, además, en 2017 el apoyo a un liderazgo autócrata en México era de 27%, por lo que en seis años se incrementó en 23 puntos —el mayor aumento registrado entre países—, hasta abarcar al 50% de la población. En el panorama internacional, el promedio de apoyo a un gobierno autoritario es de 26%, casi la mitad que en México.

Otro ángulo de mirada que puede alertar sobre los riesgos del autoritarismo es el respaldo a la posibilidad de que exista un gobierno militar. En los países considerados por el Pew Research, solo el 15% de la población respaldaría esa opción, pero en México es más de la mitad de la población: el 58%[78] (Pew Research Center, 2024: 33).

XXIX. Erosión del apoyo a la democracia

La fragilidad de la democracia se profundiza cuando su base social escasea. Diferentes estudios alertan de esa tendencia en México: los problemas del país y la inquietud que generan para la vida cotidiana de la población hacen que franjas crecientes de la sociedad comiencen a simpatizar con alternativas de corte autoritario.

A su vez, la desafección por la democracia se explica por el grado de satisfacción que se tiene con ella. El estudio de Pew Research Center muestra que en México es más la gente insatisfecha con la democracia (50%) que la satisfecha (48%). En comparación con una década antes, la satisfacción cae, pues en 2013 el 53% de los mexicanos decía estar satisfecho con su democracia.

Una fuente adicional de información sobre la valoración social relativa al régimen democrático lo ofrece el estudio Latinobarómetro, que tiene la ventaja de poder analizar el panorama de todo lo que va del siglo e, incluso, un poco antes (gráfica 2.10).

Una constante en la evaluación social que se hace de la democracia a lo largo de casi treinta años de análisis es que predomina la insatisfacción hacia la misma. Los datos de la gráfica 2.10 muestran cómo, incluso en un año de alternancia política como 2018, el porcentaje de insatisfechos era equivalente al de 1996, antes de que se presentaran tanto el fenómeno de los gobiernos divididos como el primer cambio de gobierno (2000) en la presidencia.

Gráfica 2.10. Satisfacción con la democracia en México, 1995-2023

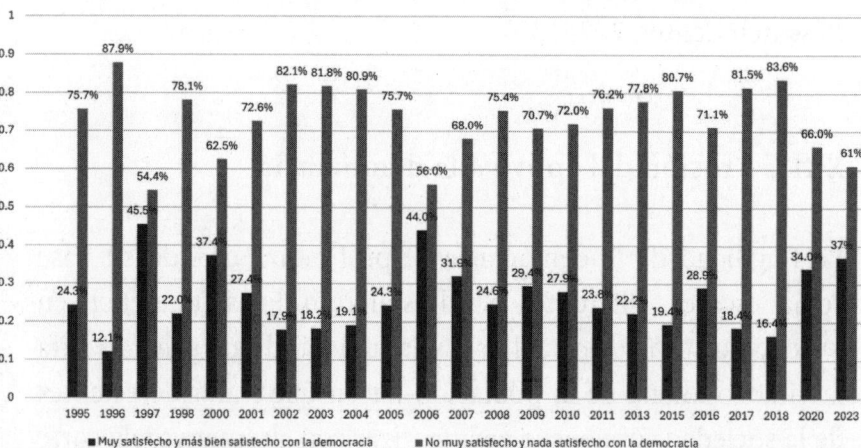

Fuente: Elaboración propia a partir de Latinobarómetro.

Una vez más, la insatisfacción con la democracia gravita sobre el apoyo social a la misma. La larga persistencia de la insatisfacción hace que, al paso del tiempo, se produzcan tres fenómenos que se autorefuerzan: a) la disminución de las personas que consideran que la democracia es preferible a cualquier otra forma de gobierno; b) el aumento de quienes creen que, en algunas circunstancias, sería mejor un gobierno autoritario que uno democrático; y c) el incremento de las personas indiferentes hacia el tipo de régimen que las gobierne.

Las series de la gráfica 2.11, obtenidas de la base de datos del Latinobarómetro, muestran tres fases a lo largo del siglo sobre el apoyo a la democracia. Al principio, la democracia mexicana se encontraba en una situación favorable y con un respaldo social creciente (llegó a ser apoyada por cada dos de tres personas en 2002, prácticamente), al tiempo que declinaba el apoyo al autoritarismo. En segundo lugar, se aprecia, desde mediados de la primera década y hasta 2018, una caída del respaldo a la democracia que, a su vez, implicó un crecimiento de la ciudadanía

Gráfica 2.11. Apoyo a la democracia en México, 1995-2023

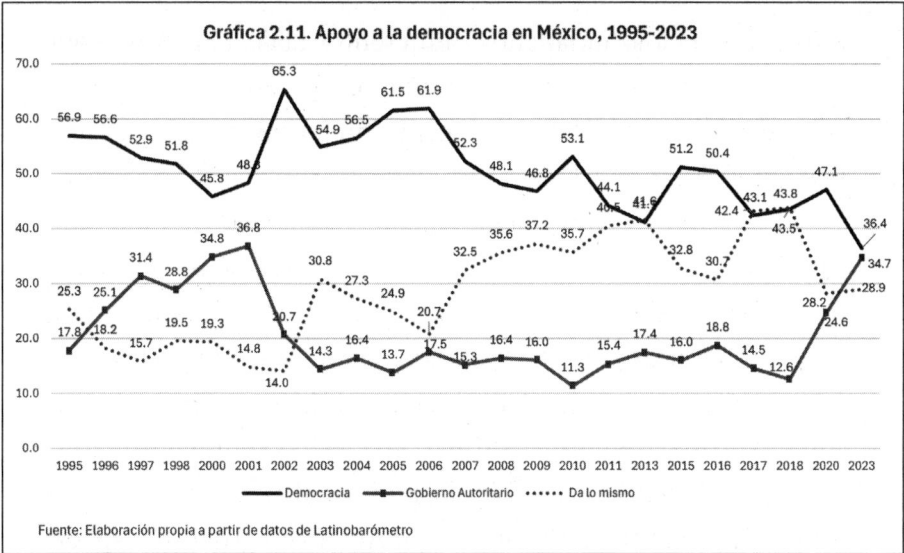

Fuente: Elaboración propia a partir de datos de Latinobarómetro

indiferente, mientras que el autoritarismo se mantenía en niveles de respaldo social bajos. Y el tercer momento es el presente, y más delicado: la democracia encuentra el más pobre respaldo social en tres décadas y los partidarios de una posible opción autoritaria son más que los indiferentes.

Lo anterior demuestra que la pérdida de apoyo a la democracia hace que crezca la indiferencia política —y no hay regímenes democráticos que puedan echar raíces sobre población ajena a esta última— que, más tarde, se torna en apoyo al autoritarismo. Es decir, se trata de un deterioro gradual, pero no por ello menos ominoso.

En el contexto de América Latina, la democracia también ha perdido adeptos y, por ejemplo, en 2023 solo el 55% de los habitantes de la región la respaldaban cuando en 2011 era el 68%. Aun así, en 2023 son más los latinoamericanos a favor de la democracia que la suma de quienes son indiferentes o apoyarían un régimen autoritario (45% entre los dos). En México, en cambio, la situación es de mayor deterioro: en los últimos años son más los ciudadanos indiferentes hacia el régimen que los gobierna y los que apoyarían una opción autoritaria que los que consideran que la democracia es preferible a cualquier otra alternativa (gráfica 2.12).

El rezago en valores democráticos de México frente a Latinoamérica también se hace manifiesto cuando se indaga sobre la disposición de la ciudadanía a respaldar un gobierno militar en sustitución de uno democrático. Los datos de la tabla 2.17 dan cuenta de cómo ha decaído, en los últimos veinte años, el número de mexicanos que afirmaban que, bajo ninguna circunstancia, apoyarían a un gobierno militar, al pasar de 60.5% en 2004 a 52% en 2023. En cambio, en América Latina no baja del 60% la población renuente, en cualquier escenario, a los gobiernos militares. A menor rechazo, crece también la disposición a apoyar gobiernos castrenses, alternativa que tenía un 15.7% de respaldo en 2004 y a la que, en 2023, llegó a respaldar el 41.7% de los mexicanos. Así, en esas dos décadas, de cada 100 personas

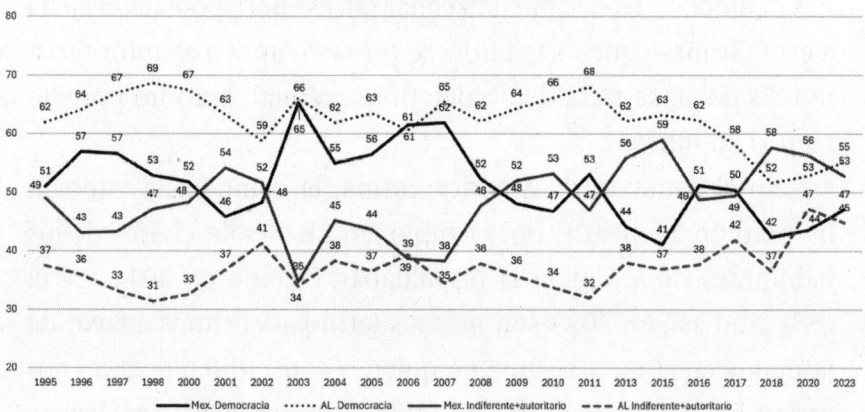

Gráfica 2.12. México y América Latina: apoyo a la democracia vs indiferencia y apoyo a gobiernos autoritarios, 1995-2023 (porcentajes)

Fuente: Elaboración propia a partir de datos de Latinobarómetro.

Tabla 2.17. Respaldo a un gobierno militar. México y AL			
	Apoyaría a un gobierno militar		En ninguna circunstancia	
Año	México	América Latina	México	América Latina
2004	15.7%	27.6%	60.5%	63.3%
2005	31.4%	29.6%	63.4%	61.8%
2009	34.1%	24.2%	55.6%	57.4%
2010	36.4%	28.3%	56.3%	63.0%
2011	37.1%	27.2%	53.3%	65.8%
2020	36.2%	30.6%	54.6%	61.5%
2023	41.7%	34.7%	52.0%	60.6%
Fuente: Latinobarómetro				

hay 26 que se han sumado a la opinión favorable con respecto a la posibilidad de que haya gobiernos militares.

Estudios recientes sugieren que el crecimiento de las opiniones favorables ante intervenciones antidemocráticas e, incluso, ante un golpe de Estado en situaciones de alta criminalidad no se da necesariamente entre los votantes de opciones políticas derrotadas, sino que en México la pulsión autoritaria de hecho se hizo presente después de 2018 entre aquellos que votaron por López Obrador (Castro Cornejo y Langston, 2023).

El bajo apoyo a la democracia se expresa también en la escasa confianza hacia el gobierno y hacia dos instituciones indispensables para la vida política democrática: el Congreso y los partidos políticos. Estas tres figuras poseen grados de confianza minoritarios en la sociedad mexicana. En el caso de los partidos y el Congreso, solo uno de cada cuatro mexicanos les tiene algo o mucha confianza (tabla 2.18). Un sistema democrático estaría vacío sin representación formal de la pluralidad política, es decir, sin parlamentos y sin organizaciones de ciudadanos participando en la política; pero parlamentos y partidos tienen un grado de apoyo sistemáticamente inferior que el que recibe la propia democracia, lo cual subraya la difusa noción que el concepto mismo de democracia puede tener en las sociedades latinoamericanas y en México, en particular.

Tabla 2.18. Algo y mucha confianza en gobierno, Congreso y partidos. México, 2000-2023.					
	2000	2005	2010	2015	2020	2023
Gobierno	19.0%	31.4%	34.1%	21.0%	27.7%	37.9%
Congreso	35.4%	34.0%	27.5%	24.3%	22.1%	24.4%
Partidos	33.7%	20.2%	18.6%	15.8%	13.1%	24.4%
Fuente: Latinobarómetro.						

El conjunto de indicadores de percepción sobre la democracia revela el deterioro del apoyo a la misma en México, el cual supera el desafecto internacional o latinoamericano hacia este sistema político. De manera preocupante, la simpatía hacia opciones militares o autoritarias, sumada a la indiferencia, puede estar indicando que, en México, como alertó desde hace dos décadas el Programa de las Naciones Unidas para el Desarrollo (PNUD: 2004), el descontento *en* la democracia puede estarse volviendo descontento *con* la democracia.

XXX. Crisis de la democracia y crisis de confianza social

Las cifras evidencian el déficit de aprecio hacia instituciones fundamentales de la democracia, pero la desconfianza de los mexicanos no se limita a la «clase política», sino que afecta a todo el tejido social y a las relaciones interpersonales. México es una sociedad de ciudadanos desconfiados, incluso de los demás ciudadanos. Cuando se pregunta si se puede confiar en la mayoría de las personas, en el mejor de los casos en lo que va del siglo, dos de cada tres personas consideran que no (gráfica 2.14).

La desconfianza no es exclusiva hacia las instituciones políticas, sino prácticamente hacia todas las instituciones formales en el país. En especial, aquellas que juegan un papel de intermediación entre la sociedad y el poder, como son los medios de comunicación. Prácticamente dos de cada tres mexicanos le tienen nula o poca confianza a la prensa escrita y seis de cada diez también recelan por igual de la radio y la televisión. Tampoco les va mucho mejor a las redes sociales, de las que desconfía el 56%, mientras que confía en ellas el 42%; en todo caso, es un mal síntoma que los periódicos gocen de menor confianza que las redes sociodigitales (gráfica 2.14).

No deja de resultar inquietante, a la vez, que sea mayoritaria la confianza solo en cuatro casos de los indagados por Latinobarómetro: los bomberos (78%), las Fuerzas Armadas (58%), la Iglesia (54%) y las compañías nacionales (51%). En cambio, es abrumadora la desconfianza de los mexicanos cuando se pregunta por la Policía (69%), el Poder Judicial (64%), los sindicatos (62%), las compañías internacionales (61%) y los bancos (58%). Incluso la autoridad electoral, que durante años ha organizado elecciones competidas, en la encuesta de Latinobarómetro genera más desconfianza (53%) que confiabilidad (46%).

De este mar de desconfianza se alimentan los discursos antiinstitucionales de corte populista y autoritario que cobran vigor

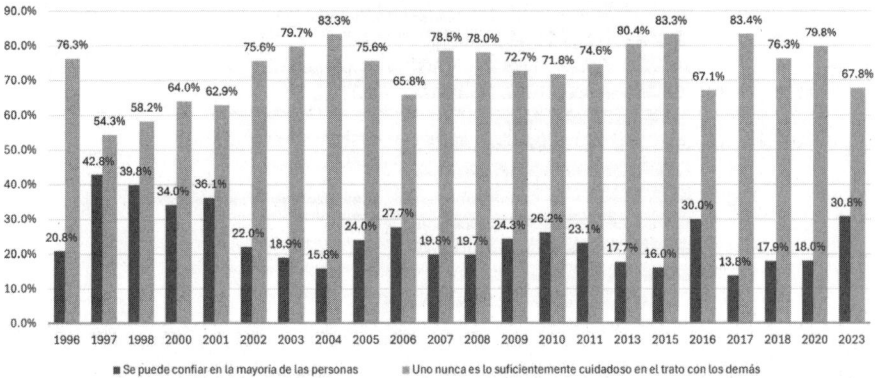

Gráfica 2.13. Confianza interpersonal en México

FUENTE: ELABORACIÓN PROPIA A PARTIR DE LATINOBARÓMETRO

en distintas latitudes del mundo y, concretamente, en México. El escaso aprecio por las instituciones es un ingrediente del que se aprovechan quienes buscan erosionar los controles y contrapesos políticos de las democracias. El demagogo se nutre del escepticismo social hacia las instituciones públicas. La crisis de la democracia es una crisis de la confianza colectiva.

Ante este panorama, es difícil no suscribir la opinión del gran escritor colombiano Juan Gabriel Vásquez cuando, al despuntar 2025, reflexionó:

> Si yo tuviera que señalar un rasgo de nuestro tiempo, uno entre todos, que ha producido más que los otros la situación difícil en que nos encontramos, intentaría descubrir el momento en que los ciudadanos perdimos la confianza: la confianza en nuestros gobiernos, en nuestras autoridades, en nuestros medios de comunicación, en lo que llamamos con ligereza las elites, en nosotros mismos. No hay nada más catastrófico para una sociedad

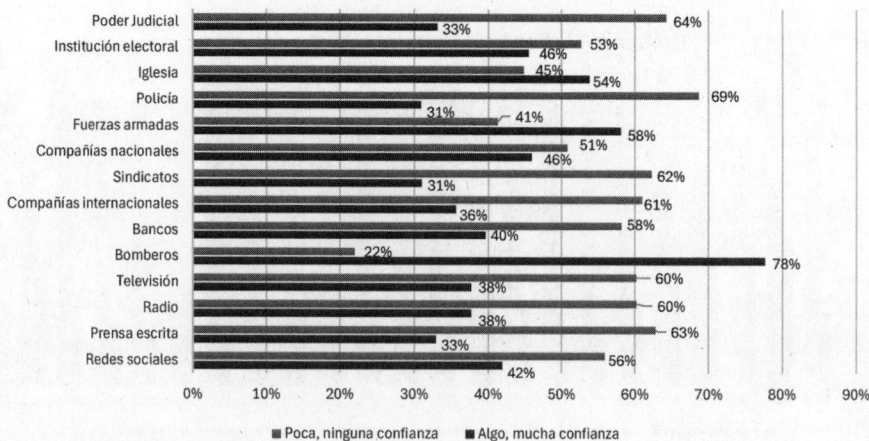

Gráfica 2.14. Confianza y desconfianza hacia distintas instituciones, México 2023

Fuente: Elaboración propia a partir de Latinobarómetro

abierta que el rompimiento de la confianza entre sus integrantes, y allí estamos nosotros ahora. Lo vemos por todas partes: en los pequeños narcisismos tribales que nos separan y nos polarizan, en la ligereza con la que juzgamos al otro, en la triste credulidad con que le abrimos los brazos a cualquier explicación sobre nuestros males que involucre a un chivo expiatorio, pero, en cambio, vemos en los hechos comprobados —la ciencia, por ejemplo— una conspiración de *illuminati* que se reúnen en las sombras con el único objetivo de robarnos nuestra libertad.[79]

XXXI. El nutriente económico del desencanto con la democracia

La vida política de las sociedades no transcurre en el vacío, sino en contextos de acceso a los bienes materiales que también determinan la calidad de vida de la población. Las expectativas de vida y la evaluación del propio bienestar personal, influyen en la percepción política de los individuos. En América Latina, y en México en particular, hay una constante insatisfacción con la marcha de la economía que se extiende a lo largo del presente siglo. La época democrática ha sido, a la vez, una de expectativas materiales insatisfechas para la población. Cuando el Latinobarómetro indaga sobre el funcionamiento de la economía, tres de cada cuatro mexicanos expresan que no están satisfechos, así como cuatro de cada cinco latinoamericanos. De este modo, por cada mexicano que se muestra algo o muy satisfecho con la marcha de la economía, hay tres más que se muestran poco o nada satisfechos.

Esta evidencia de la inconformidad con respecto a la economía puede explicar que el bajo aprecio por la democracia quizá

Gráfica 2.15. Satisfacción e insatisfacción con la economía. México y América Latina

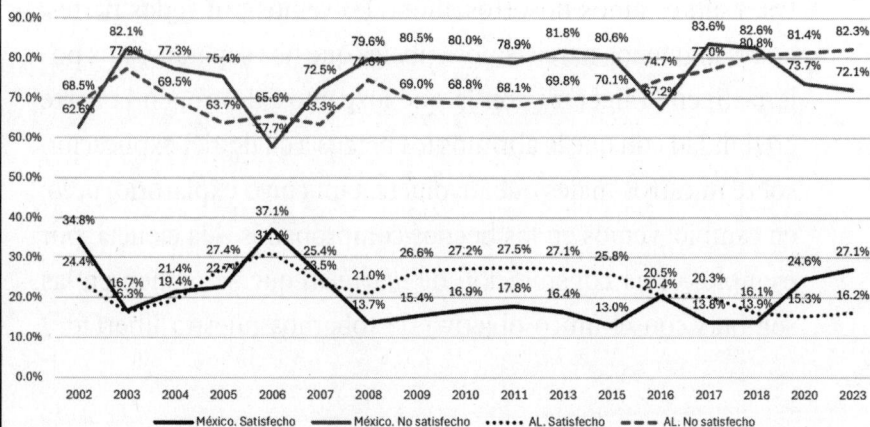

Fuente: Elaboración propia a partir de Latinobarómetro.

no exprese directamente un problema endógeno del sistema electoral, sino exógeno: tiene que ver con resultados que han ofrecido y dejado de ofrecer los gobiernos y los parlamentos, surgidos de esas elecciones genuinas y competitivas. Esto es, que hay condiciones estructurales en el campo de la economía que afectan la salud de la democracia.

Lo anterior puede observarse con nitidez a partir de los datos de la tabla 2.19. El menor nivel de satisfacción con la democracia a lo largo de dos décadas (19.9% en 2002) corresponde con la mayor insatisfacción con la economía (87.9%). Es paradójico el panorama de 2005, pues, si bien se alcanzó el más alto porcentaje de satisfacción con la economía (37.4%), no mejoró en una proporción similar la satisfacción con la democracia (19.1%). En 2020 y 2023, en cambio, la menor insatisfacción con la economía se corresponde con menor insatisfacción con la democracia. Aun así, sigue siendo ampliamente mayoritaria la opinión negativa sobre los frutos tanto de la democracia como de la economía.

Tabla 2.19. Satisfacción con la democracia y la economía en México, 2002-2023				
	Democracia		Economía	
Año	Satisfecho	Insatisfecho	Satisfecho	Insatisfecho
2002	17.9%	81.8%	21.0%	87.9%
2005	19.1%	80.9%	37.4%	62.6%
2010	27.9%	72.0%	17.4%	82.7%
2015	19.4%	80.7%	13.8%	86.2%
2020	34.0%	66.0%	25.0%	74.9%
2023	36.8%	60.7%	27.1%	72.1%
Fuente: Elaboración propia a partir de Latinobarómetro.org				

Puede afirmarse que la constante de la insatisfacción con la democracia en México se correlaciona ampliamente con la percepción que la ciudadanía tiene acerca de sus condiciones económicas. Mientras la economía no genere bienestar, es explicable que la adhesión al régimen político democrático sea frágil. Es necesario, primero por consideraciones éticas y de justicia social, que la economía coloque en el centro de su acción al bienestar, pero lo es también como una condición para apuntalar la forma de gobierno que busca garantizar el ejercicio de las libertades de la gente y sus derechos políticos, es decir, la democracia.

La insatisfacción de la ciudadanía con la democracia existente es uno de los datos duros de la época que vive México. El malestar social erosiona los consensos básicos sobre los que se edifica y reproduce una sociedad democrática. A los añejos problemas de pobreza y desigualdad, hay que sumar la violencia y la inseguridad cotidianas que, combinadas con el binomio corrupción-impunidad, generan una seria crisis de legitimidad tanto de las instituciones públicas como del Estado mismo.

En el corazón de la agenda democrática del país debe situarse la construcción de una auténtica cultura ciudadana que respete los derechos y sea propicia para el ejercicio de las libertades. A la vez, es de tal magnitud el desafío que la estrategia de recuperación del aliento democrático no puede circunscribirse a una agenda solo político-electoral, como ocurrió durante la democratización. Es factible aventurar que la salida a la crisis de confianza en la democracia no se encontrará en una nueva vuelta a la noria electoral. Una hipótesis alternativa es que con tal nivel de desigualdad, de estancamiento económico, de insatisfacción en el día a día y de pesimismo con respecto al rumbo de la economía familiar, no crecerá el aprecio al gobierno, a los partidos, al parlamento o a la democracia y, en cambio, podrá avanzar, como se ha visto a partir de 2018, una agenda de claro perfil autoritario que no va a resolver los problemas sociales pero sí sacrificará las libertades y los derechos conseguidos durante las décadas de construcción democrática.

Es necesario, entonces, poner especial énfasis en las condiciones estructurales sobre las que se da la vida política del país. La historia comparada evidencia que las democracias solo logran ser fuertes políticamente si son exitosas en términos sociales. También, que el fracaso social de las democracias antecede el triunfo político del autoritarismo.

Al análisis del deficiente desempeño de la economía se dedica la parte siguiente de este libro, esto con la finalidad de insistir en que, sin bienestar creciente, la democracia no logrará asentarse ni enfrentar los peligros autoritarios que la acechan.

TERCERA PARTE

ECONOMÍA MEXICANA: EN EL LARGO ESTANCAMIENTO

Al haber recorrido una cuarta parte del siglo XXI, no puede sino hacerse un balance sombrío del desempeño de la economía mexicana: la tasa de crecimiento media anual del PIB resulta de solo 1.49%, inferior no solo a la del llamado milagro mexicano del siglo pasado —entre 1950 y 1981 el PIB ascendió a una velocidad de 6.7% cada año—, sino también más pobre que la de la «década perdida» de la década de 1980 —cuando el crecimiento anual fue de 1.9%— y mucho menos dinámica que la que se registró entre la entrada en vigencia del Tratado de Libre

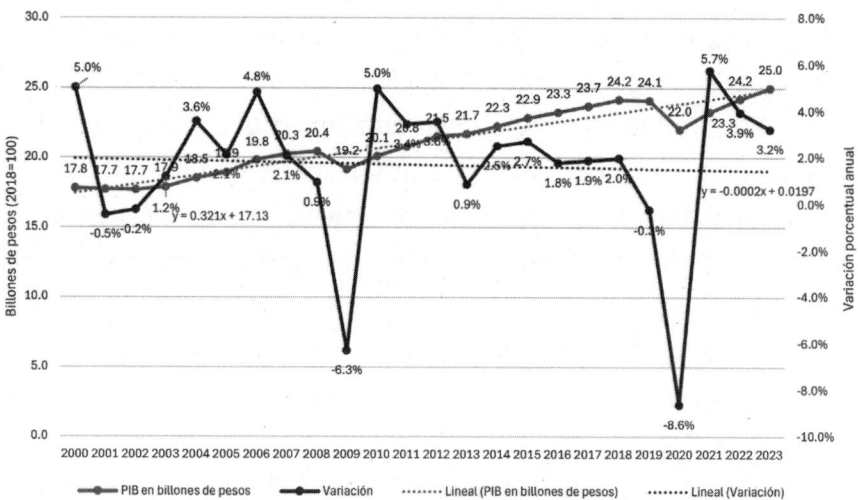

Gráfica 3.1. PIB real de México, 2000-2023

Fuente: Elaboración propia a partir del Banco de Información Económica de INEGI.

Comercio y hasta el año 2000 —años en que México creció a una tasa del 3.3% anual— (Casar, 2024).

En lo que va del siglo, la economía mexicana incrementó el valor de su producción de los bienes y servicios de 17.8 billones a 25 billones de pesos, a precios constantes de 2018, esto es, tuvo una expansión de 40%, marcada además por dos severas crisis, la de 2008-2009 y la del covid-19 en 2020 —aunque en esta última la recesión nacional, sin factores externos adversos, había comenzado desde 2019—. La línea de variación del PIB en el periodo analizado muestra, en la gráfica 3.1, una ligera pendiente negativa, lo cual quiere decir que en los años de esta centuria la capacidad de crecer disminuye en vez de aumentar. Cada vez resulta más difícil incrementar la producción pese a que disponemos de una mayor dotación de un factor clave en la economía: los trabajadores.

Para identificar con más precisión cómo se ha comportado la economía, es oportuno incorporar al análisis la dimensión de la población, es decir, los habitantes cuyas necesidades debe proveer la economía. Para ese fin, véase el PIB per cápita: apenas creció 6.7% entre 2000 y 2022, de acuerdo con datos de la Organización para la Cooperación y el Desarrollo Económicos (OCDE).[1] Eso significa que el total del valor de los bienes y servicios que produce México apenas aumenta a una tasa promedio anual de 0.29%, menos de una tercera parte de un punto porcentual al año. A este ritmo de crecimiento se necesitarían 240 años para que la riqueza promedio por persona generada en el país al inicio de esta centuria pudiera duplicarse. A ese plazo, parafraseando a Keynes, todos estaremos muertos, pero en este caso no solo los mexicanos actuales, sino también sus nietos y los tataranietos de estos.

Es preciso insistir en que la trampa del bajo crecimiento no es una fatalidad ni ha existido siempre. México logró mucho mayor dinamismo en distintos momentos. Durante la época del desarrollo estabilizador, entre 1954 y 1970, el PIB per cápita crecía a una tasa promedio al año de 3.4% (Tello, 2014: 238). A ese ritmo, el valor de los bienes y servicios por cada habitante se duplicaba en 21 años.[2] Ello permitió que el país dejara de producir principalmente bienes agrícolas, despegaran la industria y los servicios, la población se volviera más urbana, se extendiera la educación y se incrementara la esperanza de vida de forma significativa. En ese entonces no se resolvió el añejo problema de la desigualdad ni se acabó con la pobreza, pero gracias a una economía pujante y capaz de duplicar, cada dos décadas, los bienes y servicios por persona, cada generación de mexicanos vivía mejor que la de sus padres y tenía oportunidades de encontrar empleos mejor remunerados y acceder a mejor vivienda, a más educación y a más servicios de salud; en suma, de prosperar.

El desenvolvimiento real de estas dos décadas y media contrasta con las expectativas que, al inicio del siglo, había con respecto al futuro de la economía mexicana, que eran, por el contrario, muy halagüeñas: el país había concluido una serie de reformas estructurales que lo llevaron, de ser una economía cerrada, a una con un exitoso grado de apertura externa e inserción en los mercados internacionales, lo cual se formalizó con la firma del Tratado de Libre Comercio de América del Norte con Estados Unidos y Canadá, mismo que echó a andar en 1994; había realizado un agresivo programa de privatizaciones de empresas públicas que podría anticipar un desempeño más eficiente de la planta productiva y de su sector público; se había concedido autonomía constitucional al banco central y los indicadores macroeconómicos nominales más relevantes en términos de la evaluación externa —inflación, deuda pública, deuda externa, tipo de cambio, déficit público— mostraban comportamientos estables y bajo control. México había sido un buen alumno del consenso de Washington al cumplir con las tareas requeridas para virar hacia una economía abierta y de mercado y, en consecuencia, se suponía, próspera.

A pesar de esos pronósticos, las cifras reales evidencian un panorama muy diferente: México tuvo en estos años un crecimiento mediocre.

La economía mundial ha sufrido dos severas contracciones económicas en lo que va del siglo: la de la Gran Recesión que se originó con la crisis financiera de 2008-2009 y la que se debió a la pandemia de covid-19 en 2020. Tales episodios podrían explicar, en parte, por qué el desempeño de México en lo que va del siglo es menor que el que consiguió antes. Sin embargo, si el factor determinante de la explicación del bajo crecimiento fuese el entorno internacional, entonces el comportamiento del conjunto de las economías sería igualmente bajo. Pero no es así.

Al comenzar el siglo, el PIB per cápita de México representaba un 59% más que el del promedio mundial y, para 2022, nuestro país solo superaba al de la media global en 10%.[3] Eso significó que, mientras el PIB por persona de México ocupaba el lugar 50 del mundo en el año 2000, poco más de dos décadas después había descendido al lugar 72. En ese periodo, más de una veintena de naciones lograron superar la producción por persona de nuestro país, entre ellos Costa Rica, Chile, Panamá y Uruguay en América Latina, y en el resto del mundo rebasaron el PIB per cápita de México países como Lituania, Malasia, Polonia, Rusia y Turquía.

En términos de comparación con el principal socio económico y comercial de México, Estados Unidos, en lo que va del siglo se han ahondado las diferencias en vez de que pudiese concretarse, como se preveía, una convergencia económica y de bienestar facilitada por el Tratado de Libre Comercio. En el año 2000, el producto por persona en Estados Unidos era 2.7 veces el de México y en 2022 se había ampliado a 3.3 veces —o, dicho de otra manera, el PIB per cápita en México era el 37% del de Estados Unidos al inicio del siglo y fue cayendo hasta representar solo el 30%—, de forma tal que la diferencia se profundizó en 23%, ampliándose la brecha al ritmo de un punto porcentual al año. Algo similar le ocurrió a nuestro país respecto a Canadá, que al inicio del milenio tenía un PIB por persona de 2.1 veces el de México y en 2022 llegó a ser de 2.4 veces —o, en términos porcentuales, el PIB por persona en México representaba el 46% del de Canadá al principio, y al final, solo el 41%— (gráfica 3.2, eje vertical derecho).[4]

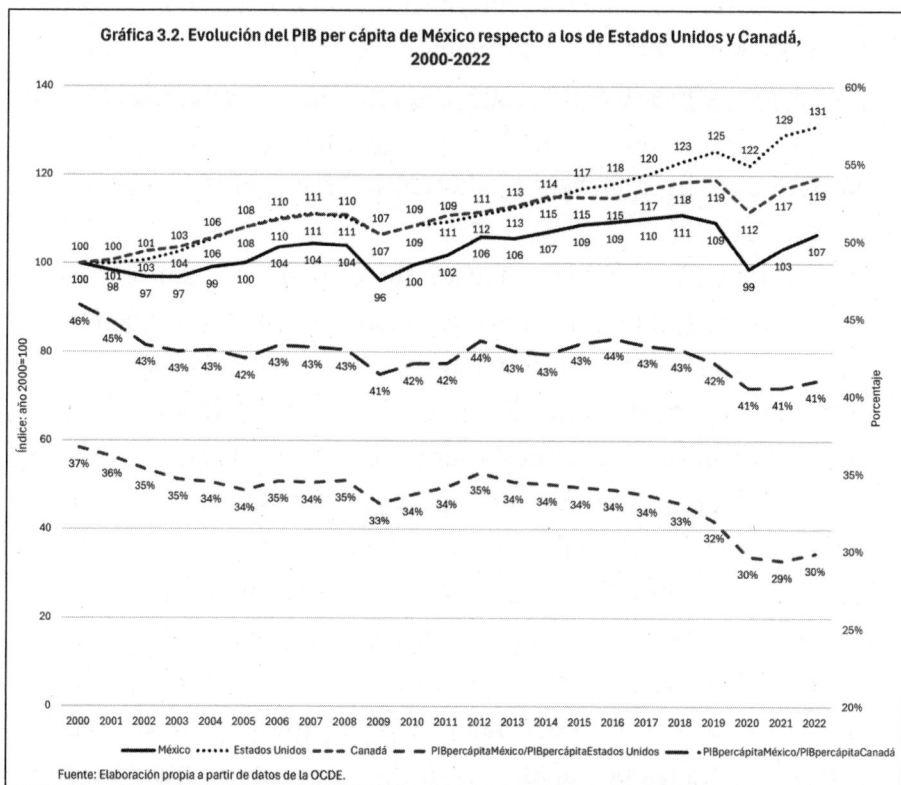

Gráfica 3.2. Evolución del PIB per cápita de México respecto a los de Estados Unidos y Canadá, 2000-2022

Fuente: Elaboración propia a partir de datos de la OCDE.

En lo que va del siglo se ha dado una divergencia entre las tres economías de América del Norte. Si se estima un índice de 100 para el PIB per cápita al inicio del siglo en cada país (eje vertical izquierdo de la gráfica 3.2), puede observarse un crecimiento más lento en nuestro país —aumentó de 100 a 107 en el periodo— que en Estados Unidos —donde se incrementó en 31%— y Canadá —donde mejoró 19%—. Así que las diferencias entre los tres países se han ahondado. Es claro que, en términos de ingreso, el país menos desarrollado está aún más lejos de los ricos. La economía más pequeña, la que en teoría debería crecer más rápido porque sus posibilidades de expansión eran mayores que las de naciones que ya contaban con mayor desarrollo, fue la que avanzó más lento. Se rezagó.

La teoría del comercio internacional más extendida señala que el mayor intercambio de bienes generará convergencia entre las naciones. Esa hipótesis que sostienen muchos economistas y comentaristas no se cumplió en la integración de América del Norte: hubo divergencia y se ahondó la brecha entre los países (Gerber, 2024a).

Otra mirada sobre la evolución de México y su bienestar en lo que va del siglo XXI la ofrece la perspectiva del Índice de Desarrollo Humano (IDH) elaborado por el Programa de las Naciones Unidas para el Desarrollo (PNUD). Este índice incorpora no solo la perspectiva de la producción y el ingreso de las naciones sino, también, indicadores de esperanza de vida —variable que refleja la salud de la población y su acceso a satisfactores básicos como agua potable, alimentación, vacunación y cobertura de servicios de salud, a un medioambiente sano, por ejemplo— y de educación —la cual, a su vez, permite acceder a mejores oportunidades laborales y, en general, construir proyectos de vida autónomos para las personas—, es decir, el IDH es un intento por sintetizar indicadores de la calidad de vida más allá del ingreso per cápita, pero sin prescindir de él.

Así, el IDH tiene tres componentes principales —esperanza de vida, educación y PIB per cápita— que, al ser ponderados, arrojan valores entre 0 y 1, donde, entre más alto sea el valor, mejor será el grado de desarrollo de cada país. Las naciones con un índice superior a 0.8 son consideradas de muy alto desarrollo; las que van de 0.7 a 0.79 son de desarrollo alto; las que registran un índice de 0.55 a 0.69 son de desarrollo medio; y las que van de 0.54 hacia abajo son de bajo desarrollo.

México fue clasificado, en 2022, como el país número 77 en el Índice de Desarrollo Humano, perteneciendo, así, al conjunto de naciones con un IDH alto, junto a países como Bulgaria y China, así como Brasil, Colombia, Cuba, Ecuador y Paraguay en América Latina.

Lo significativo es que, como muestra la tabla 3.1, entre 2000 y 2022, último año disponible, mientras el grupo de países al que pertenece México vio mejorar su IDH en 22%, México lo hizo a menos de la mitad: 10.2%. De hecho, el desempeño de nuestro país también está por debajo de la mejoría del conjunto de países en desarrollo en el mundo (22%) e incluso del promedio de América Latina y el Caribe (11.2%). También México se encuentra rezagado en la mejoría lograda en el siglo por los países de desarrollo medio y bajo. Solo supera al promedio de los países de desarrollo muy alto que son, a su vez, los que, dados los niveles ya alcanzados en su esperanza de vida, cobertura educativa y PIB per cápita, suelen tener mejorías relativamente menores en el tiempo. La evolución del IDH confirma que México es un país estancado en la mejoría de sus condiciones de vida en lo que va del siglo XXI.

Tabla 3.1. Evolución del Índice de Desarrollo Humano (IDH), 2000 a 2022					
País o conjunto de países	año 2000	año 2022	Cambio acumulado	Variación porcentual	Tasa media anual
Latinoamérica y el Caribe	0.686	0.763	0.077	11.2%	0.48%
Países en desarrollo	0.569	0.694	0.125	22.0%	0.91%
Países de muy alto IDH	0.828	0.902	0.074	8.9%	0.39%
Países de alto IDH	0.626	0.764	0.138	22.0%	0.91%
Países de IDH medio	0.497	0.640	0.143	28.8%	1.16%
Países de bajo IDH	0.398	0.517	0.119	29.9%	1.20%
Mexico	**0.709**	**0.781**	**0.072**	**10.2%**	**0.44%**
Fuente: Elaboración propia a partir de datos PNUD: https://hdr.undp.org/data-center/documentation-and-downloads					

Estamos entonces ante una aparente paradoja inicial, pues México cumplió con las reformas que se entendían como condiciones para lograr su despegue, pero, en cambio, su desempeño resultó incluso más modesto que en tiempos previos. Es necesario, entonces, analizar a mayor detalle distintas variables de la economía en los últimos años para identificar los aciertos y, sobre todo, ubicar las deficiencias detrás del pobre crecimiento en lo que va del siglo.

XXXII. El innegable éxito exportador

A pesar de la divergencia en el PIB per cápita con los socios de América del Norte, los indicadores de comercio internacional muestran que el sector exportador mexicano fue el más dinámico de los tres países que firmaron en la década de 1990 el Tratado de Libre Comercio de la zona. Las cifras de la tabla 3.2 confirman que entre 2000 y 2022 las exportaciones mexicanas crecieron 142%, muy por encima del desempeño exportador de Estados Unidos (72%) y de Canadá (19%). También las importaciones de la economía mexicana fueron más dinámicas en el periodo que las de sus socios comerciales. La tasa media de crecimiento anual de las ventas de productos mexicanos al exterior fue de 4.1%, es decir, aumentaron a una velocidad casi tres veces (2.73) mayor que el del PIB real. Ello confirma, por una parte, el éxito de la estrategia de apertura en sí misma, pero a la vez, subraya su insuficiencia para poder arrastrar al conjunto de la economía y así generar efectos benéficos significativos en el bienestar de la población.

La relevancia del sector externo en la economía mexicana se manifiesta en el grado de apertura, es decir, el peso de la suma de las exportaciones y las importaciones en el PIB, que pasó de 49.9% al inicio del siglo a 88.4% en 2022 (datos de la OCDE). Si bien en los momentos de recesión o crisis a escala global disminuye la proporción que las exportaciones e importaciones representan dentro del PIB de México —como se aprecia en 2001, 2009 o 2020 en la gráfica 3.3—, la tendencia es constante al alza, es decir, el país cada vez está más interrelacionado con el exterior, a diferencia de lo que pasa con sus dos socios de América del Norte. En lo que va del siglo XXI, Estados Unidos mantuvo inamovible su grado de apertura en una cuarta parte de su producto (25%) y Canadá incluso redujo el peso de la suma de sus exportaciones e importaciones sobre el PIB (fue de 82.8% a 67.4% entre 2000 y 2022). Puede asegurarse que México ha apostado por su inserción en la economía global de manera sistemática y que ello no se ha modificado cuando se da cambio de partido al frente del gobierno: PRI, PAN y Morena han apostado por la misma estrategia de política comercial. La economía abierta, incluso muy

Tabla 3.2. Exportaciones e importaciones, México, Estados Unidos y Canadá, 2000-2022 (millones de dólares)						
	México		Estados Unidos		Canadá	
Año	Exportaciones	Importaciones	Exportaciones	Importaciones	Exportaciones	Importaciones
2000	212,866	243,457	1,313,437	1,751,802	432,993	351,018
2022	514,773	545,791	2,257,272	3,245,333	516,396	609,342
Variación absoluta	301,907	302,334	943,835	1,493,531	83,403	258,324
Variación porcentual	142%	124%	72%	85%	19%	74%
Tasa de crecimiento anual	4.1%	3.7%	2.6%	3.0%	0.8%	2.5%

Fuente: OECD (2024), Trade in goods and services (indicator). doi: 10.1787/0fe445d9-en (Accessed on 18 January 2024)

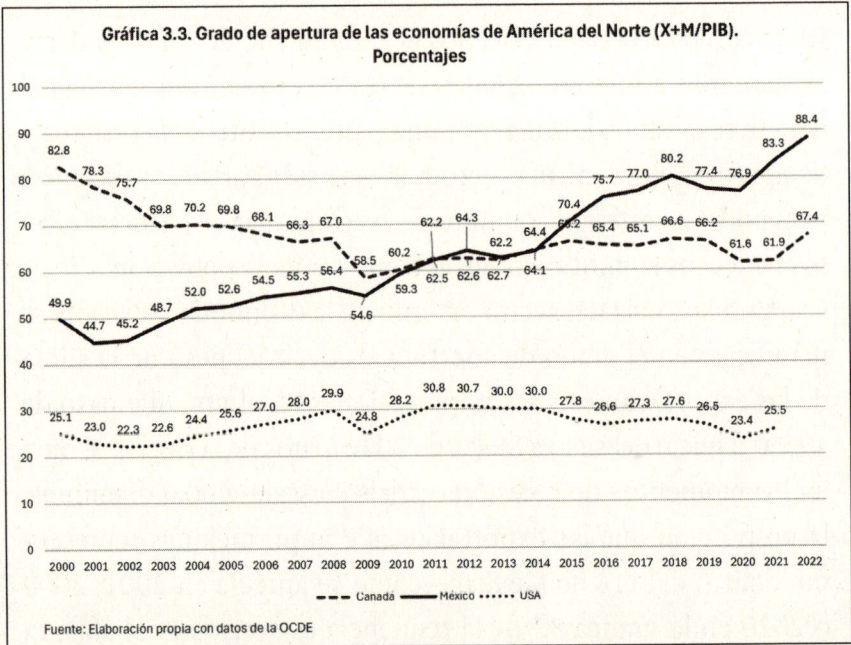

Gráfica 3.3. Grado de apertura de las economías de América del Norte (X+M/PIB). Porcentajes

Fuente: Elaboración propia con datos de la OCDE

abierta, es uno de los rasgos característicos de México en el siglo XXI.

Otro indicador sobre la inserción de México en la economía mundial lo refleja la Inversión Extranjera Directa (IED) recibida. Mientras en el año 2000 México captó 18 000 millones de dólares de IED, para 2022 la suma alcanzó 39 000 millones de dólares, lo que implica un crecimiento del 112%. En términos relativos, como se muestra en el índice construido en la gráfica 3.4, la capacidad de atracción de capital productivo de la economía mexicana fue en ascenso continuo, mientras que los dos socios comerciales de América del Norte, así como el conjunto de los países de la OCDE, vieron crecer a ritmos significativamente menores los flujos de recursos externos para invertir en empresas situadas en sus territorios. Las economías centrales captaban inversión extranjera directa en forma creciente hasta la irrupción de la crisis financiera de 2008; a Estados Unidos le llevó hasta mediados de la década pasada recuperar los niveles de IED precrisis, para después volver a caer. Canadá y la media de la OCDE reciben menos IED que la que fluía a sus economías antes de la crisis que dio origen a la gran recesión que inició en 2008. Al comparar 2022 con el inicio del siglo, la IED que recibió Estados Unidos es 34.5% menor; la de Canadá, 26.8% inferior; y la de la media de la OCDE creció 11.2%, muy por debajo del aumento de 112% en México. Esto confirma que la vocación exportadora que lograron ramas clave de la economía mexicana y la localización geoestratégica del país le generan una ventaja relevante en el panorama mundial que, sin embargo, sigue sin traducirse en un mejor desempeño de su producto agregado.

XXXIII. México: un (aparente) alumno ejemplar

A lo largo de las dos últimas décadas y media, México ha mantenido bajo control variables económicas que, en periodos previos,

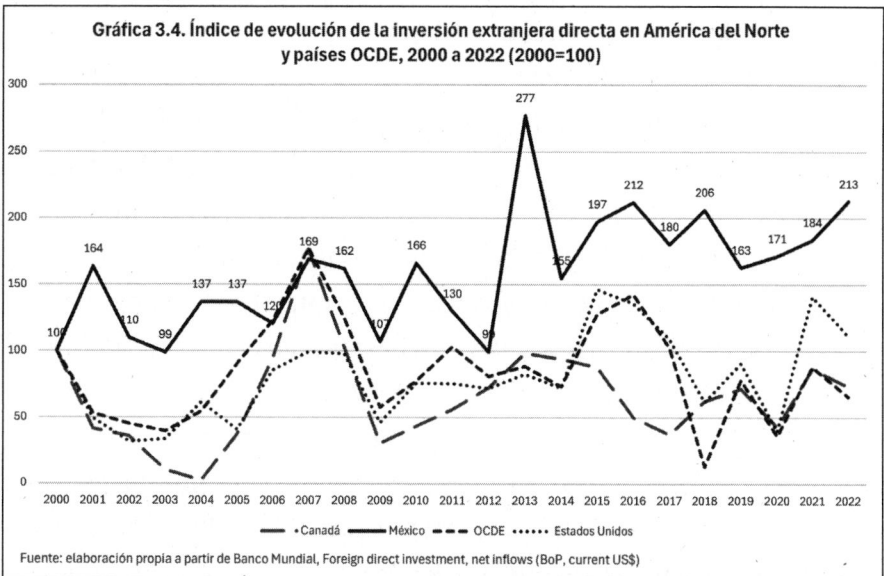

Gráfica 3.4. Índice de evolución de la inversión extranjera directa en América del Norte y países OCDE, 2000 a 2022 (2000=100)

Fuente: elaboración propia a partir de Banco Mundial, Foreign direct investment, net inflows (BoP, current US$)

le significaron serios problemas, como las que tienen que ver con la inflación, el poder adquisitivo de la moneda nacional y las finanzas públicas. Se trata de indicadores nominales que son muy relevantes para la evaluación externa de las economías. Muestra de ello es, por ejemplo, que, a fines del siglo xx, cuando nació la Unión Europea y se echó a andar el proyecto de la Unión Económica y Monetaria, en el viejo continente se fijaron metas de convergencia económica nominal a través del Tratado de Maastricht que, expresamente, involucraron equilibrio en las finanzas públicas —déficit menor al 3% del PIB y deuda pública no superior al 60% del producto—, de las tasas de interés, del tipo de cambio y de la inflación.[5]

Es preciso advertir que esas reglas de convergencia nominal —mismas que serían extendidas unos años después de la creación del euro como moneda única a través del Pacto de Estabilidad y Crecimiento de la Unión Europea en 2003, haciendo permanentes los criterios de control de indicadores macroeconómicos— fueron objeto de un amplio debate en el que economistas ajenos a la ortodoxia predominante señalaron que esa estrategia ponía en riesgo la convergencia real, es decir, la igualación en nivel de ingresos y de empleo entre los países comunitarios (Ruesga, 2004). Con todo, debe decirse que las reglas de Maastricht se hicieron para aplicarse a economías de alto nivel de ingreso, elevada recaudación y gasto público robusto, con bajos niveles de pobreza y de desigualdad social. Es decir, fueron normas para asegurar equilibrios en sociedades desarrolladas que, si lograron serlo, fue tras décadas de intensa intervención del sector público en la economía y expansión del Estado de bienestar. La Unión Europea, gracias a ello, es el espacio del orbe donde mejor se ha conseguido la difícil, pero irrenunciable, combinación entre libertades políticas y equidad social.

Es posible pasar revista a México a través de los indicadores de Maastricht para ver hasta qué punto ha sido un país disciplinado en dichos renglones de comportamiento económico nominal a lo largo del siglo XXI. Como se verá enseguida, la evidencia es de una consistente política, por parte de las autoridades económicas emanadas de distintos partidos políticos, por no incurrir en desequilibrios y transmitir a los mercados internacionales una conducción de férrea responsabilidad. Puede decirse que se ha dado un amplio consenso transversal —que abarca a gobiernos ubicados en el centro derecha (PAN), el centro (PRI) y autorreivindicados de izquierda (Morena)— para mantener la ortodoxa disciplina macroeconómica. Así, a pesar de la intensa disputa por el poder que ha caracterizado a la vida política del país y que se ha traducido en tres alternancias en la presidencia, ha prevalecido un acuerdo implícito en la conducción de la economía: no se adoptarán medidas que puedan poner en duda el rigor en el control macroeconómico nominal. Vistas así las cosas, la alternancia política no ha significado, salvo en aspectos puntuales, alternancia o cambio de orientación en los pilares de la política económica. Los años de existencia de la democracia mexicana han sido, también, de continuidad en el manejo económico de corte ortodoxo o, como puede llamarse por economía del lenguaje y sin incurrir en imprecisiones conceptuales, de conducción de tipo neoliberal.

El cuidado ortodoxo de las variables macro de la economía mexicana puede verse en la tabla 3.3. Por ejemplo, la tasa de inflación no llegó, en ningún momento de lo que va de esta centuria, a los dos dígitos, de tal forma que lo que fue un severo problema para las economías latinoamericanas en las décadas de 1970 y 1980, puede considerarse una asignatura cumplida y resuelta para México. Baste recordar que, tan solo en 1986, el

	Deuda pública. Porcentaje del PIB	Balance presupuestario. Porcentaje del PIB	Balance primario. Porcentaje del PIB	Tasa de inflación. Acumulada anual	Tipo de cambio real (2000=100)	Tipo de interés (CETES a 91 días)
2000	22.5	-0.9	2	9.0	100.0	17.4
2001	21.8	-0.6	2	4.4	91.2	18.5
2002	23.5	-1	1.4	5.7	88.7	7.4
2003	25.1	-0.5	1.7	4.0	104.2	8.7
2004	23.3	-0.2	2.1	5.2	112.0	5.1
2005	21.8	-0.1	2	3.3	107.0	8.7
2006	21.9	0.1	2.3	4.1	105.6	7.8
2007	22.2	0	2.1	3.8	108.7	7.2
2008	26.3	-0.1	1.7	6.5	113.5	7.6
2009	33.6	-2.1	-0.1	3.6	128.4	7.7
2010	33.3	-2.7	-0.8	4.4	118.0	4.6
2011	34.1	-2.3	-0.5	3.8	119.6	4.4
2012	33.9	-2.4	-0.6	3.6	121.0	4.5
2013	36.8	-2.2	-0.4	4.0	111.7	4.3
2014	40.1	-3	-1.1	4.1	110.9	3.4
2015	44.2	-3.3	-1.1	2.1	118.0	2.9
2016	49.4	-2.4	-0.1	3.4	137.0	3.3
2017	46.9	-1.1	1.4	6.8	132.2	6.3
2018	46.9	-2	0.6	4.8	130.6	7.4
2019	46.7	-1.6	1.1	2.8	126.6	8.2
2020	51.8	-2.8	0.1	3.2	138.9	7.2
2021	51.4	-2.8	-0.3	7.4	129.9	4.2
2022	48.2	-3.2	-0.4	7.8	117.5	6.0
2023		-3.3	-0.1	5.5	101.6	10.9

Tabla 3.3. Indicadores nominales macroeconómicos de México, 2000-2023.

Fuente: elaboración propia a partir de datos de CEPAL (deuda pública), SHCP (balance presupuestal y primario), INEGI (inflación) y Banco de México (tipos de cambio e interés).

incremento de precios fue de 105% y de 159% para 1987 (Urqui-di, 1994). La hiperinflación es, así, más un recuerdo doloroso en términos de la veloz pérdida que en su momento significó tanto del poder adquisitivo como de los ahorros de las familias, que un riesgo latente o un peligro real en las últimas tres décadas.

En lo que hace al tipo de cambio y a las drásticas devaluaciones del peso (véase la sexta columna de la tabla 3.3),[6] en ningún año de lo que va del siglo XXI se ha dado una depreciación de la moneda nacional de más de 20% —cuando, por ejemplo, entre 1981 y 1982 el peso se devaluó 50%,[7] mientras que, tras el estallido de la crisis del «efecto tequila» en enero de 1995, el peso mexicano se había depreciado en 90% frente al mismo mes del año anterior—.[8] Además, al final del periodo, de 2020 a 2023, se tiene un tipo de cambio similar al del inicio del siglo, lo que pone de manifiesto una importante apreciación del peso mexicano en el mercado de divisas internacionales en los últimos años (gráfica 3.5). Ello se ha conseguido a través de subastas de mercado en un marco de tipo de cambio flexible y con la participación de un banco central autónomo. Puede concluirse que, en lo que va del siglo, mantener el poder adquisitivo de la moneda nacional es una meta que se ha cumplido de forma holgada.

Por otra parte, al revisar la conducta de los tipos de interés, en este caso expresados en la cotización de Certificados de la Tesorería (Cetes) a tres meses (91 días), se constata que, durante casi todo el periodo, la tasa fue inferior a los dos dígitos, lo que contrasta con el nivel que se llegó a pagar por el sector público en la década de 1990 para conseguir préstamos. En marzo y

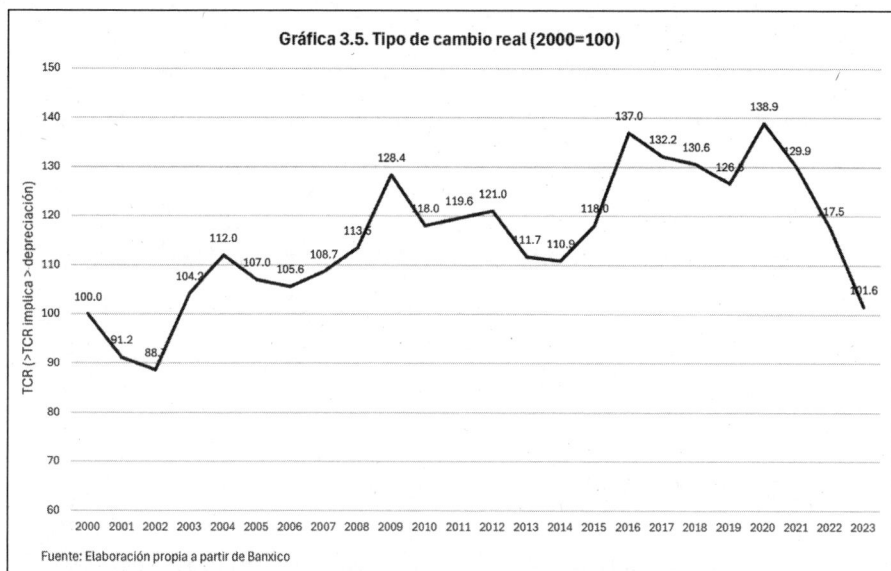

Gráfica 3.5. Tipo de cambio real (2000=100)

Eje vertical: TCR (>TCR implica > depreciación)

Valores: 100.0, 91.2, 88.?, 104.?, 112.0, 107.0, 105.6, 108.7, 113.6, 128.4, 118.0, 119.6, 121.0, 111.7, 110.9, 118.0, 137.0, 132.2, 130.6, 126.?, 138.9, 129.9, 17.5, ?1.6

Fuente: Elaboración propia a partir de Banxico

abril de 1995, por ejemplo, se fijó una tasa de Cetes del 71%; por no hablar de lo que llegó a ocurrir en la década de 1980, cuando el interés que pagaba el gobierno llegó a los tres dígitos; y en 1988 fue superior al 150 por ciento.[9]

El manejo de los tipos de interés en México acompaña la pauta marcada por la política monetaria de los Estados Unidos (gráfica 3.6), aunque con un diferencial importante en la tasa que paga nuestro país, la cual se incrementa sobre todo en las fases de restricción crediticia —cuando suben los tipos de interés—, lo que pone de manifiesto el especial énfasis que el Banco de México otorga al control de la inflación y a la necesidad de atraer capital externo a las reservas internacionales del país para así respaldar, también, el valor del peso. De nuevo, son medidas sistemáticas para evitar un incremento acelerado del nivel de precios al interior de México y eludir problemas en la cuenta de capitales como los que agobiaron al desempeño económico en las décadas de 1980 y 1990.

Que México tenga un tipo de interés por encima del de Estados Unidos resulta lógico, tomándose en cuenta, además, que el dólar es la moneda de reserva internacional, por lo que el país vecino del norte no tiene la necesidad de asegurar la disponibilidad de divisas externas para cumplir con sus obligaciones crediticias, como sí les ocurre a otras economías, incluida la mexicana. Para las economías que no emiten monedas de reserva internacional, es necesario pagar a los inversionistas extranjeros un «premio» por riesgo cambiario a través de una tasa de interés mayor para que, así, canalicen o mantengan sus activos en el país receptor.

Lo que también resulta evidente es que la existencia de tasas de interés más altas en México que en Estados Unidos significan que el crédito para la producción es significativamente más caro en nuestro país. Como se ve en la gráfica 3.6, los mayores diferenciales del precio del dinero se presentan en la fase alcista de las tasas, es decir, cuando lo que se busca es enfriar a la economía y descargarla de presiones inflacionarias, lo que muestra que en México la política monetaria es mucho más restrictiva que en Estados Unidos, lo cual, a su vez, castiga más a la actividad productiva.

En lo que toca a las finanzas públicas, la deuda pública mexicana se ha ubicado en niveles inferiores a los del promedio de los países de la OCDE y, pese a su crecimiento como porcentaje del PIB —fue del 22.5% en 2000 al 48.8% en 2022—, aún está muy por debajo del 60% del producto, que en el caso de la convergencia europea se consideró como un nivel de deuda sano y manejable.

En México, la disciplina fiscal se ha mantenido a lo largo del siglo. El balance presupuestario del gobierno federal (tabla 3.3), que incluye a los poderes Ejecutivo y Judicial, así como los órganos

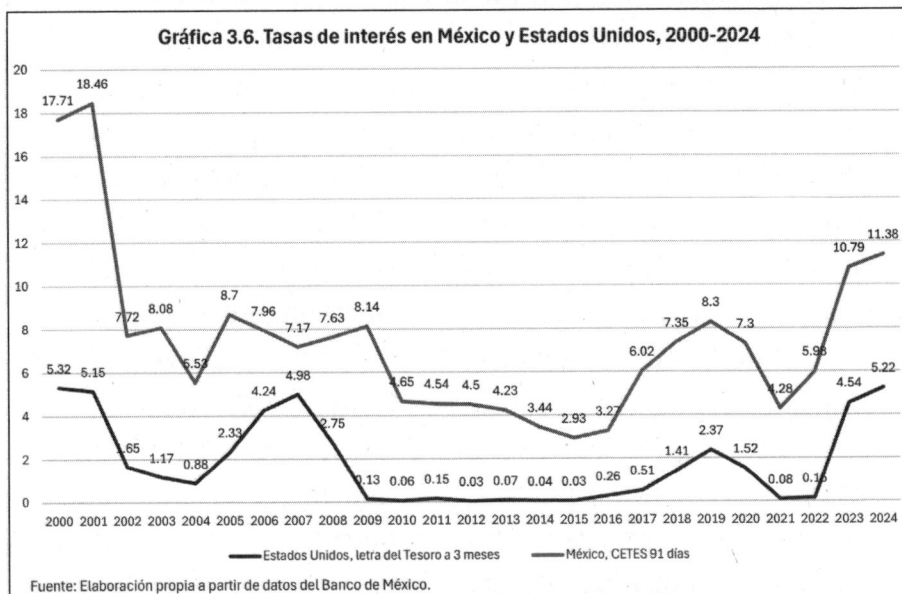

Gráfica 3.6. Tasas de interés en México y Estados Unidos, 2000-2024

Fuente: Elaboración propia a partir de datos del Banco de México.

autónomos, más el de los organismos y las empresas bajo control presupuestal (el IMSS, el ISSSTE, la CFE y Pemex) representa el balance del sector público (Heath, 2012: 346). Este indicador arroja un déficit del sector público promedio de apenas el 1.7% del PIB entre 2000 y 2023, es decir, en los estándares de la Unión Europea, nuestro país habría cumplido los criterios de convergencia nominal que lo acreditan como una economía estable. Durante estos años, solo en tres ocasiones se superó el 3% del producto —lejos de la situación, por ejemplo, de 1981, cuando se registró un déficit presupuestario de 10% (Ros, 1994: 73)—, lo que refleja que, aun con el cambio de gobiernos, las autoridades hacendarias han mantenido una férrea política de equilibrio fiscal.

XXXIV. Maastricht a la mexicana: breve revisión crítica

Al pasar el rasero de Maastricht sobre el México del siglo XXI no quedaría sino: a) reconocer la disciplina macroeconómica aplicada en nuestro país y b) pasar a hacer un recuento de los logros que debió arrojar tan buen comportamiento nominal sobre la economía real. Lo primero puede hacerse; lo segundo, no; y ahí reside buena parte del problema económico, y del insuficiente debate teórico y político sobre la conducción de la economía mexicana en estos años. ¿Por qué, si México fue un buen alumno e hizo tan bien su tarea de ajuste y corrección de desequilibrios, con un obstinado mantenimiento de la ortodoxia, la economía simplemente no ha logrado crecer a un ritmo aceptable?

Parte del problema es que esta «buena conducta» también entraña decisiones contrarias al crecimiento económico, además de que hay otras variables importantes que muestran atonía y merecen ser incorporadas al análisis.

En palabras de Carlos Tello Macías: «La visión de que la política macroeconómica solo puede contribuir al crecimiento mediante el control de la inflación, lo que equivale a "finanzas públicas sanas", estabilidad del tipo de cambio —como ancla de los precios internos— y política de moneda y crédito restrictiva ganó terreno en México» (Tello, 2014: 365).

Conviene ir por partes. Para ello, en las siguientes líneas se va a analizar por qué esos indicadores, en principio tan venturosos, no lo son tanto, sin que ello implique sugerir, en modo alguno, que la economía puede renunciar a la prudencia en la conducción macro; no obstante, hay formas distintas de entender y practicar la responsabilidad de la política económica.

Es preciso comprender que la conducción responsable de una economía nacional no se limita a velar por el desempeño de los indicadores nominales recién revisados como si fueran un fin en sí mismos, sino que debe poner énfasis en el crecimiento, el empleo y el bienestar, para lo cual las variables nominales son meros instrumentos de política, medios manejables y herramientas de medición sujetas a calibración y revisión, no objetivos *per se*. Dicho de otra forma, y como bien advirtió el economista y académico de la lengua José Luis Sampedro, la aplicación del rigor macroeconómico no puede acabarse traduciendo en *rigor mortis* para el crecimiento y el desarrollo.

Por el contrario, la postura por la que se decantan los argumentos que siguen es la que entiende a la disciplina económica como la propusieron sus fundadores clásicos en el siglo XVIII: como parte de la filosofía ética que pone en el centro de su preocupación y orientación la calidad de vida de las personas, antes que metas nominales ajenas al devenir de la población o del grueso de ella.

La experiencia mexicana y, en general, latinoamericana de inicio de lla década de 1980, con fuertes déficits tanto internos como externos, donde los desajustes en el control de las finanzas públicas jugaron un papel fundamental, contribuyó a que se pusiera especial vigilancia a los indicadores macroeconómicos nominales en los programas de ajuste y estabilización posteriores. Sin embargo, puede decirse que esa atención terminó por generar la estigmatización de algunos instrumentos económicos legítimos —para captar desde el sector público ahorro privado y externo e inyectar inversión, ganar competitividad a través del tipo de cambio y, en general, desplegar políticas que contrarresten las fases depresivas de los ciclos económicos— de los que, por cierto, no han dejado de echar mano las principales economías del orbe en la búsqueda del bienestar de sus sociedades.

México prácticamente ha renunciado a poner en práctica políticas activas de estímulo al crecimiento, con la consecuencia de una economía largamente estancada. Usar el déficit, la deuda o el tipo de cambio para mejorar la actividad llega a percibirse, entre la visión predominante de los circuitos de toma de decisiones económicas y, con frecuencia, en la prensa financiera, como sinónimo de relajación de la disciplina fiscal o de irresponsabilidad en la conducción de la política económica. Se trata, más que de una lectura técnica rigurosa, de una suerte de mantra ideológico contra la intervención pública para incentivar el dinamismo económico. El peso de las ideas y de los prejuicios juega un papel muy importante en la historia del devenir económico, y el desempeño de México en el siglo XXI no es la excepción.

Como señalaron con oportunidad los economistas Rolando Cordera y Leonardo Lomelí (2008):

La transición hacia un nuevo modelo de desarrollo ha sido larga y sinuosa, en parte porque el punto de partida fue ciertamente una crisis de gran envergadura, pero también porque a lo largo del proceso la ideología ha impedido un análisis ponderado de las insuficiencias del modelo propuesto y un balance objetivo de los errores y aciertos que se han cometido durante su instrumentación. El poder político de las ideas económicas que han justificado el cambio estructural no se explica sin su vinculación a grupos de interés concretos, pero no por ello deja de ser una variable decisiva, como lo demuestra la incapacidad de los sectores que se oponen al actual modelo para formular un programa económico alternativo.

Es oportuno, entonces, en la intención de concebir opciones viables al estancamiento en que está sumida la economía mexicana, identificar las falencias de las medidas económicas seguidas durante las últimas cuatro décadas donde, en efecto, se cambió de modelo, pero no se ha reencontrado la senda al desarrollo. Comenzaremos por revisar los claroscuros del «ejemplar» desempeño nominal de la economía mexicana. Pero antes, precisemos qué se entiende por desarrollo económico.

XXXV. La visión del desarrollo: la importancia de la innovación

Es importante hacer una pausa para clarificar la noción de desarrollo económico a la que se alude en este trabajo y por qué está tan estrechamente relacionada con el concepto de *innovación productiva*. Para ello, valga acudir a una descripción rigurosa y pedagógica desplegada por José Ignacio Casar (2008), quien pone énfasis en que una economía está más desarrollada entre más se diversifica la cantidad de bienes y servicios que produce y, a la vez, los produce de las formas más diversas. Así, se trata de una economía que se aleja de la especialización en un bien o tipo de bienes —de hecho, una economía monoproductora es el ejemplo básico de una que se encuentra en un estado de atraso o subdesarrollo— y esa sofisticación productiva se explica, a su vez, por la innovación. Hacer muchas cosas, de muy diversas maneras, es lo que caracteriza a las economías más complejas, más diversificadas y, por ende, más desarrolladas. En palabras de Casar (2008: 496): «El tránsito de una situación en que la economía está, por así decirlo, especializada, a otra en la cual la economía se ha diversificado hacia numerosas actividades que establecen, por medio del mercado, multitud de vínculos entre sí y con el exterior; este tránsito, en mi opinión, es el que debe ser designado por el término "desarrollo económico"».

La innovación a la que se refiere Casar (2008: 487) consiste en producir un bien o servicio nuevo, generarlo de forma novedosa o abrir un nuevo mercado. Ello se traduce en un aumento de la productividad y en un nivel de rentabilidad mayor a la de otros sectores o del promedio de la economía. En cierto sentido, la innovación perturba al equilibrio previo de la economía y lo desafía de forma positiva para destrabar el estado de cosas imperante y favorecer el desarrollo.

Para este último, entonces, la inversión en los sectores innovadores resulta fundamental. Sin embargo, por razones de incertidumbre y conocimiento imperfecto, dificultades para captar el ingreso extraordinario y presencia de externalidades «resulta comprensible que la inversión en actividades innovadoras sea relativamente escasa en los países subdesarrollados la mayor parte del tiempo. Esto, a su vez, explica en parte por qué el crecimiento de sus economías a largo plazo ha sido por lo general modesto e insuficiente para cerrar la brecha de riqueza e ingreso por habitante que las separa de los países ricos» (Casar, 2008: 500).

¿De qué manera, entonces, a lo largo de la historia, las economías subdesarrolladas logran dejar de serlo, o consiguen saltos relevantes hacia su diversificación? Casar (2008: 502) identifica que «a lo largo de la historia nos encontramos con que los Estados han echado mano de muy diversos recursos para interferir con la libre asignación de recursos a través del mercado con el fin de crear las condiciones de rentabilidad extraordinaria en las que florece la actividad innovadora y se desarrollan las economías». Ello pone el énfasis en la política industrial para el crecimiento y el desarrollo, lo que «constituye una herejía mayor en el actual ambiente de discusión económica» (*ibid.*).

De acuerdo con esta propuesta, el desarrollo no es una suerte de aparición en la experiencia de las naciones, sino el resultado de un conjunto de acciones, un proceso que rompe con las condiciones inerciales de la economía. Y una de las características de la economía mexicana a lo largo de las últimas décadas es que se encuentra estancada en una larga inercia de bajo crecimiento y pobre desarrollo de la que es preciso salir no haciendo lo mismo que la ha mantenido en esa mediocre senda.

Conviene, en materia económica, atender la advertencia atribuida a Albert Einstein: «Locura es hacer lo mismo una y otra vez y esperar resultados diferentes».

XXXVI. Recaudación fiscal pobre y crecimiento económico pobre

El déficit y la deuda públicos son herramientas a disposición de las economías para cumplir con objetivos asociados al crecimiento y a la generación de empleo a través del gasto y la inversión. Son, como el crédito mismo, instrumentos válidos que pueden ser utilizados por los agentes económicos. Claro está que un manejo erróneo o irresponsable de cualquier instrumento económico —y no solo en este campo— puede conllevar a consecuencias negativas y producir altos costos sociales y sobre el tejido productivo.

Tanto la deuda como el déficit son resultados de otras variables, de los ingresos y egresos del gobierno o el sector público, del ritmo de crecimiento de la economía y de los tipos de interés, por lo que es indispensable entonces atender qué ocurre con las variables independientes que determinan el nivel de deuda y déficit, que resultarían las variables dependientes o endógenas. Es oportuno, también, analizar los volúmenes de ambos indicadores en función de la recaudación tributaria, es decir, de la capacidad pública para, a través de ingresos recurrentes, hacer frente a las obligaciones contratadas en los mercados financieros.

La deuda pública de México en proporción del PIB, como se refirió líneas arriba, se coloca de forma sistemática muy por debajo del endeudamiento público de los Estados Unidos o de la media de los países miembros de la OCDE, como se puede ver en la gráfica 3.7. Si bien pasó de representar menos de una cuarta parte del PIB a inicios del siglo a casi la mitad del producto en 2022, está por debajo del 60% que, en el tratado de Maastricht, los europeos convinieron como indicador de disciplina de las finanzas públicas. Ello permite afirmar que nuestro país ha contado con margen de maniobra para captar un volumen mayor de ahorro mediante la emisión de títulos de deuda para, así, canalizar recursos adicionales a la inversión pública que, como se verá más adelante, se sitúa en volúmenes muy inferiores a los requeridos para alcanzar tasas de crecimiento sostenibles de 5 o 6 puntos porcentuales del PIB al año.

Es importante advertir, sin embargo, que el margen de maniobra para contraer más deuda no es tan amplio como se podría

Gráfica 3.7. Deuda pública como porcentaje del PIB: México, Estados Unidos y países OCDE

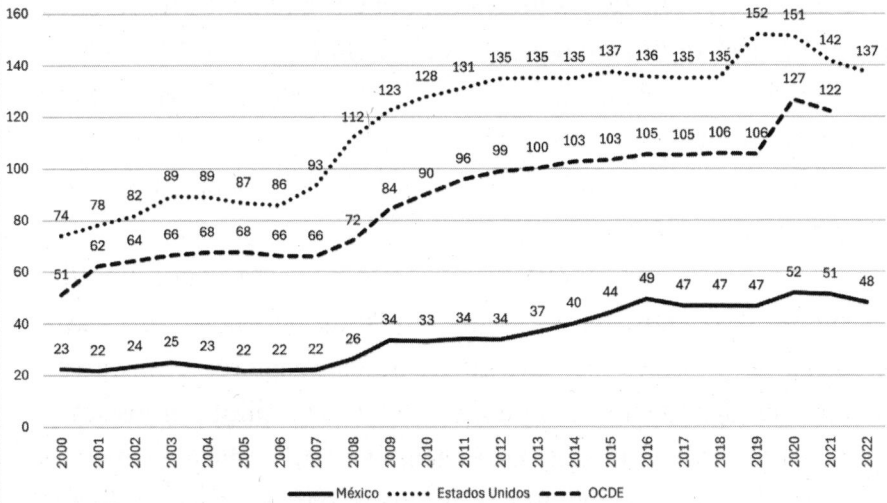

Fuente: Elaboración propia con datos de CEPAL (para México) y Banco Mundial.

desprender solo de la lectura de lo que representa como porcentaje del PIB, lo que sugiere prestar atención también a lo que implica para las finanzas públicas el hacer frente, año con año, a las obligaciones que se desprenden del endeudamiento. Ahí juegan un papel clave los niveles de ingreso y gasto del sector público de las distintas economías. En este terreno aflora una de las principales debilidades de México como país que impacta directamente sobre su desempeño económico —pero no solo en él, sino en la capacidad general del Estado para cumplir con sus distintas obligaciones—, que es su baja capacidad de recaudación fiscal y, consecuentemente, de gasto e inversión públicos.

A pesar de tener una deuda que casi equivale a una tercera parte de la de Estados Unidos en proporción al PIB, México al final distrae una cantidad relativa mayor de recursos públicos anuales que Estados Unidos o los países de la OCDE para cubrir sus respectivas obligaciones por sus deudas. De acuerdo con datos del Banco Mundial, el pago por intereses de la deuda como porcentaje de los ingresos públicos en México representó en 2021 el 15.8%, cuando en Estados Unidos fue el 12.99% y el 3.2% del PIB en la media de la OCDE;[10] asimismo, el pago de intereses de la deuda distrajo el 13.9% del gasto público de México en 2021, el 7.9% en Estados Unidos y el 2.84% para la media de la OCDE.[11]

La conclusión es que México, aun con una deuda pública significativamente menor como porcentaje del PIB, enfrenta una carga de intereses más alta en términos de los recursos que se distraen del presupuesto público, lo que se explica por los severamente bajos niveles de recaudación y gasto público de nuestro país, los cuales se comentarán un poco más adelante. En suma, el problema no es el monto de la deuda como porcentaje del PIB, pues resulta ligera para México en el panorama internacional, sino el peso que dicha deuda supone sobre una frágil estructura fiscal.

Si México tuviera un nivel de recaudación similar al de otros países latinoamericanos como Chile, Brasil o Uruguay, que rondan niveles de ingreso del sector público del 25% del PIB,[12] es decir, que superan en ocho o nueve puntos del PIB los ingresos públicos de nuestro país, con el monto de deuda actual se distraerían solo dos terceras partes de recursos presupuestales que, en términos relativos, anualmente ocupan el pago de la deuda pública.

Por el lado del déficit público, la primera lectura de la tabla 3.3 ofrece un panorama satisfactorio: el balance del gasto primario muestra que en ningún momento se incurrió en un déficit de 3% e, incluso, el promedio resulta superavitario: de 0.625% del PIB entre 2000 y 2023, periodo en que las erogaciones del gobierno federal resultaron menores que los ingresos. No hubo gasto en exceso y la disciplina fue constante.

También el balance presupuestario se mantiene dentro de límites manejables, y arroja un promedio de déficit de menos de dos puntos del PIB (-1.68%). Sin embargo, se trata de lo que puede llamarse un «equilibrio espurio» alcanzado por un bajo nivel de gasto e inversión públicos, mas no por una combinación adecuada entre ingresos y egresos para el sector público de una economía con las dimensiones de la mexicana. Volviendo de nuevo a la comparación con países de América Latina, la gráfica 3.8 revela la baja capacidad de recaudación de ingresos tributarios (impuestos) de México frente a naciones con desarrollo similar. A partir de esos datos, por ejemplo, el déficit promedio de 1.68% del PIB significa que el gasto excede al año el 13.2% de los ingresos tributarios, mientras que en Brasil o Uruguay ese déficit solo habría significado exceder la capacidad de recaudación fiscal en 7.5%. Esto indica que incluso déficits públicos moderados significan una carga mayor por la escasez recaudatoria.

En efecto, como explica el economista e historiador Leonardo Lomelí, quien a partir de 2023 es rector de la UNAM: «El talón de Aquiles del Estado mexicano a lo largo de más de dos siglos de existencia ha sido la baja recaudación» (Lomelí, 2024: 21). Se trata de un problema estructural, crónico, que expresa una dañina combinación de frágil capacidad técnica del Estado con una insuficiencia de legitimidad estatal para hacer cumplir sus obligaciones a los actores económicos y a los sujetos con mayor nivel de ingresos de la sociedad.

No deja de ser llamativo que el ascenso al gobierno de México de partidos que se autorreivindican como de izquierda, a partir de 2018, no haya implicado el más mínimo viraje hacia fortalecer la recaudación fiscal y que la animadversión a impuestos progresivos —gravar más a los individuos de más altos ingresos— se comparta a pie juntillas con la visión más básica de la derecha política.

Gráfica 3.8. Ingresos tributarios del gobierno central como porcentaje del PIB. Promedio 2000-2020

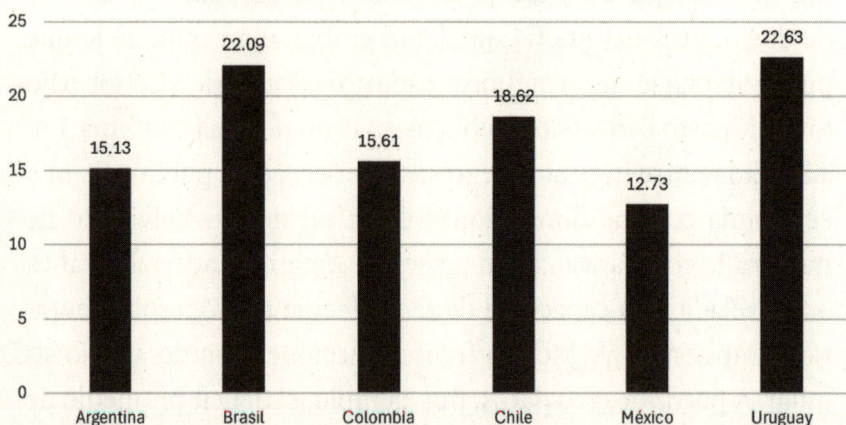

País	Valor
Argentina	15.13
Brasil	22.09
Colombia	15.61
Chile	18.62
México	12.73
Uruguay	22.63

Fuente: elaboración propia a partir de datos de la CEPAL

Si bien una mayor y mejor recaudación no es sinónimo de crecimiento y progreso —Argentina y Brasil tienen tasas de recaudación tributaria parecidas a las de Canadá, por ejemplo, con un desempeño económico muy disímil—, la evidencia internacional muestra que «no hay ejemplos de países desarrollados —con niveles altos de ingreso y niveles bajos de desigualdad— que presenten cargas fiscales reducidas; la lección es que la fortaleza fiscal del Estado parece ser condición necesaria, aunque no suficiente, para avanzar hacia el desarrollo» (Casar, 2020: 15).

En este momento es necesario subrayar las implicaciones negativas que supone la precaria tasa de presión fiscal de México, que es de la mitad de los países miembros de la OCDE y, como se señaló líneas arriba, también inferior al promedio de América Latina.

La baja recaudación conspira contra la capacidad de un Estado-nación para cumplir con sus propósitos, incluso los clásicos y elementales de dar seguridad a sus habitantes, pero también los que buscan garantizar servicios públicos y derechos fundamentales que, por cierto, durante el siglo XXI se han ido ampliando de manera significativa en la Constitución sin que, a la vez, se haya asumido seriamente la necesidad de financiar las nuevas responsabilidades del Estado mexicano. En 2011, por ejemplo, se reformó el artículo primero constitucional para dar plena primacía al ejercicio y respeto de los derechos humanos (Salazar, 2014) al señalar, en su primer párrafo: «En los Estados Unidos Mexicanos todas las personas gozarán de los derechos humanos reconocidos en esta Constitución y en los tratados internacionales de los que el Estado Mexicano sea parte, así como las garantías para su protección», y en el tercer párrafo precisa: «Todas las autoridades, en el ámbito de sus competencias, tienen la obligación de promover, respetar, proteger y garantizar los derechos humanos de conformidad con los principios de universalidad, interdependencia, indivisibilidad y progresividad». Sin embargo, no se realizó un esfuerzo por incrementar los recursos de las autoridades mexicanas para cumplir con las condiciones mínimas de hacer realidad esa valiosa definición constitucional.

En el plano estrictamente económico pueden identificarse tres funciones del Estado moderno que han de financiarse con tributación (Ros, 2015; Casar, 2020), a saber: a) proveer bienes públicos e infraestructura que el mercado, por sus fallas, no genera; b) usar suficientes recursos para estabilizar la actividad económica ante las fluctuaciones del ciclo; y c) atemperar la desigualdad social inherente al funcionamiento de la economía de mercado. Sin embargo, la escasa recaudación tributaria compromete esas funciones estatales.

La pobre recaudación se explica por la propia estructura de la carga tributaria, hecho que ya había advertido Casar (2020: 17-22). Así, la brecha en recaudación frente a los socios de América del Norte es de 16.7 puntos del PIB respecto a Canadá y de 9.2 puntos frente a Estados Unidos, y alcanza 16.9% en comparación con el promedio de los países de la OCDE (tabla 3.4). Pero en especial es marcada la diferencia en lo que hace a la recaudación de impuestos a los ingresos de las personas físicas, que representan el 84% del rezago frente a Estados Unidos, el 52% respecto a Canadá y más de una cuarta parte (27%) del diferencial con la OCDE. Son relevantes, también, las diferencias en las contribuciones a la seguridad social: México recauda por esta vía 2.4 puntos del PIB menos que Canadá, 3.7 puntos por debajo de Estados Unidos y 6.4 puntos menos del producto que la media de la OCDE. Otro componente que gravita en torno a la diferencia recaudatoria son los impuestos sobre propiedad, donde México tiene un rezago de 3.5 puntos del PIB respecto a Canadá, de 2.7 puntos frente a Estados Unidos y 1.6 puntos en comparación con la OCDE. Después aparecen los impuestos al consumo y, conviene subrayarlo, donde menores diferencias recaudatorias existen es en el rubro de los impuestos a los ingresos, las utilidades y las ganancias de las empresas.

Lo anterior evidencia que hay espacio para ampliar la carga fiscal no sobre las empresas y la actividad productiva directamente, sino sobre los ingresos de los individuos y su riqueza —inmuebles, herencias, donaciones—, lo que tendría un efecto

País	Carga fiscal total	1100. Impuesto al ingreso, utilidades y ganancias de capital de las personas	1200. Impuesto al ingreso, utilidades y ganancias de capital de las empresas	2000. Contribuciones a la Seguridad Social	4000. Impuestos sobre propiedad	5111. Impuesto al Valor Agregado	Otros impuestos al consumo	Otros impuestos
Mexico	17.3	3.64	3.48	2.37	0.35	4.35	2.03	1.03
Canada	33.9	12.32	4.57	4.74	3.83	4.44	2.83	1.18
Chile	22.2	2.40	3.80	1.17	1.08	9.48	2.32	1.97
Colombia	19.2	1.32	4.56	1.92	1.68	5.86	2.46	1.44
Costa Rica	25.0	1.55	2.42	8.99	0.52	5.09	3.61	2.80
Estados Unidos	26.5	11.37	1.61	6.06	3.06	0.00	4.39	0.01
OCDE (promedio)	34.2	8.12	3.50	8.76	1.93	7.07	3.83	0.98
México-Canadá	-16.7	-8.7	-1.1	-2.4	-3.5	-0.1	-0.8	-0.2
México-Chile	-5.0	1.2	-0.3	1.2	-0.7	-5.1	-0.3	-0.9
México-Colombia	-2.0	2.3	-1.1	0.5	-1.3	-1.5	-0.4	-0.4
México-Costa Rica	-7.7	2.1	1.1	-6.6	-0.2	-0.7	-1.6	-1.8
México-Estados Unidos	-9.2	-7.7	1.9	-3.7	-2.7	4.4	-2.4	1.0
México-OCDE	-16.9	-4.5	-0.0	-6.4	-1.6	-2.7	-1.8	0.0

Tabla 3.4. Carga tributaria desagregada en países seleccionados, como porcentaje del PIB. 2021

Fuente: elaboración propia a partir de OCDE, https://stat.link/b9zumv

progresivo y redistributivo en un país tan desigual como México, donde el 10% de la población de mayor ingreso recibe dos veces y media más ingresos que el 40% de los habitantes de menores recursos (Casar, 2020: 24). Asimismo, hay estudios que demuestran que el mayor peso de los impuestos al ingreso es una característica del desarrollo, de tal suerte que un sistema fiscal robusto no se traduce en desincentivo a la actividad económica ni daña el bienestar, pues «a mayor carga fiscal, mayor tiende a ser el ingreso per cápita del país y mejor la distribución del ingreso de la población» (Caballero, 2012: 123).

La limitada capacidad redistributiva del sistema fiscal mexicano se debe a factores de tipo estructural, como bien lo explica Carlos Tello:

El primero se asocia a la limitada cantidad de recursos disponibles para ser distribuidos. En segundo lugar, por el lado del gasto, tiene que ver con el diseño de los programas de apoyo que se instrumentan. Muchos de ellos tienen un impacto regresivo sobre la distribución del ingreso [...]. El tercero tiene que ver con las proporciones de ingresos por tributación directa e indirecta. En específico, los impuestos indirectos (principalmente el IVA), que son más regresivos tienen mayor peso en México (y en algunos países de América Latina) que en los países miembros de la OCDE (Tello, 2014: 403).

XXXVII. Baja tributación, elevada desigualdad

El sinsentido de la escasa recaudación fiscal de México se hace aún más evidente si se le compara con el nivel que han alcanzado otras naciones a lo largo de la historia. El economista francés

Tomas Piketty ha demostrado cómo las sociedades más equitativas que se lograron en el siglo XX lo consiguieron gracias a la edificación del Estado de bienestar, lo que exigió, necesariamente, incrementar el peso de los impuestos en el PIB de las economías. Antes de la Gran Depresión de 1929, distintos países de Europa occidental —Alemania, Francia, Reino Unido y Suecia— tenían una presión fiscal menor al 20% del PIB, es decir, cercana a la que tiene ahora México, y en cambio, durante los años dorados de reconstrucción y desarrollo que siguieron a la Segunda Guerra Mundial, la recaudación en esas naciones se situó entre el 30 y el 40% del PIB, y ahora promedia el 47% (Piketty, 2024: 40). Así las cosas, el nivel de recaudación de la economía mexicana tiene un siglo de rezago frente a las naciones desarrolladas. El bajo nivel impositivo agregado en nuestro país es un «lujo»; más bien, una comodidad para ciertos sectores que la economía y la democracia mexicana no pueden continuar dándose: o se fortalece al Estado y su recaudación fiscal o sus funciones sustantivas seguirán estando comprometidas o en retroceso.

Cabe apuntar, siguiendo a Piketty, que los bajos niveles de recaudación en la Europa durante la tercera década del siglo pasado servían, básicamente, para soportar al Estado guardián, esto es, el que se ocupaba de mantener el orden, cuidar la propiedad privada, financiar a la policía y a los jueces, y soportar la capacidad de defensa militar. Pero el gasto en educación era mínimo, así como en salud o en seguridad social y pensiones. Pretender que pueda existir un Estado social, como de hecho lo contemplan los derechos sociales y económicos consagrados en la Constitución mexicana, con niveles de recaudación inferiores al 30%, resulta absurdo, más aún si seguimos por debajo del 20% del PIB. México requiere, para poner en sintonía las condiciones de vida de su población con las aspiraciones plasmadas en la Constitución desde hace más de un siglo y las que se han incorporado, construir un sistema fiscal justo y sólido, progresivo y redistributivo.

Llegados a este punto, es importante agregar que la profunda desigualdad en el México contemporáneo no se debe a una forma peculiar de funcionamiento de su economía de mercado, pues la inequidad es similar a la que genera el capitalismo en otras naciones antes de impuestos, sino que en nuestro caso persiste en grado superlativo por la incapacidad correctiva del sistema fiscal mexicano para reducir la polarización en los ingresos de los distintos segmentos de la sociedad. La mano invisible del mercado produce desigualdad en todas las economías capitalistas, pero en algunas de ellas la mano visible del Estado las atempera; no es nuestro caso.

José I. Casar (2020: 27) demostró que la distribución del ingreso que arroja el mercado en México es similar a la de los países de la OCDE e incluso menor a la de Alemania, Finlandia, Japón y los Estados Unidos. Todos estos países tendrían un coeficiente de Gini de entre 0.45 y 0.55 puntos. Para hacerse una idea de lo que esto significa, baste ejemplificar señalando que los países más equitativos del mundo como Eslovaquia, Eslovenia y Noruega tienen un coeficiente de Gini de 0.23 o 0.24, mientras que los países con mayor desigualdad alcanzan un coeficiente de Gini de 0.51 puntos (Esquivel, 2021: 227). Ahora bien, después de impuestos, una vez que el Estado actúa a través de la recaudación, países como Alemania, Francia o España ven reducir su desigualdad drásticamente, y alcanzan coeficientes de Gini de entre 0.25 y 0.35, mientras que en México la intervención pública solo hace moverse al coeficiente de 0.47 a 0.46 (Casar, 2020: 28).

Así que, mientras en muy diferentes países el mercado produce una alta desigualdad en los ingresos de las personas, una vez que se cobran impuestos y se ejerce el gasto público, la inequidad se atempera de manera considerable, pero eso no pasa en México. La gráfica 3.9 es elocuente mostrando este punto. Puede verse cómo, mientras la desigualdad promedio de los países seleccionados se sitúa en un Gini de 0.47 —entre más alto es el índice de Gini, menos equitativa es una sociedad—, después de la intervención estatal cae a 0.31, es decir, se reduce en dieciséis décimas, una caída de 43% en la desigualdad, mientras que en México lo hace de 0.43 a 0.42, apenas una centésima, una leve reducción de 2%. Véase, además, que, si se toma el ingreso de mercado, México es la segunda economía —junto con Eslovenia y solo superada por Eslovaquia— que menos desigualdad genera, pero una vez que se cobran impuestos, México aparece como el antepenúltimo país en términos de igualdad, únicamente por detrás de Chile y Costa Rica, que resultan más desiguales. Pero incluso en estos dos países de América Latina, la intervención del Estado es más efectiva en la reducción de la desigualdad: en

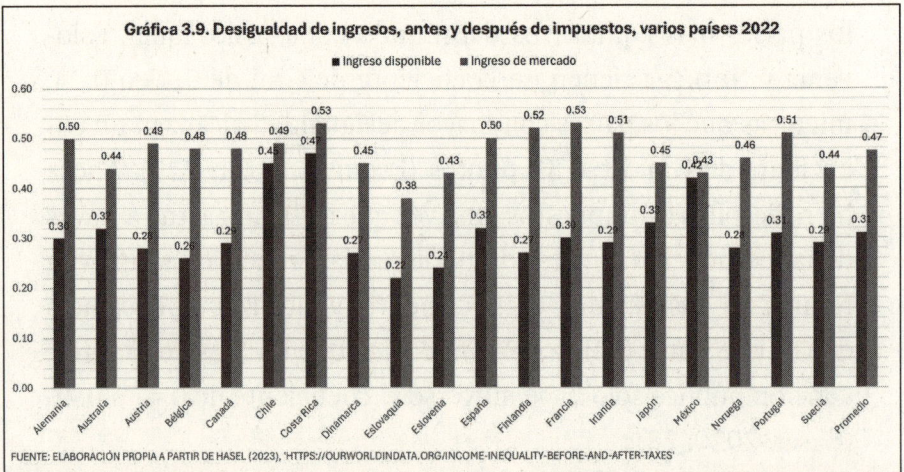

Gráfica 3.9. Desigualdad de ingresos, antes y después de impuestos, varios países 2022

■ Ingreso disponible ■ Ingreso de mercado

FUENTE: ELABORACIÓN PROPIA A PARTIR DE HASEL (2023), 'HTTPS://OURWORLDINDATA.ORG/INCOME-INEQUALITY-BEFORE-AND-AFTER-TAXES'

Chile disminuye en 8% después de impuestos y en Costa Rica, en 11 puntos porcentuales.

Visto así, sin la intervención del Estado prácticamente todos los países seleccionados serían tan o más desiguales que México, porque la desigualdad se produce de forma natural en las economías de mercado. El drama está en que, mientras las demás naciones corrigen la desigualdad a través del Estado, es decir, mediante la acción del sistema fiscal, en México eso no se hace: se ha renunciado a construir una sociedad más equitativa a través de una política fiscal —de ingreso y gasto públicos— progresiva. Esa renuncia, de la que han sido partícipes gobiernos del PRI, el PAN y Morena, ha dañado la calidad de vida de la población y el crecimiento económico, y ha lastimado la confianza en la democracia al mantener a la sociedad polarizada en lo relativo a sus ingresos.

Así que la precaria recaudación fiscal es funcional con la alta desigualdad en México. Corregir la inequitativa distribución del ingreso y la riqueza pasa, necesariamente, por incrementar la recaudación de forma progresiva con explícitos fines redistributivos, lo que no se ha hecho salvo marginalmente durante los años de la democracia mexicana —con datos de la OCDE, por ejemplo, puede verse que, mientras la recaudación tributaria de México en 2010 era de 12.8% del PIB, para 2015, después de la reforma fiscal de 2013, alcanzó 15.9%, lo que implica una mejora de 3.1 puntos del producto y un incremento de 24% en términos relativos, aunque la carga total sigue siendo inferior al promedio latinoamericano.

El investigador del Colegio de México Mariano Sánchez Talanquer evidenció cómo la democracia en México se fue ampliando hasta 2018, pero no lo hizo la recaudación:

La debilidad fiscal antecede a la democracia y ahora, pesa sobre ella, pues la austeridad que conlleva vuelve a la aplicación universal de los derechos materialmente imposible. Líderes y partidos de todas las ideologías gobiernan con recursos muy escasos y parece que tampoco encuentran la voluntad política, ni los medios de convencimiento para emprender una urgente empresa de fortalecimiento fiscal, la cual es la base indispensable del mejoramiento de lo público (Sánchez, 2021: 39).

XXXVIII. Finanzas públicas petrolizadas: dependencia insostenible

La fragilidad de los ingresos presupuestarios de México se explica, como se aprecia en la gráfica 3.10, por una combinación de escasa recaudación tributaria con alta dependencia que, por años, se ha tenido de los ingresos petroleros, que han representado el 27% del total como promedio en lo que va del siglo. Lo cierto es que la ventaja natural de contar con abundantes hidrocarburos dio lugar a que los gobiernos pudieran eludir el incremento de impuestos e incluso adoptar medidas para reducir su pago mientras se ampliaba, así fuera de manera discreta, el gasto social. La generosidad de la naturaleza, al dotar a México con ricos yacimientos petroleros, dio rienda suelta a la irresponsabilidad de distintos gobiernos de no procurar un nivel de recaudación acorde con la dimensión de la economía mexicana. Se extraían del subsuelo recursos no renovables para financiar el gasto corriente al tiempo que se posponía la reforma fiscal que permitiera incrementar la inversión pública en infraestructura y un crecimiento más dinámico de la economía y, en consecuencia, obtener un volumen mayor de ingresos recurrentes para el fisco.

En palabras del economista David Ibarra:

Es natural que clases sociales y personas demanden mayor gasto gubernamental en el abasto de bienes, inversiones y servicios públicos o en partidas de su interés. Por igual, son de esperar resistencias a cubrir nuevos impuestos, elevar los viejos tributos y recibir, en cambio, con beneplácito cualquier desgravación. En México durante décadas se encontró solución a ese dilema que invariablemente aqueja a partidos políticos y gobiernos de todas las latitudes. Las abundantes rentas petroleras permitieron alimentar con importantes percepciones al fisco y mantener imposición reducida, sobre todo a las empresas y grupos adinerados, sin ocasionar desequilibrios fiscales frecuentes por su gravedad (Ibarra, 2011: 15).

El uso irresponsable de los recursos del subsuelo, al no destinarlos en su mayor proporción a la inversión sino al gasto corriente, y el echar mano de ellos como si no fueran finitos, recuerda la advertencia que más de medio siglo antes había hecho el historiador económico Carlo Cipolla en su célebre *Historia económica de la población mundial*. Los hidrocarburos, explicaba Cipolla (1978: 66):

Se han formado en base al dióxido de carbono y el agua existentes en los organismos vivientes y por influencia de la radiación solar. Podríamos decir que son «luz solar almacenada». La historia de nuestras felices generaciones podríamos resumirla diciendo que durante millones y millones de años se almacenó y acumuló riqueza. Luego, uno de los miembros de la familia descubrió aquel tesoro acumulado y empezó a malgastarlo. A nosotros nos ha tocado vivir en pleno derroche.

Aunque la cita se escribió al inicio de la década de 1960, bien describe la conducta que, como país, tuvimos con respecto al uso de los recursos fósiles durante las siguientes siete décadas.

Pero la bonanza petrolera, en términos fiscales, ya llegó a su fin. Desde hace tres lustros, cruzando los sexenios de Felipe Calderón (PAN), Enrique Peña Nieto (PRI) y López Obrador (Morena), los ingresos presupuestales del sector público rondan los 22 puntos del PIB. No obstante, los ingresos petroleros muestran una continua reducción —llegaron a significar el 44% del total en 2008 para significar el 15% en 2023—, lo que se ha logrado compensar gracias al aumento de los ingresos tributarios, a su vez explicado por la insuficiente, pero acertada, reforma fiscal de 2013.

Puede decirse que, si algún legado económico relevante dejó la administración de Enrique Peña Nieto —junto con la renegociación del tratado comercial con Estados Unidos y Canadá, que se dio tras la llegada de Trump a la Casa Blanca en 2017 y

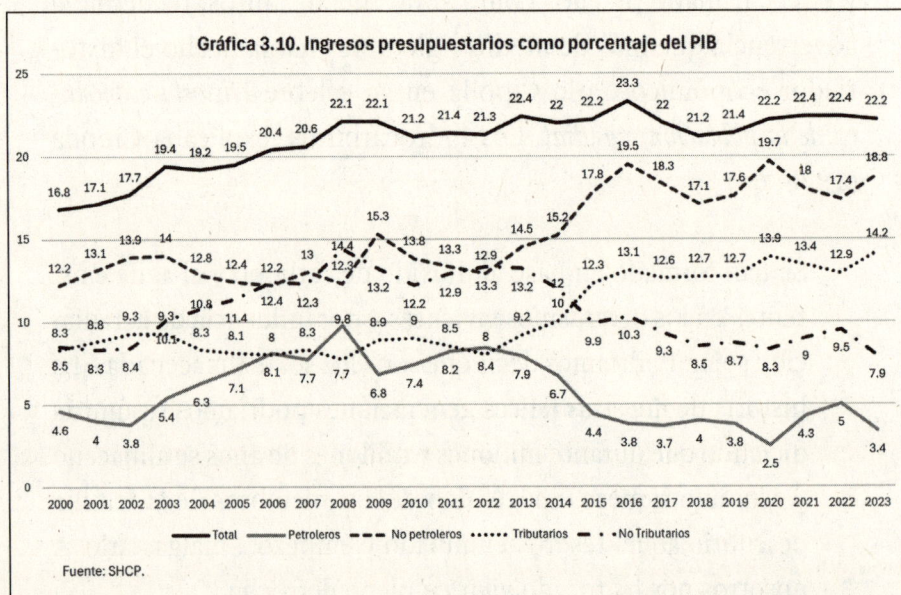

Gráfica 3.10. Ingresos presupuestarios como porcentaje del PIB

Total — Petroleros — No petroleros ··· Tributarios — · No Tributarios

Fuente: SHCP.

culminó con la firma del T-MEC en 2018 (Fernández de Castro y Lajous, 2024)— fue la reforma fiscal que impulsó al inicio de su gobierno. La decisión de aumentar, así sea de forma marginal, las tasas del impuesto sobre la renta (ISR), permitió generar los recursos públicos adicionales que evitaron severos problemas en las finanzas públicas cuando la posibilidad de seguir aumentando la captación de la renta petrolera fue a la baja. Paradójicamente, sin la reforma fiscal de Peña Nieto, y dada la drástica caída de los ingresos petroleros para el sector público —que significaron el 9.8% del PIB en 2008, mientras que entre 2019 y 2023, en promedio, representaron 3.8 puntos del producto—, el gobierno de López Obrador se habría enfrentado a un severo desequilibrio fiscal y a la imposibilidad, por ejemplo, de financiar los programas sociales basados en transferencias a la población.

XXXIX. El castigo a la inversión y al gasto públicos

El gasto en desarrollo social, con el bajo nivel de recaudación, también es reducido. A lo largo del siglo, ha crecido en menos de tres puntos porcentuales del PIB (gráfica 3.11.a). Pero es importante ver cómo su modesto crecimiento, en especial en protección social —que implica programas de transferencias directas, por ejemplo, a los adultos mayores—, se ha dado a cuenta de sacrificar otras partidas de gasto indispensables para asegurar derechos fundamentales, como educación y salud, y de infraestructura, como vivienda. Y a costa, también, de tener en números ínfimos los recursos para temas tan delicados como la protección al medio ambiente justo cuando más avanzan la destrucción de los ecosistemas, el cambio climático y los riesgos para la población.

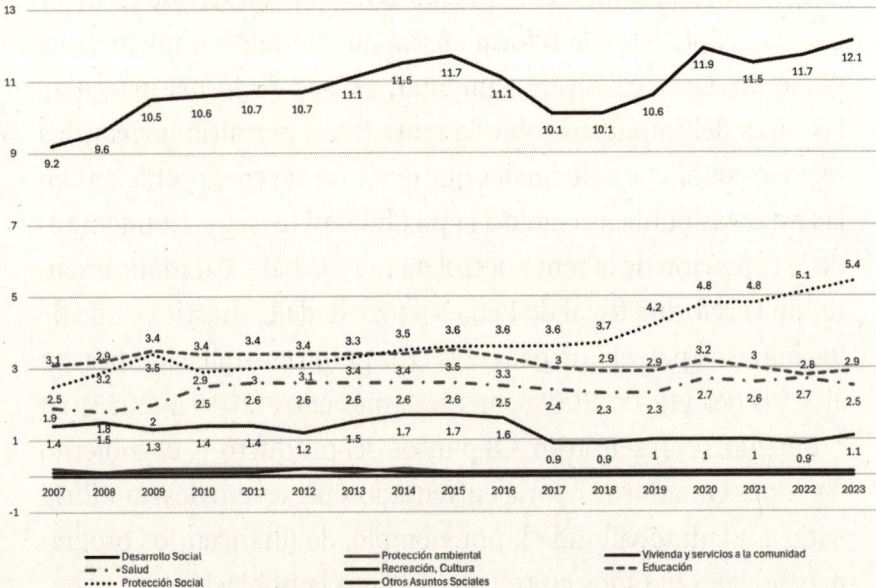

Gráfica 3.11.a. Gasto en desarrollo social como porcentaje del PIB, 2000-2023

Fuente: Elaboración propia con datos de la SHCP

Estos datos, que exhiben un gasto en educación de menos de 3 puntos del PIB cuando la legislación mexicana dicta que se tendría que destinar el 8%, así como un gasto público en salud de apenas 2.5% del PIB —cuando los países que han logrado la cobertura universal destinan al menos el 6%—, no hacen sino evidenciar la falacia de que es posible aumentar el gasto en programas sociales sin incrementar, a la vez, la fuente de ingresos para financiarlos. Como bien ha apuntado José Casar (2021: 243):

el avance en el gasto de programas de protección social se ha producido a costa del estancamiento en «educación» o del desplome en «vivienda y servicios a la comunidad» y en «protección ambiental» en la provisión de otros bienes públicos [...]. Este esfuerzo de reasignación de unos recursos fiscales estructuralmente limitados hacia una parte del gasto social en detrimento de otras, ha tenido, además, la consecuencia de limitar los recursos disponibles para la inversión pública en infraestructura indispensable para detonar el crecimiento y crear las condiciones para la expansión de la inversión privada.

La reducción de la inversión pública a costa de la expansión de los programas sociales basados en transferencias monetarias responde, como identificó Francisco Báez (2024: 104), al propósito de obtener réditos electorales inmediatos: «La inversión gubernamental y de mayor calidad de los servicios públicos —en educación, salud, cultura— no crea clientelas políticas con la facilidad, casi automática, de la que se genera con quien se recibe un cheque». Durante el gobierno de López Obrador no se planteó, en ningún momento, fortalecer la recaudación fiscal ni hacerla más progresiva: no había que fortalecer las capacidades estatales para favorecer el crecimiento y el desarrollo; la prioridad era ganar elecciones. Se mantuvo el dogma del equilibrio fiscal al extremo de que, en 2020, el gobierno propuso, para 2021, una meta de superávit fiscal en plena pandemia de covid-19. Fue la expresión extrema de insensibilidad e irresponsabilidad de lo que Báez llama, con acierto, «populismo neoliberal».

Una de las consecuencias negativas más severas de la baja recaudación es que conlleva a un escaso volumen de inversión pública que, a su vez, afecta al crecimiento de la economía. Así, mientras el PIB ha tenido un incremento acumulado en los primeros 22 años del siglo de 42%, a una tasa media de crecimiento anual (TMCA) de 1.6%, la inversión, medida como la formación bruta de capital fijo, ha tenido un desempeño aún más lento, pues creció en todo el periodo 29% a un ritmo anual de 1.2% (tabla 3.5), lo cual en buena medida ayuda a explicar la atonía general de la generación de bienes y servicios. Si no hay más infraestructura, equipo y maquinaria en la economía, esta no será capaz de producir en mayor escala.

Además, es preciso subrayar que la inversión privada, esto es, la contribución de las empresas a la formación bruta de capital, tiene un comportamiento ligeramente mejor que el del total. El volumen de inversión privada ha crecido 35% y pasó, de representar el 85% al inicio del siglo, al 87% en 2022. El mayor volumen de inversión privada se alcanzó en 2018, para empezar después a disminuir.

Tabla 3.5. PIB y formación bruta de capital fijo, pública y privada en México, 2000-2022 (billones de pesos, 2013=100)				
Año	PIB	FBKF	FBKFpriv	FBKFpub
2000	12.93	2.66	2.22	0.44
2001	12.88	2.47	2.03	0.44
2002	12.88	2.41	1.88	0.53
2003	13.06	2.44	1.88	0.56
2004	13.57	2.61	2.04	0.58
2005	13.89	2.77	2.14	0.63
2006	14.51	3.03	2.36	0.67
2007	14.84	3.21	2.51	0.70
2008	15.01	3.42	2.57	0.85
2009	14.22	3.02	2.17	0.85
2010	14.95	3.16	2.32	0.84
2011	15.50	3.41	2.61	0.80
2012	16.06	3.58	2.85	0.73
2013	16.28	3.46	2.74	0.72
2014	16.74	3.56	2.86	0.70
2015	17.29	3.73	3.10	0.63
2016	17.75	3.76	3.14	0.62
2017	18.12	3.72	3.17	0.55
2018	18.52	3.75	3.21	0.54
2019	18.48	3.57	3.11	0.46
2020	17.01	2.94	2.51	0.43
2021	17.81	3.25	2.83	0.42
2022	18.35	3.45	3.01	0.44
Variación acumulada	41.9%	29.4%	35.4%	-0.9%
TMCA	1.6%	1.2%	1.4%	-0.04%
Fuente: Elaboración propia a partir de datos del Banco de México. Fecha de consulta: 24/04/2024.				

Pero es llamativo el mal comportamiento de la inversión pública que se situó en 2022, en términos reales, en el mismo nivel que en el año 2000, cuando el tamaño de la producción de la economía mexicana era 30% menor. En la última columna de la tabla 3.5 se aprecia con claridad que, hasta fines de la primera década del siglo, la formación bruta de capital por parte del sector público venía creciendo en términos reales, para después caer drásticamente de nuevo. Al final del periodo analizado, el monto de inversión pública es apenas la mitad del valor que representó en 2010. Ello revela que viene empeorando la contribución del sector público al crecimiento y que las decisiones políticas, en este caso de la política fiscal, están directamente relacionadas con el mal desempeño económico.

La formación bruta de capital físico (FBCF) —que engloba tanto la inversión realizada en la construcción como en maquinaria y equipo— se presenta en la gráfica 3.11.b, donde se muestra el grado de contracción de la inversión pública en los últimos años. Empezó el siglo en 3.4% como porcentaje del PIB, lejos del 10% que llegó a tener al arrancar los años 80 del siglo pasado, pero creció de manera sostenida hasta 2008 —si bien en 2009 fue de 6%, ello ocurrió sobre un PIB que se contrajo como efecto de la crisis financiera global— y, desde entonces, siguió un continuo retroceso. La serie del Banco de México alerta sobre cómo se ha ido erosionando, desde 2018, la capacidad del sector público para contribuir al producto. La pendiente negativa del comportamiento lineal de la inversión pública a lo largo del siglo no deja lugar a duda sobre su reducción como componente del PIB en todo el periodo analizado. Además, si en la segunda mitad del gobierno de Felipe Calderón, en todo el de Enrique Peña y en los cuatro primeros años del de López Obrador se hubiese mantenido al menos el nivel alcanzado en 2008, la inversión

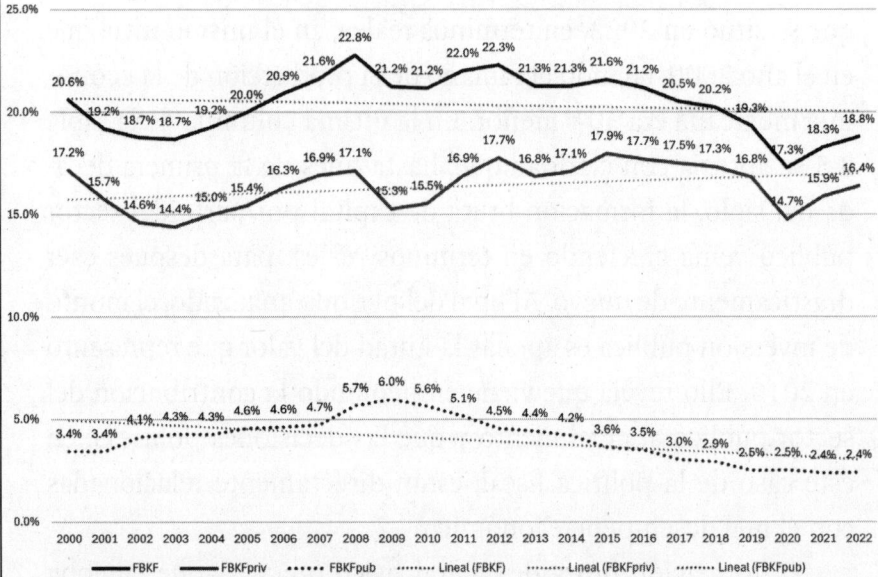

Gráfica 3.11.b. Inversión total, pública y privada como porcentaje del PIB

Fuente: Elaboración propia a partir de datos del Banco de México.

total habría rondado el 25% hasta antes de la crisis de la pandemia de covid-19 y superaría los 22 puntos del PIB al final del periodo. Pero lo que ocurrió en realidad es que la participación de la inversión pública en 2022 resultó del 40% de lo que fue en 2009.

Así que el equilibrio presupuestal del que se ufanan los conductores de la política económica, y el cual se presenta como un indicador de la salud de las finanzas públicas, en realidad se logró reduciendo la inversión y, por consiguiente, la capacidad de la población de crecer más, acceder a un mayor número de empleos y producir más bienestar. Ese tipo de equilibrio nominal de corto plazo, conseguido a través de castigar los recursos que permiten despegar la capacidad productiva, se traduce en estancamiento y precariedad económica de largo plazo. Por eso creo oportuno calificar a ese equilibrio, conseguido mediante el castigo de la inversión pública, como espurio, pues se hace a costa del desarrollo económico y social.

Otro apunte que es preciso hacer a raíz de la gráfica 3.11.b. es que la disminución de la inversión pública no se traduce en un impulso a la privada, pues en 2008, antes del estallido de la Gran Recesión, el total de la formación bruta de capital como porcentaje del PIB alcanzó su mayor nivel (22.8%), con una contribución pública de 5.7% y privada de 17.1%. Desde entonces, la inversión pública ha caído en más de tres puntos del producto y la privada se mantiene constante, sin que logre superar los 18 puntos del PIB a lo largo del siglo, y en momentos de recesión, baja al 15% y aún menos.

Puede decirse que la inversión pública —construcción de vías de comunicación, de infraestructura para servicios educativos y de salud públicos, por ejemplo— en vez de rivalizar con la privada, la complementa. Hay estudios empíricos que permiten concluir que en México la formación bruta de capital por parte del sector público no castiga a la de origen privado, sino todo lo contrario: «El gasto público tiene un efecto positivo sobre la inversión privada, es decir, se da un efecto atracción, con lo cual se rechaza la hipótesis del efecto expulsión (*crowding-out*) que postula la teoría convencional» (Caballero, 2012: 136).

Uno de los obstáculos para avanzar hacia una mayor recaudación consiste en la noción de que incrementar las tasas del ISR podría traducirse en una afectación a los niveles de inversión privada. El profesor Emilio Caballero (2012) analizó la consistencia de esa hipótesis a partir de estudiar distintos casos internacionales, para concluir que no se sostiene en la realidad. En países como Canadá, Corea y España, donde es mayor la participación del ISR en la recaudación total, mejoró entre 1990 y 2010 la tasa de acumulación productiva, medida a través del cociente de inversión privada sobre el PIB. Así que es falso que una mayor recaudación afecte la inversión privada.

Lo cierto es que la economía mexicana requiere mayores niveles de inversión, tanto pública como privada. Carlos Tello lo decía con claridad: «el sistema fiscal ha sido incapaz de promover la circulación del excedente generado hacia fines de desarrollo económico y social» (Tello, 2014: 414). Pero las decisiones en materia de política económica continúan negándose a aumentar la recaudación y, en consecuencia, siguen reduciendo la capacidad productiva en el país.

De forma lamentable, lo que se aprecia en los años recientes es una suerte de repetición del excesivo ajuste que se hizo para enfrentar la deuda de la década de 1980, Jaime Ros (2013: 127) —uno de los más destacados economistas mexicanos de las últimas décadas, experto en macroeconomía y teorías del desarrollo, profesor emérito de la Universidad de Notre Dame y fundador del Centro de Investigación y Docencia Económica donde fue el primer director de la revista *Economía Mexicana*, quien falleciera en 2019 siendo profesor de tiempo completo de la Facultad de Economía de la UNAM— escribió sobre aquella estrategia: «aunque ese ajuste fiscal fue exitoso para corregir el desequilibrio de las cuentas públicas, en el sentido de eliminar déficits públicos altos e insostenibles, descansó excesivamente en la contracción de la inversión pública», lo que confirma que «la primera forma en que las políticas macroeconómicas han afectado adversamente el crecimiento obedece a una política fiscal que ha mantenido niveles de inversión pública muy bajos» (Ros, 2013: 126). Una década después, la situación, en vez de corregirse, se recrudeció.

México tiene una política fiscal que es un lastre para el crecimiento. Las decisiones macroeconómicas seguidas por los gobiernos del PAN, PRI y Morena dañan las posibilidades de despegue de la economía y, es preciso señalarlo, han contribuido al desperdicio del bono demográfico, como se comentará más adelante.

XL. Políticas monetaria y cambiaria: la restricción al crecimiento

El otro gran campo de la política económica, además de la fiscal, es la monetaria que, en nuestro país, desde hace más de tres décadas, está en manos de una institución constitucionalmente autónoma del Poder Ejecutivo: el Banco de México (Banxico). Al establecerse tal autonomía, la banca central recibió un mandato expreso y único: el control de la inflación, lo que contrasta, por ejemplo, con el llamado doble mandato de la Reserva Federal en los Estados Unidos de América, la cual tiene la tarea tanto de controlar la inflación como de favorecer el crecimiento.

El Banco de México toma sus decisiones al seno de su Junta de Gobierno, integrada por un(a) gobernador(a) y cuatro subgobernadores, designados por el presidente con la aprobación del Senado. El banco central fija una meta de inflación —que se expresa en el índice nacional de precios al consumidor (INCP)—, alrededor de la cual articula sus decisiones políticas, básicamente determinando la tasa de interés interbancaria a un día.

La fijación de metas explícitas de inflación se entiende como el marco estratégico de la política monetaria, cuyo principal objetivo es la estabilidad de precios. Cuando los precios crecen más de lo previsto, debe incrementarse la tasa de interés para desincentivar la demanda y, así, corregir a la baja la inflación.

Se trata, por tanto, de una política contracíclica que terminaría por dar lugar a la «coincidencia divina» (Pérez, 2015: 104), en la cual la estabilización de la inflación también conlleva la de la trayectoria de crecimiento económico. Siendo así, podría entenderse que el mandato explícito de control de los precios implicaría, a su vez, un mandato implícito de colocar a la actividad real en el sendero de su trayectoria de crecimiento óptimo. Así, como ha descrito Esteban Pérez Caldentey, coordinador de la Unidad de Financiamiento para el Desarrollo de la Comisión Económica para América Latina y el Caribe (CEPAL) de las Naciones Unidas, «preocuparse de la inflación es equivalente a preocuparse del crecimiento y el desempleo, así como la estabilidad de la inflación redunda en estabilidad en el producto», lo que «significa que los bancos centrales deberían enfocarse solo en la inflación, y todos podrían dormir tranquilamente por la noche. Si tienen éxito en estabilizar la inflación, se generará automáticamente el nivel de actividad óptima. Dicho de otra manera, incluso si la inflación no importara y solo tuviera relieve el producto, de todas formas, el banco central debería enfocarse en la inflación» (Pérez, 2015: 106 y 109).

Desde esa perspectiva, el Banco de México habría acertado en su misión básica a lo largo del presente siglo: fijó una meta de inflación de mediano plazo que debía ser menor a 10% en el año 2000, inferior a 6.5% para 2001, por debajo de 4.5% para 2002 y, desde 2003, una meta anual de 3% más —menos un punto porcentual (Ros, 2013: 115)—. Se puede corroborar —como se desprende de los datos de la tabla 3.3— que la inflación media anual entre 2000 y 2023 fue de 4.7%, entonces el incremento de precios ha estado menos de un punto porcentual por arriba de la meta fijada por la autoridad monetaria. El comportamiento de los precios se muestra, así, contenido a lo largo del presente siglo, muy lejos de los niveles de dos o hasta tres dígitos que llegó a tener en otros momentos, por lo que habría de concluirse que la política de metas de inflación ha sido, una vez más, exitosa.

Pero la economía mantiene, en este dilatado periodo, una senda de bajo crecimiento. Ello puede sugerir que la política de metas de inflación en una economía abierta y con las características de la mexicana no genera, necesariamente, la «coincidencia divina» entre estabilidad de precios y la consistencia en el crecimiento. El propio Pérez Caldentey (2015: 132) considera que las soluciones del modelo de metas de inflación «pueden contradecir sus postulados más importantes, sobre los cuales radica su supuesta superioridad sobre los marcos monetarios alternativos, a saber, la contraciclicidad y la "coincidencia divina"».

Así que solo velar por la inflación no basta para asegurar el dinamismo de la economía. Es la apreciación de Jaime Ros quien, al analizar la política monetaria entre 2002 y 2013, concluyó que «el Banco de México siguió un régimen estricto de metas de inflación y estuvo fundamentalmente preocupado por alcanzar la estabilidad de precios sin otorgarle un rol importante a la estabilidad del nivel de actividad económica» (Ros, 2015: 113).

Otra de las herramientas fundamentales de la política monetaria tiene que ver con el control del tipo de cambio que, a su vez, gravita sobre el nivel de precios internos, afecta de manera distinta a los sectores productores de bienes comerciables y no comerciables —estos son los que no se comercian con otros países, como la vivienda, los terrenos o los servicios personales—, y termina por impactar sobre el nivel general de actividad económica.

Si bien la variación en el precio de una moneda nacional tiene efectos diversos sobre la economía que no necesariamente son negativos, en el imaginario mexicano hay una alta animadversión hacia las devaluaciones del peso, pues remontan a episodios drásticos de pérdida de ahorros y del poder adquisitivo de las familias, como los que ocurrieron durante las décadas de 1970, 1980 y 1990, y aun antes. Esas devaluaciones se presentaron, además, en escenarios en los que se desataron fuertes espirales de inflación.

No obstante, más allá de determinadas experiencias traumáticas, cuando un país ve devaluar su moneda, si bien se encarece el precio de los bienes en otras divisas, también se abaratan los productos propios frente a los externos, lo que puede frenar la demanda de importaciones e incentivar las exportaciones, mejorando la balanza comercial, por ejemplo. Es decir, la depreciación de la moneda nacional permite ganar competitividad en sus precios frente a los demás países. En sentido opuesto, una apreciación de la moneda nacional hace más accesibles los productos externos y las importaciones —incluidos los viajes al extranjero—, pero encarece los bienes y servicios comerciables que genera el país, por lo cual les resta competitividad. Genera, además, otros efectos, como el hecho de que las remesas en dólares enviadas por los migrantes en Estados Unidos a sus familias en México se traduzcan en menos pesos y en menor consumo doméstico.

En la disciplina económica hay un intenso debate sobre la relación entre tipo de cambio y crecimiento, pasando por su efecto en los salarios, lo cual subraya que la apreciación/devaluación de la moneda al final no deja de ser sino una medida, un instrumento que las distintas economías pueden emplear con mayor o menor éxito en distintos contextos. Por lo mismo, la estigmatización de la devaluación, más allá de poder formar parte de cierto sentido común, no tiene fundamentos teóricos o empíricos sólidos. Una buena síntesis de esa discusión puede encontrarse en el estudio hecho por Juan Carlos Moreno-Brid y Luis Monroy Gómez-Franco (2015).

La devaluación tan es un instrumento que puede generar ventajas a la economía que la realiza que, en la literatura sobre integración económica y economía internacional, se usa la figura de «empobrecer al vecino» para referirse al uso de la depreciación de la moneda de un país para darles competitividad de precios a sus productos frente a los de sus socios comerciales.

La devaluación puede, por ejemplo, generar oportunidades de recuperación económica. Ello ocurrió en México tras la crisis de 1994, el año en el que arrancó el Tratado de Libre Comercio de América del Norte, pues la depreciación del peso implicó una ganancia de competitividad frente a los precios de los productos de sus socios comerciales y ello, a su vez, favoreció un rápido incremento de las exportaciones que contribuyó a la rápida recuperación de la economía para 1996 (Ros, 2015).[13]

En lo que va del siglo XXI, como revelan los datos de la tabla 3.3, el tipo de cambio de la moneda mexicana no ha sufrido oscilaciones fuertes y, hacia el final del periodo, muestra una importante recuperación, con una apreciación del peso incluso sin precedentes.[14] Un peso fuerte, el «superpeso», que en ocasiones parece concebirse como un objetivo de la política en vez de como una herramienta, puede tener efectos indeseables sobre la planta productiva. En su momento, Jaime Ros ya describía la existencia de un «tipo de cambio real crónicamente no competitivo» (Ros, 2015: 107). En concordancia con esa observación, Moreno-Brid y Monroy Gómez-Franco (2015: 234) señalan que entre 1996 y 2000, cuando se dio una depreciación inicial del tipo de cambio y este se mantuvo por debajo del nivel inicial durante al menos la mitad del periodo, la economía mexicana creció a 5.4% al año, la productividad en 2.4% y el PIB per cápita en 3.8 por ciento.[15]

A lo largo de la tercera década del siglo XXI, a partir de 2020, comienza a verse una considerable apreciación del tipo de cambio (gráfica 3.5); eso quiere decir que en los años de la pandemia de covid-19, cuando la economía nacional había caído drásticamente y después no recuperó su nivel previo, la moneda mexicana se encarecía frente a las de otras naciones. Coincide, así, un dólar barato para ser adquirido desde México, un precio inferior de los bienes y servicios importados y el encarecimiento de los productos mexicanos. Tanto la sobrevaluación del peso como la atonía en el comportamiento económico caracterizaron al sexenio de López Obrador. De nuevo, la estabilidad nominal como meta prioritaria eclipsó el crecimiento. A pesar de los drásticos y, con frecuencia, atropellados cambios que se impulsaron durante el gobierno de López Obrador en distintos campos, como la desaparición del Seguro Popular, la cancelación del nuevo Aeropuerto Internacional para la Ciudad de México en Texcoco, o la contrarreforma educativa o en materia energética, en el campo de las principales coordenadas de la política macroeconómica el sello fue la continuación de las divisas centrales de la visión ortodoxa, neoliberal.

Los efectos no venturosos de la apreciación del tipo de cambio tienen que ver con los precios relativos. Un peso fuerte castiga a los productores de bienes nacionales comerciables, los de exportación —en especial, bienes industriales y agrícolas—, que suelen ser los sectores donde se da mayor innovación tecnológica, mientras que favorece a los bienes no comerciables, como los servicios. Eso hace que la inversión se desplace de los sectores comerciables a los no comerciables y de las ramas de mayor intensidad tecnológica a las de menor, resultando castigadas las industrias manufactureras modernas y los servicios modernos comerciables, lo que también lastima la productividad de la economía.

Si la sobrevaluación de la moneda nacional puede tener dichos efectos adversos, ¿qué puede explicar que se permita llegar a los grados que alcanzó en 2023? En buena medida, que el tipo de cambio se usa como un instrumento para anclar la inflación, esto es, para contener los precios internos.

La apreciación de nuestra moneda frente a otras divisas funciona como una herramienta antiinflacionaria, pues nuestra economía se caracteriza por: a) extensa apertura comercial y b) escasa penetración del crédito —hecho que, a su vez, hace que el alza de los tipos de interés tenga efectos menores sobre la demanda—, de tal suerte que el diferencial de tasas con otros países atrae inversión extranjera y fortalece la moneda nacional. Esta revaluación del tipo de cambio abarata las importaciones, lo que reduce el consumo de productos nacionales no destinados a la exportación y, así, se «enfrían» las presiones inflacionarias —una explicación más formal de este proceso se encuentra en Casar, 2019.

Por lo anterior, no puede perderse de vista que el tipo de cambio, al usarse como una herramienta de control de la inflación, puede significar pérdida de competitividad internacional para México y un estímulo negativo para la inversión productiva en los sectores más modernos. Así, cuando se aprecia el peso de forma sistemática, la variable castigada es la capacidad de crecimiento de la economía.

Guzmán, Ocampo y Stiglitz (2017) hacen una importante contribución al debate sobre el papel del tipo de cambio como instrumento de política para el desarrollo —que es el objetivo de la economía— y no solo para la contención de la inflación —que es una meta instrumental—, señalando la relevancia de la política cambiaria para la diversificación productiva de las economías. Un tipo de cambio competitivo, esto es, lograr que la moneda no esté sobrevaluada —como ocurre cuando se habla del «superpeso»—, hace más rentable la inversión en los sectores que producen bienes comerciables e, incluso, esa estrategia de usar la política cambiaria para favorecer el dinamismo de dichos sectores puede verse como una suerte de subsidio hacia ellos. La proposición de Stiglitz —ganador del Premio Nobel de Economía en 2001— y coautores es que la instrumentación de un tipo de cambio competitivo, al favorecer a ciertos sectores de la producción, termina por ser un tipo de política industrial. Claro, el tipo de cambio competitivo por sí solo no garantizará el dinamismo de industrias nacientes, pues ello depende de otros factores, como el acceso a la tecnología y al crédito.

Es interesante el planteamiento de Stiglitz y coautores en el contexto mexicano desde al menos dos perspectivas: a) contribuyen a entender que la política cambiaria no solo ha de constreñirse a la búsqueda de la estabilidad, sino que puede tener un rol proactivo en favor del crecimiento y la diversificación productiva y b) recuperan la pertinencia y legitimidad de la política industrial, tan abandonada en nuestro país durante las últimas décadas.

Un economista que también ha hecho valiosas contribuciones a la comprensión de la importancia de contar con un tipo de cambio no sobrevaluado, competitivo, es brasileño Luiz Carlos Bresser-Pereira, quien llama la atención sobre el hecho de que:

El desarrollo económico solo es posible si se tiene un tipo de cambio competitivo que estimule las exportaciones y las inversiones. La evidencia empírica detrás de esta proposición es clara: todos los países que se desarrollaron durante el siglo XX, tales como Japón, Alemania, Italia y, más recientemente, los países asiáticos más dinámicos, tuvieron siempre tipos de cambio que impulsaron el desarrollo de su industria manufacturera. Estudios econométricos recientes confirman este hecho (Bresser-Pereira, 2008: 47-48).

Cuando el tipo de cambio está sobrevaluado, los sectores más dinámicos se ven forzados, primero, a intensificar su productividad, pero, si persiste el alto valor de la moneda nacional, terminarán sustituyendo el componente local de la producción por insumos importados que resultan más baratos y, al final, el país acaba convirtiéndose en una economía maquiladora.

Un estudio interesante sobre qué determina la formación de capital fijo en varios países de América Latina —Brasil, Chile, Colombia, México y Uruguay— a lo largo de dos décadas, entre 1990 y 2008, muestra que un incremento del 1% en el índice de tipo de cambio real genera un decremento de 0.2% de la inversión privada al periodo siguiente (Caballero, 2012: 137), lo cual confirma la necesidad de revisar la política monetaria y sus efectos adversos sobre la actividad económica.

El desempeño de las últimas décadas de la economía mexicana evidencia que no ha logrado incorporar y aprovechar productivamente los avances tecnológicos de los últimos años. James Gerber (2024b) apunta que, mientras la industrialización de México entre lolas décadas de 1930 y 1980 significó asimilar los cambios asociados a la segunda Revolución Industrial, en las últimas décadas la economía mexicana ha sido incapaz de aprovechar el progreso tecnológico de la tercera Revolución Industrial. Hasta qué punto las políticas macroeconómicas seguidas y la ausencia de políticas sectoriales han contribuido a esta situación debe ser, sin duda, motivo de atención.

Retomando el rol del tipo de cambio, conviene tener presente otra de las contribuciones de Bresser-Pereira (2008: 67) cuando señala que una modalidad de la enfermedad holandesa puede estar constituida por los enormes flujos de remesas. Se conoce por «enfermedad holandesa» al fenómeno identificado en ese país europeo durante la década de 1960 cuando, a raíz del descubrimiento de importantes reservas de gas natural en el Mar del Norte, la moneda de Holanda, el florín, se apreció de manera considerable, provocando una pérdida de competitividad en sus sectores manufactureros. Cuando los precios del gas disminuyeron por factores externos, la dañada industria holandesa no logró compensar la pérdida de ingresos y se produjo un fuerte desempleo. Así, la buena nueva de recursos naturales disponibles a bajo costo terminó siendo una mala noticia para la diversificación productiva, justamente por los cambios en los precios relativos —se abarata la producción del bien natural comerciable y se encarece la producción de los productos manufactureros—, causados por el elevado tipo de cambio.

México ha sido un gran receptor de divisas a través de las remesas de los migrantes internacionales, en especial los de Estados Unidos, lo que es posible gracias a la disposición abundante de cierto tipo de recurso natural: la fuerza de trabajo barata. De hecho, se trata de un concepto ampliado de la enfermedad holandesa, donde el diferencial de salarios en el país que la padece es mayor que en los países desarrollados, lo cual, en efecto, ocurre en México. La conclusión del autor brasileño es que, si se mantiene una estrategia basada en los bajos salarios para competir con el exterior, en los hechos se anula el proceso que consiste en trasladar fuerza de trabajo a los sectores de mayor valor añadido per cápita, lo que ha estado presente en todos los casos de desarrollo de las economías, es decir, se termina por eludir el desarrollo.

A lo largo de las primeras dos décadas y media del siglo XXI, la economía mexicana incrementó de forma notable la dependencia hacia las divisas enviadas por los trabajadores migrantes para nutrir el consumo de las familias en México y la demanda agregada en general. La gráfica 3.12 muestra cómo, prácticamente, se multiplicó por diez el monto en dólares de las remesas entre 2000 y 2023. Puede verse que, como consecuencia de la crisis financiera global de 2008-2009, el volumen de remesas disminuyó, lo que se explica por la contracción de la actividad en Estados Unidos. Sin embargo, en la siguiente crisis global de 2020, generada por la pandemia de covid-19, el envío de remesas no dejó de crecer.

Las remesas son, así, una buena noticia para las familias receptoras de las mismas y para las regiones donde esas familias habitan y consumen, pero no deja de ser lamentable que buena parte del factor más valioso del que dispone una nación, su fuerza de trabajo, sea expulsada para que un país con mayores ingresos la aproveche productivamente. Y no deja de indignar el hecho de que el aumento de las remesas se presente, desde el gobierno, como un éxito político y no como una evidencia de fuga de recursos productivos que podrían ser aprovechados directamente por la economía mexicana. Además, como se explicaba siguiendo a Bresser-Pereira (2008), esos ingentes flujos de divisas provenientes de la migración pueden contribuir a la apreciación de la moneda y, por tanto, a una más acusada pérdida de competitividad de los sectores productivos de México, lo que afectaría la capacidad de crecer y de generar empleo, y presionaría la salida de más connacionales del país, generando una suerte de círculo vicioso.

Gráfica 3.12. Remesas recibidas por México, 2000-2023. Millones de dólares

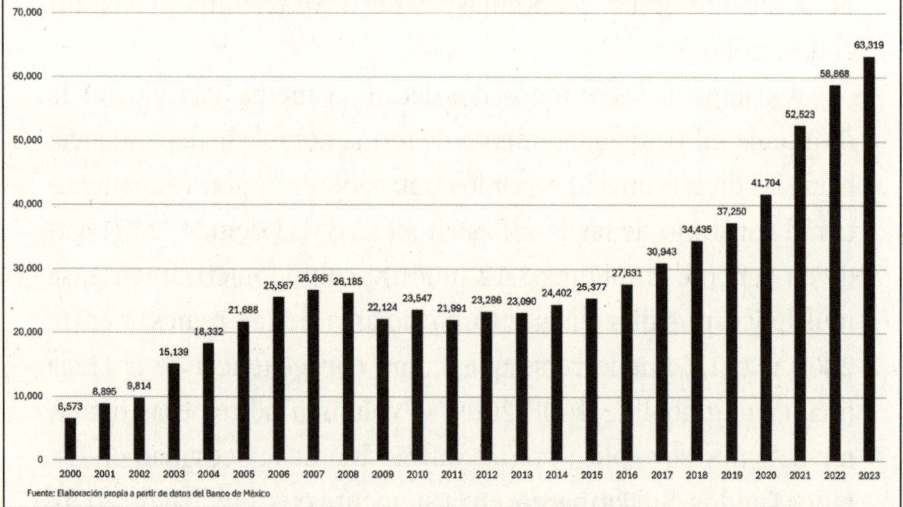

Año	Millones de dólares
2000	6,573
2001	8,895
2002	9,814
2003	15,139
2004	18,332
2005	21,688
2006	25,567
2007	26,696
2008	26,185
2009	22,124
2010	23,547
2011	21,991
2012	23,286
2013	23,090
2014	24,402
2015	25,377
2016	27,631
2017	30,943
2018	34,435
2019	37,250
2020	41,704
2021	52,523
2022	58,868
2023	63,319

Fuente: Elaboración propia a partir de datos del Banco de México

La revisión aquí presentada sobre la teoría monetaria no convencional acerca del papel del tipo de cambio arroja, entonces, una lectura distinta de lo que ha significado contener la inflación mediante el incremento de tasas interés que conducen a la sobrevaluación del tipo de cambio. Tal estrategia puede tener como efecto indeseado, pero directo, la anomia del crecimiento económico. Es la conclusión de Jaime Ros cuando señala que «el éxito en el frente de la inflación y pobre desempeño en términos de crecimiento pueden muy bien estar vinculados entre sí por la evolución del tipo de cambio real», de tal suerte que «la apreciación real, por la pérdida de competitividad de la economía y la menor rentabilidad de la inversión en los sectores de bienes comerciables, puede haber contribuido a un pobre desempeño en términos de crecimiento» (Ros, 2015: 116).

De esta forma, lamentablemente, la política monetaria que usa el tipo de cambio como ancla antiinflacionaria termina volviéndose también un ancla que impide zarpar al crecimiento y que, con ello, obstaculiza la senda hacia el desarrollo.

Es deseable que el Banco de México mantenga su autonomía frente a los gobiernos y ciclos políticos, y que continúe garantizando el poder adquisitivo de la moneda, pero también sería deseable que existiera un mandato explícito para que, en su misión, la banca central deba velar por el crecimiento y la generación de empleo, como ocurre con la Reserva Federal en los Estados Unidos. El mandato único como guardián de la inflación pudo haber contribuido al exceso de ortodoxia económica de un Banco con frecuencia insensible a las necesidades de crecimiento y bienestar poblacional.

Por otra parte, las amenazas arancelarias —por no hablar de las del uso de la fuerza— de Donald Trump hacia México son de extrema gravedad por la alta dependencia de México hacia su sector externo. Si el 40% del PIB mexicano en 2024 fue de ventas al exterior, y de ellas el 83% se dirigió a los Estados Unidos, eso quiere decir que el 32% de la producción de México depende de sus exportaciones al vecino del norte. Esa alta proporción se explica porque, como se vio al inicio de esta parte del libro, las exportaciones crecieron en el siglo al 4% y la economía, al 1.5%, es decir, el bajo crecimiento agregado de la economía nos volvió más dependientes del sector externo y, en consecuencia, más vulnerables ante políticas proteccionistas como las de Trump. México está, así, enfrentando las consecuencias de no tener un mercado interno más robusto que las políticas macroeconómicas imperantes han castigado. Sin mercado interno dinámico, no hay economías que logren ser exitosas. Así sea solo por necesidad, es hora de reconocer que no se puede comprometer el desarrollo de la economía nacional solo al comercio internacional.

Con lo hasta aquí visto, puede concluirse que ni la política fiscal ni la monetaria se han utilizado en pro del crecimiento y la modernización de la capacidad productiva de la economía a lo largo del presente siglo. Tampoco han contribuido al desarrollo. Los hondos problemas que encara México como país tienen que ver, directa e indirectamente, con las decisiones macroeconómicas adoptadas de forma sistemática a lo largo de las últimas décadas. Un desempeño económico penoso en una etapa histórica en la cual el país contó con una dotación abundante y creciente del factor trabajo, como se verá en el siguiente apartado.

XLI. El bono demográfico: ventana que se cierra

México inició el siglo XXI con una enorme oportunidad de desarrollo y bienestar brindada por su propia población: el bono demográfico. El cambio en la estructura por edades, que se logró gracias a la reducción de las tasas de fertilidad que inició desde la década de los setenta del siglo anterior, permitió que el país contara durante los últimos veinticinco años con más habitantes en posibilidad de contribuir a la generación de riqueza que en condición de ser dependientes.

El censo de población y vivienda de 2000 identificó casi 100 millones de habitantes en México (97.4 millones), de los cuales 6 de cada 10 (58 millones) tenían una edad de entre 15 y 64 años. Las personas de 14 años o menos fueron 32 millones (33%) y las de 65 años y más, 4.7 millones (4.8%). Para dar una idea de lo que ello significa, basta decir que, tres décadas antes, solo uno de cada dos mexicanos estaba en edad de trabajar. En las últimas décadas del siglo pasado se redujo de forma significativa la tasa de dependencia poblacional y el proceso continuó durante los primeros decenios de la actual centuria, cuando ya dos de cada tres habitantes del país (66%) están en edad de contribuir a las actividades productivas (tabla 3.6).

Tabla 3.6. Estructura de la población total de México 1970-2020 (personas)						
Año	1970	1980	1990	2000	2010	2020
Total	48,225,238	66,846,833	81,249,645	97,483,412	112,336,538	126,014,024
De 0 a 14 años	22,286,680	28,726,174	31,146,504	32,586,973	32,515,796	31,755,284
Porcentaje	46%	43%	38%	33%	29%	25%
De 15 a 64 años	24,147,173	35,366,290	46,414,035	58,092,327	71,484,423	83,663,440
Porcentaje	50%	53%	57%	60%	64%	66%
De 65 años y más	1,791,385	2,561,120	3,376,841	4,750,311	6,938,913	10,321,914
Porcentaje	4%	4%	4%	5%	6%	8%
Nota: se excluye a la población con edad no especificada.						
Fuente: elaboración propia a partir de los censos de población de INEGI						

A lo largo de las primeras tres décadas del siglo XXI, México ha vivido el llamado bono demográfico, cuya etapa más relevante, sin embargo, está por cerrarse en 2030.

El crecimiento poblacional en el país ha ido disminuyendo su ritmo, pues pasó de 39% en la década de los setenta a 12% entre 2010 y 2020. Pero, en especial, se redujo la ampliación de los habitantes menores de 14 años y de 65 y más (su incremento pasó de 30% en los setenta a 7% en la década pasada), mientras que crece por encima del promedio la población en edad de trabajar (46 y 17% en las décadas señaladas). Ambos fenómenos —que crezca a menor velocidad el conjunto de habitantes, pero que aumenten más las cohortes en edad productiva— son una buena noticia para la economía: el número de bocas que alimentar se incrementa menos que en el pasado y, a la vez, se expande más rápido el número de manos disponibles para el trabajo (tabla 3.7).

Esta realidad es fruto de otra profunda transición que ha tenido lugar en México: la demográfica. La transición demográfica implica cinco fases que, de acuerdo con Max Roser (2023) —profesor de la Universidad de Oxford en el Reino Unido y creador de la base de datos abierta al público Our World in Data—, son: 1) la etapa de pretransición, cuando ocurren altas tasas de natalidad pero también elevadas tasas de mortalidad, de tal manera que la población se mantiene en volúmenes bajos, como sucedió con la humanidad durante miles de años; 2) cuando ocurre una disminución de las tasas de mortalidad pero la fecundidad se mantiene tan elevada como en la etapa previa, de tal suerte que se dispara el crecimiento de la población; 3) se mantiene a la baja la tasa de mortalidad mientras empieza a caer la tasa de fecundidad, lo cual implica que la población crece a un ritmo menor; 4) se mantienen en bajos niveles y convergen las tasas de mortalidad y fecundidad, con lo que llega a su fin el rápido crecimiento de la población y se estabiliza el tamaño de la misma; y 5) puede comenzar el declive en el número absoluto de habitantes dado que la tasa de fecundidad es inferior a dos hijos por mujer.

Las características por etapa de las tasas de fecundidad (TF) y de mortalidad (TM), así como del cambio poblacional, son las siguientes: 1) alta TF y TM, con cambio poblacional estable o de lento crecimiento; 2) alta TF mientras cae rápidamente la TM, por lo que la población crece a ritmo veloz; 3) disminuye la TF y continúa reduciéndose de forma lenta la TM, con lo que se ralentiza el aumento poblacional; 4) se mantienen bajas la TF y TM, por lo que cae y se estabiliza el aumento en el número de habitantes; y 5) es baja la TM y la TF puede seguir a la baja o repuntar, con lo que habrá un escaso cambio en el volumen de la población (Roser, 2023).

En México, la etapa de pretransición se extendió hasta 1930; la segunda etapa, con drástico aumento poblacional, se presentó

Tabla 3.7. Crecimiento de la población de México, por décadas, 1970-2020					
Decenio	1970-1980	1980-1990	1990-2000	2000-2010	2010-2020
Total	39%	22%	20%	15%	12%
En edad productiva	46%	31%	25%	23%	17%
En edad de dependencia	30%	10%	8%	6%	7%
Fuente: elaboración propia a partir de los censos de población de INEGI					

hasta 1970; luego, entre los setenta y hasta el fin del siglo xx disminuye la natalidad; la cuarta etapa, el momento en que nos encontramos, se presenta cuando convergen la tasa de mortalidad y la de fecundidad bruta, por lo que se desacelera el crecimiento poblacional; y finalmente, se da la etapa de postransición, cuando declina el tamaño de la población (Santana, Chickris y González, 2018), que se espera que inicie a la mitad de este siglo.

Históricamente, entre los elementos que gravitan sobre la reducción de la fecundidad en el mundo, la cual comenzó en Europa durante la segunda mitad del siglo xix, pueden ubicarse tres principales: a) el empoderamiento de las mujeres, tanto con un mayor acceso a la educación como con una más alta incorporación al mercado laboral; b) la reducción de las tasas de mortalidad infantil; y c) el incremento de los costos de la crianza de los hijos, así como el declive del empleo infantil (Roser, 2014).

En México, la reducción de las tasas de fertilidad se ha pronunciado bastante durante el último medio siglo, pues si en 1970 era de 6.55 hijos por mujer y superaba a la del promedio mundial, para el año 2000 había caído a 2.72 hijos por mujer, igualando a la media mundial (2.73), y para 2020, el número de hijos por mujer fue de 1.91, significativamente inferior al promedio del orbe de 2.35 hijos por mujer (Naciones Unidas, 2022).

La grafica 3.13.a muestra tendencias a largo plazo de comportamiento de la población mexicana, que, de menos de 30 millones de habitantes en 1950, llegó a la centena de millones medio siglo después, y se espera que continúe en expansión hasta la mitad del siglo xxi para, después, empezar a declinar. La gráfica también muestra la caída de la mortalidad por cada mil habitantes en el país, que alcanzó su nivel más bajo en el cambio de siglo para después repuntar por las defunciones de los adultos mayores, lo cual redunda en el menor ritmo de crecimiento de la población —se hace más plana la pendiente de la curva de ascenso de la población—, mientras que continúa cayendo la natalidad.

El cambio demográfico se explica por la reducción en el número de hijos por mujer (gráfica 3.13.b, línea continua, eje vertical izquierdo) que, de casi siete a mitad del siglo xx, cae en la tercera década del actual a menos de dos hijos por mujer, lo que coloca al indicador por debajo de la tasa de reposición poblacional. Ello implicará que, antes de cruzar el ecuador del siglo xxi, la tasa de crecimiento de la población sea inferior a cero —línea punteada, eje vertical derecho de la gráfica 3.13b—, es decir, que comience a disminuir el número total de habitantes en el país.

Es importante apuntar que la transición demográfica de México, si bien implica una reducción general de las tasas de fecundidad

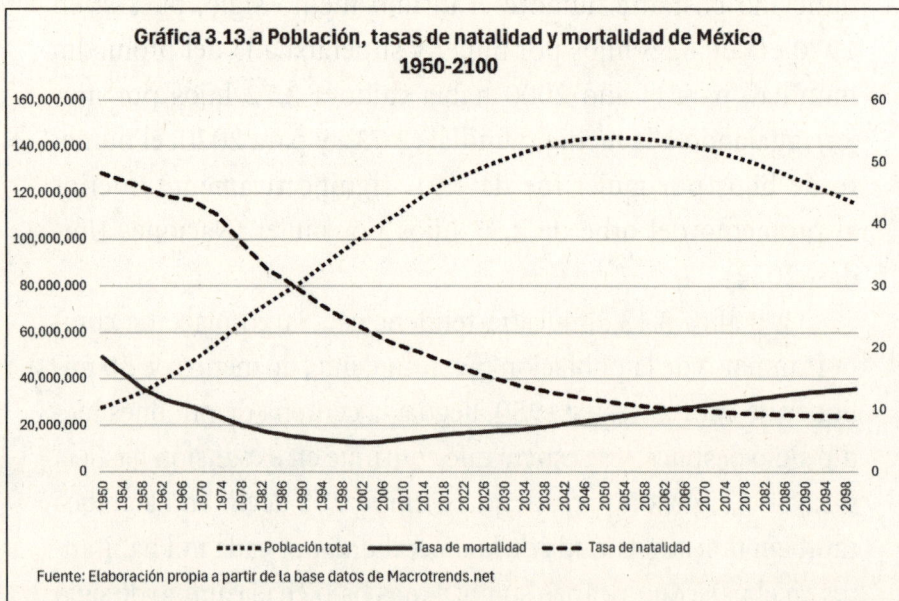

Gráfica 3.13.a Población, tasas de natalidad y mortalidad de México 1950-2100

••••• Población total ——— Tasa de mortalidad – – – Tasa de natalidad

Fuente: Elaboración propia a partir de la base datos de Macrotrends.net

y mortalidad, presenta importantes diferencias entre las entidades federativas del país. La desigualdad, ese rasgo característico de todas las esferas de la vida mexicana, también está presente en su demografía. Por ello, puede hablarse de dos escenarios demográficos bien diferenciados (Castrejón, 2014): uno con estructura por edad joven, alta natalidad y mortalidad, y con fuerte migración interna e internacional; y el otro con baja mortalidad y baja natalidad, con una estructura por edad en avanzado proceso de envejecimiento, y con crecimiento demográfico muy lento.

La transición demográfica —que se ha presentado a distintas velocidades en diferentes naciones del mundo durante el último siglo y medio—, al reducir el ritmo de crecimiento de la población, permitió a múltiples economías traducir las ganancias en acumulación de factores y el avance tecnológico en mejorías en el ingreso per cápita. De acuerdo con Oded Galdor (2012) —profesor de la Universidad de Brown y célebre autor de la teoría del crecimiento unificado (*Unified Growth Theory*)—, la transición

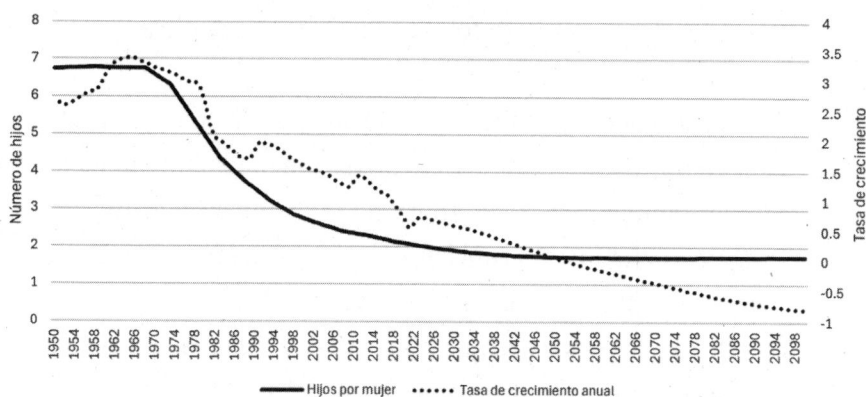

Gráfica 3.13.b Hijos por mujer y tasa de crecimiento de la población. México 1950-2100

Hijos por mujer ••••• Tasa de crecimiento anual

Fuente: Elaboración propia a partir de la base de datos de Macrotrends.net

demográfica da pie al aumento de la productividad y, en consecuencia, al crecimiento económico por tres factores: a) la reducción de la expansión poblacional induce a una mejoría en la dotación relativa de infraestructura y capital por habitante; b) las menores tasas de fecundidad permiten poner énfasis no en la cantidad de hijos que criar sino en la calidad de su formación, mejorando la dotación de capital humano y la productividad; y c) aumenta la población en edad productiva, lo que se traduce en un incremento mecánico de la productividad por persona de las economías.

Como ya se mencionó, los cambios en los patrones de mortalidad y fecundidad implican también modificaciones trascendentes en la estructura por edades de la población, alterando la pirámide demográfica, lo que, a su vez, tiene efectos en la transición epidemiológica y en las necesidades sociales, por ejemplo, en materia de educación y salud (Narro y Moctezuma, 2001). Así que, al tiempo que se abren oportunidades, también se generan desafíos, pues la reducción de la fecundidad y la mortalidad da lugar a un proceso de envejecimiento de la población. De esta forma, el bono demográfico es una ventana temporal que se cerrará tarde o temprano.

Para México, el demógrafo Manuel Ordorica explica:

La transición demográfica ha sido muy acelerada en nuestro país: en pocos años tuvimos una población predominantemente joven y, también, en pocos años será predominantemente vieja. Primero, no tuvimos el suficiente tiempo para programar las demandas de una población joven y hoy queda poco tiempo para atender las demandas de una población en acelerado proceso de envejecimiento. El futuro siempre nos alcanza (2010: 49).

En efecto, se trata de un panorama que se había previsto desde el inicio del siglo. El Consejo Nacional de Población (Conapo, 2004), en la publicación *Envejecimiento de la población en México. Reto del siglo XXI*, ponía de manifiesto que la reducción de la natalidad continuaría, pues si en 1960 había 46 nacimientos por cada mil habitantes, en el año 2000 ese indicador disminuyó a 21 nacimientos y para 2050 se proyectaban 11 nacimientos por cada mil habitantes. Asimismo, que el crecimiento total de la población, el cual alcanzó su máximo histórico en la década de 1960, continuaría cayendo y que, a partir de la mitad del presente siglo, presentaría niveles menores a cero, lo que implica que el total de habitantes empezará a disminuir a partir de ese momento. Estos cambios conllevan un proceso de envejecimiento no reversible, pues las generaciones más numerosas de mexicanos nacieron entre 1960 y 1980, de tal suerte que, a partir de 2020, empezarán a formar parte del grupo de más de 60 años. Así que ya comenzó, en la actual década, la mayor ampliación absoluta de las cohortes de adultos mayores. La estimación del Conapo, desde principio de siglo, fue que las mayores ventajas del bono demográfico se presentarían entre 2005 y 2030, que es cuando llegaría a sus niveles inferiores el índice de dependencia, entendido como la razón entre la población menor a quince años y mayor a 60, dividida entre los habitantes de 15 a 59 años. Después de ese momento, el rápido aumento de la población dependiente, pero por el segmento superior de la pirámide demográfica (los adultos mayores), cerrará la oportunidad del bono.

Datos más recientes del Instituto Nacional de Estadística y Geografía (INEGI, 2023) confirman las proyecciones del Conapo en el sentido de que la disminución de la razón de dependencia llegará a su menor nivel en 2030 para, después, repuntar (gráfica 3.14.a).

México se encuentra inmerso, en términos generales, en una fase avanzada de su transición demográfica, en la que ya está en marcha el proceso de envejecimiento (Hebrero, 2014).

La gráfica 3.14.b muestra, elocuentemente, la ventana del bono demográfico del que dispuso México como combinación de la caída de la tasa de dependencia infantil y la moderada dependencia de la población en edad de envejecimiento. La tasa de dependencia general empezó a caer desde fines de la década de 1970, y llegó a un nivel inferior al 60% durante los primeros años del siglo XXI. Eso quiere decir que el país dispuso de seis personas en edad de dependencia por cada 10 en edad laboral. El índice de dependencia total continúa a la baja, lo que es en sí una buena noticia, pues mejora la proporción de habitantes en edad productiva respecto a los dependientes. Sin embargo, se debe de considerar el proceso de envejecimiento: a partir de 2030, el país tendrá más personas de 65 y más años que menores

Gráfica 3.14.a. Tasas de dependencia demográfica: total, infantil, adultos mayores en México, 1950 a 2070

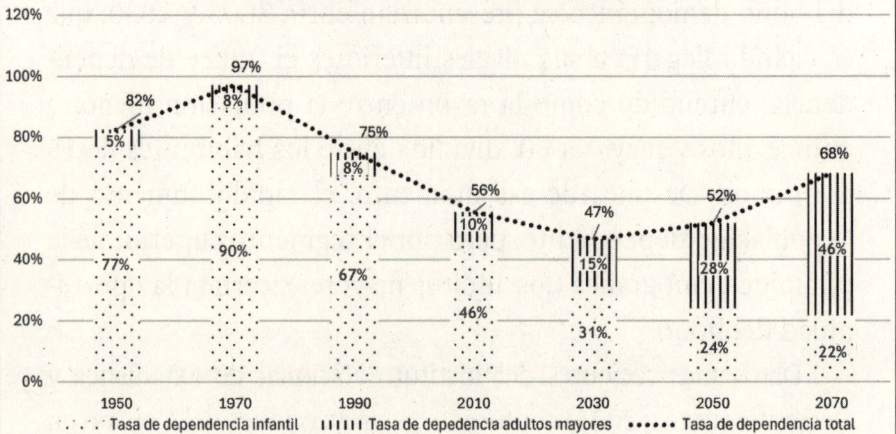

Tasa de dependencia infantil · · · · · Tasa de dependencia adultos mayores | | | | | | Tasa de dependencia total · · · · ·

Fuente: elaboración propia a partir de proyecciones demográficas de CONAPO.

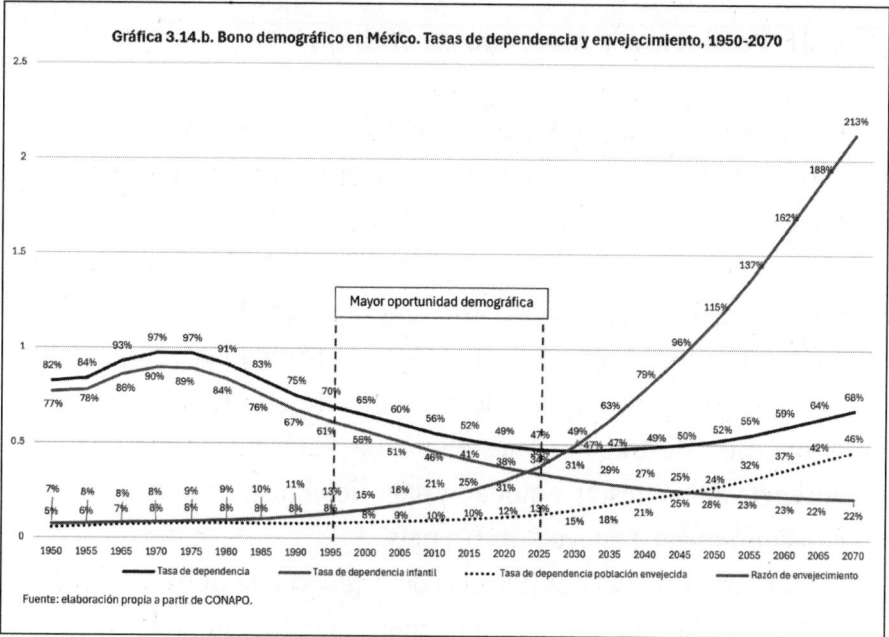

Gráfica 3.14.b. Bono demográfico en México. Tasas de dependencia y envejecimiento, 1950-2070

Mayor oportunidad demográfica

Tasa de dependencia · Tasa de dependencia infantil · Tasa de dependencia población envejecida · Razón de envejecimiento

Fuente: elaboración propia a partir de CONAPO.

de 15 años. Ese es el punto donde cae la cortina para el mayor aprovechamiento del bono. Como alertó el Conapo (2004: 22): «A partir de la tercera década de este siglo el incremento pronunciado de la población adulta cerrará ese periodo de oportunidad demográfica».

Así que la ventana del bono demográfico está por cerrarse sin que la dinámica económica haya permitido aprovecharlo de forma debida, pues como se vio en los apartados anteriores, el crecimiento del producto durante lo que va del siglo es muy mediocre. Con todo, la población le ayudó a la economía desde dos ángulos diferentes y complementarios: redujo el ritmo de crecimiento en el número de habitantes, lo cual contribuyó a que, incluso con el bajo dinamismo económico, el PIB per cápita no mostrara un comportamiento aún peor; pero a la vez aportó un número creciente de trabajadores en disposición y capacidad para generar riqueza.

XLII. Población y mercado de trabajo

El eslabón más importante que une a la economía y a la sociedad es el empleo, y es este el que determina el bienestar de la población. Una economía que genera empleo de calidad tendrá una población con buena calidad de vida; en cambio, una economía que genera empleo precario tendrá a su población viviendo en la precariedad. Por eso, al analizar la realidad económica de México, no puede dejarse de atender a lo que ha ocurrido en el mercado de trabajo, pues ello explica, en buena medida, la ausencia de bienestar, equidad y seguridad que, en términos socioeconómicos, padece nuestro país.

En las primeras dos décadas del siglo XXI, la población pasó de 97.5 a 126 millones, un incremento de 28.5 millones de habitantes (29%). En cambio, en las últimas dos décadas del siglo XX (1980 a 2000), al pasar de 66.6 millones a 97.5, el aumento absoluto fue de 30.6 millones, lo que significó una expansión de 46% en apenas veinte años. Entre 1960 y 1980, el ritmo de crecimiento demográfico era aún más acelerado, pues al ir de 34.9 millones a 66.6, se sumaron 31.9 millones adicionales de habitantes, lo que significó una subida poblacional de 91%, es decir, casi se duplicó el total de mexicanos viviendo en el territorio nacional durante esas dos décadas. Como se aprecia, la demografía redujo su presión sobre la actividad económica desde el punto de vista de la expansión acelerada de la demanda de bienes y servicios. Una población que crece de forma más lenta es una en la que el producto de la economía puede generar mayor bienestar. La demografía hizo esa indudable aportación al disminuir el crecimiento de bocas que alimentar, y de niños y jóvenes que educar.

A la par, en el presente siglo, el aumento de la población en edad productiva rebasó a la dinámica general. Si entre 2000 y 2023 el total de habitantes aumentó en 33%, la población en edad laboral lo hizo en 49% (tabla 3.8), lo que revela cómo la demografía jugó un papel favorable para la expansión de la generación de bienes y servicios. Pero no fue nada más que aumentara la gente en edad laboral por encima del ritmo promedio de la población en su conjunto, sino que la disposición a trabajar creció todavía más, lo que se puede constatar en la expansión de la población económicamente activa (PEA), que incorporó 21.5 millones de trabajadores adicionales, 55% más que al inicio del siglo. Mientras la población total creció a una tasa promedio anual de 1.25%, el número de mexicanos y mexicanas en edad de trabajar se incrementó a un ritmo medio de 1.74% al año y aquellos que decidieron incorporarse al mercado de trabajo aumentaron a una velocidad de 1.93% al año. En promedio, entre 2000 y 2023 la oferta de trabajo creció anualmente en 980 mil personas, por eso se suele decir que México debió crear un millón de puestos de trabajo al año.

De los 32.9 millones de personas de 15 y más años que se agregaron a la población entre 2000 y 2023, se sumaron al mercado de trabajo, a la PEA, 21.5 millones (65%), lo que revela que dos de cada tres nuevos mexicanos mayores de 15 años buscaron

Tabla 3.8. Expansión de la oferta de trabajo en México, 2000-2023. Miles de personas						
	Población total	De 15 años y más	Población Económicamente Activa	Ocupados	Desocupados	Inactivos
Año 2000	97,483.4	67,413.7	39,043.4	38,044.5	998.9	28,370.3
Año 2023	129,626.0	100,308.9	60,585.3	58,896.4	1,689.0	39,723.6
Aumento acumulado	32,142.6	32,895.3	21,542.0	20,851.9	690.1	11,353.3
Aumento porcentual acumulado	33%	49%	55%	55%	69%	40%
Incremento anual absoluto	1,461.0	1,495.2	979.2	947.8	31.4	516.1
TMCA	1.25%	1.74%	1.93%	1.92%	2.31%	1.47%
Fuente: Elaboración propia a partir de INEGI.						

contribuir, activamente, al sustento económico de sus familias y a la generación de riqueza del país.

Así que México experimenta el más prolongado y masivo choque positivo de oferta de trabajo sobre su economía, como llaman Charles Goodhart y Manoj Pradhan —autores del importante libro *The Great Demographic Reversal: Aging Societies, Waning Inequality, and an Inflation Revival* [La gran reversión demográfica: sociedades envejecidas, disminución de la desigualdad y un resurgimiento de la inflación] (2020)— a dicho fenómeno, el cual también se ha identificado en otras naciones del orbe (China entre ellas) entre las últimas décadas del siglo xx y las primeras del presente.

Como se aprecia en la tabla 3.8, la expansión en el número de ocupados —trabajadores que, en efecto, consiguieron un empleo laborando para otros o por cuenta propia— fue de 20.8 millones de personas, un 55% más que a inicio de siglo. Así, el ritmo de expansión de la oferta de trabajo y de la ocupación son similares.

Ahora, es posible estimar la contribución del bono demográfico a la oferta de trabajo. Siguiendo la metodología utilizada por el economista de la Universidad Autónoma Metropolitana, Enrique Hernández Laos (2016), se tiene que al principio del siglo la población en edad de trabajar representaba el 69% del total de habitantes. Si se hubiera mantenido esa estructura de edad, para 2023 el 69% de 129.6 millones habrían sido 89.6 millones, pero, como se aprecia en la tabla 3.8, en realidad las personas mayores de 15 años alcanzaron los 100.3 millones en 2023. Esa diferencia obtenida en las personas de más de 15 años es la contribución del bono demográfico en lo que va del siglo: 10.7 millones de trabajadores adicionales; sin duda, una buena nueva.

Otra buena noticia es que la nueva fuerza de trabajo en el país está más educada que en el pasado. Si se consideran los trabajadores que se incorporaron a la ocupación entre 2005 y 2023, se aprecia la mejoría en los años de escolaridad (tabla 3.9). En el año inicial, una quinta parte (21%) no había terminado la primaria y casi uno de cada cuatro (23%) nada más tenía la primaria completa. Los trabajadores en esas condiciones disminuyeron en términos absolutos en 4.5 millones dieciocho años después y, en cambio, se amplió el número de ocupados con estudios de secundaria (6.2 millones más) y, sobre todo, con educación media superior y superior (15.2 millones más). Así que, desde el punto de vista del capital humano, México tiene la mejor dotación en cantidad y calidad de su historia, pero, de forma lamentable, la mala marcha de la economía no ha permitido aprovecharla.

Es oportuno acercarse, con mayor detenimiento, al tipo de empleo generado por la economía en estos años. Para ello, se presentan datos de la serie comparable de la Encuesta Nacional de Ocupación y Empleo (ENOE) del INEGI a partir de 2005. Entre ese año y 2023, se sumaron 17 millones de trabajadores, de los cuales 13 millones son subordinados, dos de cada tres del total,

Tabla 3.9. Perfil educativo de los ocupados de México, 2005 y 2023 (miles de personas)

Año	2005	2023	Variación absoluta	Variación relativa
Primaria incompleta	8,814	4,978	-3,836	-44%
Porcentaje	21%	9%		
Primaria completa	9,530	8,901	-629	-7%
Porcentaje	23%	15%		
Secundaria completa	12,920	19,131	6,211	48%
Porcentaje	31%	33%		
Medio superior y superior	10,135	25,428	15,293	151%
Porcentaje	24%	44%		
Total	41,400	58,439	17,039	41%

Fuente: Elaboración propia a partir de datos de la ENOE del INEGI.

ya sea como asalariados o que cuentan con percepciones no salariales (tabla 3.10). Esa es una primera apreciación que debe tenerse presente: en México, el grueso del empleo es de tipo subordinado, es decir, la gente suele trabajar para un patrón, sea en condiciones formales o informales, lo que indica que dos de cada tres trabajadores venden su fuerza de trabajo en el mercado a un empleador y de eso depende su subsistencia.

El segundo lugar en importancia en la economía mexicana lo ocupa el trabajo por cuenta propia que, de acuerdo con el INEGI, define a la persona que desempeña su oficio o profesión solo, o bien con el apoyo de integrantes de su propio hogar o ajenos, pero sin pagarles por sus servicios. Profesionistas que laboran solos, sean abogados, contadores, médicos o dentistas, así como sastres y costureras, plomeros, electricistas, cocineras o locatarios de mercados que no tienen un patrón y venden los bienes y servicios que produce su labor, engloban a este amplio contingente de 13 millones de personas, las cuales representan más de una quinta parte (22%) de los trabajadores del país.

Tabla 3.10. Posición en la ocupación de los trabajadores en México, 2005 y 2023.				
	2005	2023	Variación absoluta	Variación relativa
Total	41,441,076	58,492,126	17,051,050	41%
Subordinados	26,775,337	40,134,324	13,358,987	50%
Porcentaje	65%	69%	4.0%	6%
Asalariados	24,483,582	38,356,279	13,872,697	57%
Porcentaje	59%	66%	6.5%	11%
Con percepciones no salariales	2,291,755	1,778,045	-513,710	-22%
Porcentaje	6%	3%	-2.5%	-45%
Empleadores	1,956,538	3,086,611	1,130,073	58%
Porcentaje	5%	5%	0.6%	12%
Cuenta propia	9,788,414	13,038,823	3,250,409	33%
Porcentaje	24%	22%	-1.3%	-6%
No remunerado	2,920,787	2,232,368	-688,419	-24%
Porcentaje	7%	4%	-3.2%	-46%
Fuente: Elaboración propia a partir de INEGI.				

Así que nueve de cada diez trabajadores en México (91%) son subordinados o ejercen por cuenta propia. El resto son empleadores —que no deben confundirse con dueños o gerentes de empresa, sino que engloban al trabajador independiente que emplea los servicios de uno o varios trabajadores a cambio de una remuneración económica en monetario o especie, como pueden ser dueños de talleres, fondas, peluquerías, «tienditas»— que representan apenas a uno de cada veinte ocupados (5%). El 4% restante son los trabajadores no remunerados que no reciben ningún tipo de pago por su labor, como pueden ser personas ocupadas en negocios familiares.

En lo que respecta al sector donde laboran los trabajadores, destaca el peso del sector terciario de la economía, relativo a los servicios: dos de cada tres ocupados laboran en él, y el porcentaje ha crecido a lo largo del siglo. Además, cuatro de cada diez se emplean en el comercio: la venta en tiendas de autoservicio o de conveniencia, en misceláneas o a domicilio representan la principal ocupación en México, un país de vendedores y comerciantes.

Tras el comercio, siguen en importancia los servicios diversos, con casi seis millones de ocupados. Entre esos, especial relevancia tiene el trabajo doméstico remunerado, que abarcó para 2023 a 2.4 millones de trabajadoras, 754 mil más que en 2005, así que ese tipo de empleo, prácticamente todo en la informalidad, con bajos salarios y sin prestaciones (Cebollada, 2018), creció 45% en el periodo, más que el conjunto de la ocupación en el país.

El sector primario de la economía —la agricultura, la pesca y la actividad extractiva— representa a uno de cada diez trabajadores (11%) y mantiene un continuo, aunque gradual, declive, pues mientras el total del empleo en el país aumentó en un 41% en los

Tabla 3.11. Trabajadores en México por sector de ocupación (personas)						
	2005	Porcentaje	2023	Porcentaje	Variación absoluta	Variación relativa
Total	41,441,076	100%	58,492,126	100%	17,051,050	41%
Primario	6,082,242	15%	6,560,164	11%	477,922	8%
Secundario	10,725,751	26%	14,795,191	25%	4,069,440	38%
Industria extractiva y electricidad	387,138	1%	434,730	1%	47,592	12%
Industria manufacturera	7,075,203	17%	9,758,238	17%	2,683,035	38%
Construcción	3,263,410	8%	4,602,223	8%	1,338,813	41%
Terciario	24,312,872	59%	36,796,893	63%	12,484,021	51%
Comercio	8,141,480	20%	11,440,868	20%	3,299,388	41%
Restaurantes y servicios de alojamiento	2,448,546	6%	4,636,697	8%	2,188,151	89%
Transportes, comunicaciones, correo y almacenamiento	2,069,173	5%	3,160,112	5%	1,090,939	53%
Servicios profesionales, financieros y corporativos	2,198,729	5%	4,521,480	8%	2,322,751	106%
Servicios sociales	3,381,945	8%	4,709,963	8%	1,328,018	39%
Servicios diversos	4,172,743	10%	5,977,483	10%	1,804,740	43%
Gobierno y organismos internacionales	1,900,256	5%	2,350,290	4%	450,034	24%
No especificado	320,211	1%	339,878	1%	19,667	6%
Fuente: Elaboración propia a partir de datos de la ENOE del INEGI.						

años considerados, en las actividades primarias lo hizo apenas a una quinta parte de ese ritmo (8%).

El sector secundario de la economía, donde se localiza la industria manufacturera y se producen los bienes de mayor contenido tecnológico, sigue generando una de cada cuatro ocupaciones en el país. Si bien muestra un ligero declive en su importancia dentro de la generación de empleo, ello puede deberse a los aumentos en la productividad del trabajo en el sector, lo cual permite reducir la demanda de empleo por unidad generada. El empleo industrial sigue siendo muy relevante, pues aporta el 17% de las ocupaciones. Si se atiende por subsectores, solo el comercio es más importante que la manufactura en términos de generación de empleo y sustento de las familias en México.

Un rasgo que caracteriza a la economía mexicana es su escasa capacidad para generar empleo formal. La gráfica 3.15 muestra cómo, a lo largo de todo el siglo, el grueso del empleo es informal, es decir, millones de trabajadores laboran sin tener acceso a las prestaciones que la Constitución y la ley les otorgan. La tasa de informalidad disminuyó apenas en 4% entre 2005 y 2023, al pasar de 59 a 55%, y se incrementó el número absoluto de trabajadores que laboran sin las prestaciones de ley, que pasó de 25 a

32.4 millones. A ese paso, disminuyendo en 4% la informalidad cada 18 años, eliminarla nos tomaría dos siglos y medio, lo cual resulta tan absurdo como inaceptable.

De los 20.8 millones de ocupados adicionales que tuvo México entre 2000 y 2023, más de una tercera parte, 7.4 millones (36%), se incorporó a la economía informal. Eso quiere decir que si el bono demográfico puede estimarse en 10.7 millones de trabajadores adicionales, en lo que va del siglo siete de cada diez empleos (69%) correspondientes al bono demográfico terminaron en la informalidad. Ese es un indicador del desperdicio del bono demográfico por parte de la economía nacional.

Lo anterior evidencia que en México hay un serio desequilibrio estructural en el mercado de trabajo, donde la oferta supera con creces la capacidad de demanda de empleo por parte de la economía formal. La abundante disposición de factor trabajo no ha sido debidamente aprovechada.

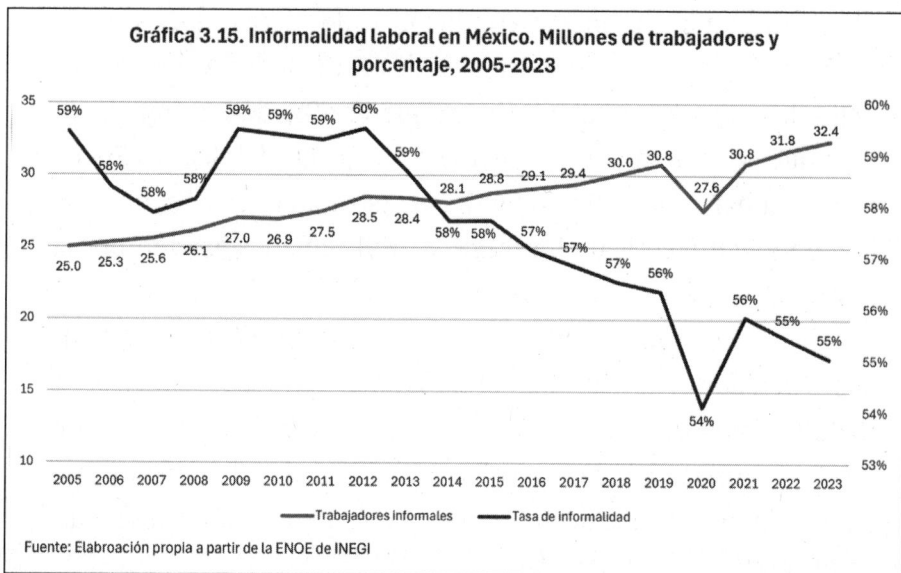

Gráfica 3.15. Informalidad laboral en México. Millones de trabajadores y porcentaje, 2005-2023

Fuente: Elaboración propia a partir de la ENOE de INEGI

El bajo nivel de inversión general en la economía puede explicar el exceso de oferta de trabajo: crece la población en edad y deseo de trabajar muy por encima de la expansión de la capacidad productiva del país, de forma tal que «sobran» trabajadores que, de encontrar ocupaciones formales, contribuirían también al incremento de la productividad y a un mejor desempeño del producto.

La alta prevalencia de la informalidad, con once de cada veinte trabajadores sumidos en ella, anticipa un problema mayúsculo en el horizonte cercano para la sociedad mexicana: el envejecimiento, que ya ha comenzado, se dará en una población que no tendrá acceso a una pensión para el retiro por los años en que laboró durante su vida económicamente activa. El problema es más grave si se considera que, si bien un 45% de los trabajadores son formales, no lo son todo el tiempo, sino que entran y salen de la formalidad para ir a la informalidad. Levy y López Calva (2024), a partir de datos del Sistema del Ahorro para el Retiro, estiman que solo el 46% de los trabajadores formales está empleado en esa condición todo el tiempo, es decir, más de la mitad de los formales dejan de serlo en breve. Por ello, los autores citados estiman que el 60% de los trabajadores que se han afiliado al Instituto Mexicano del Seguro Social (IMSS) a partir de 1997 no tendrá acceso a una pensión, pues no habrá logrado cotizar el mínimo de mil semanas exigido por la norma.

Un escenario de trabajadores en edad de retiro y sin acceso a pensiones se atisba en el horizonte. Las tristes escenas de adultos mayores empacando víveres a la salida de las cajas en los supermercados y en actividades informales del mismo tipo con el fin de hacerse de un ingreso para su manutención se multiplicarán.

XLIII. Informalidad laboral: ¿consecuencia o causa del bajo crecimiento?

Ahora es preciso abordar el debate sobre la informalidad en México, así como sus causas y efectos. Existe un amplio consenso en el sentido de que hay una correlación negativa entre la alta informalidad respecto a la productividad y el crecimiento. Cuando se observa qué ha pasado con la productividad en la economía mexicana a lo largo del siglo, la conclusión no podría ser más desoladora: si se toma el año 2000 como el inicio, con un valor de 100, dicho índice sería para 2023 de 86.4, es decir, la economía se ha vuelto un 13.6% más ineficiente de lo que era al principio de siglo para generar riqueza (gráfica 3.16).

Además, puede verse que la productividad del trabajo se mantiene prácticamente estancada, al tener un valor de 103 en 2023 frente al 100 del año 2000.

Si se ve cómo se ha comportado la producción y, a su vez, lo que la hace posible, que son los factores productivos, podrá constatarse que se amplía la dotación de factores, pero cae su productividad. La tabla 3.12 presenta el comportamiento promedio anual de las variables recién mencionadas entre 2000 y 2023. En la segunda columna (A) de la tabla se puede ver el crecimiento de la producción anual y, al desplazarse a la derecha, se aprecian las aportaciones de los factores productivos, cuya suma aparece en la penúltima columna (H); la diferencia entre la contribución de los factores y la producción es la productividad (Correa, 2021), lo que muestra la triste situación acontecida en el periodo, pues al ser negativa (-0.57%) corrobora que se ha perdido eficiencia productiva.

Una economía que no gana en eficiencia ni hace que sus recursos produzcan más es una economía que no puede crecer. Así que

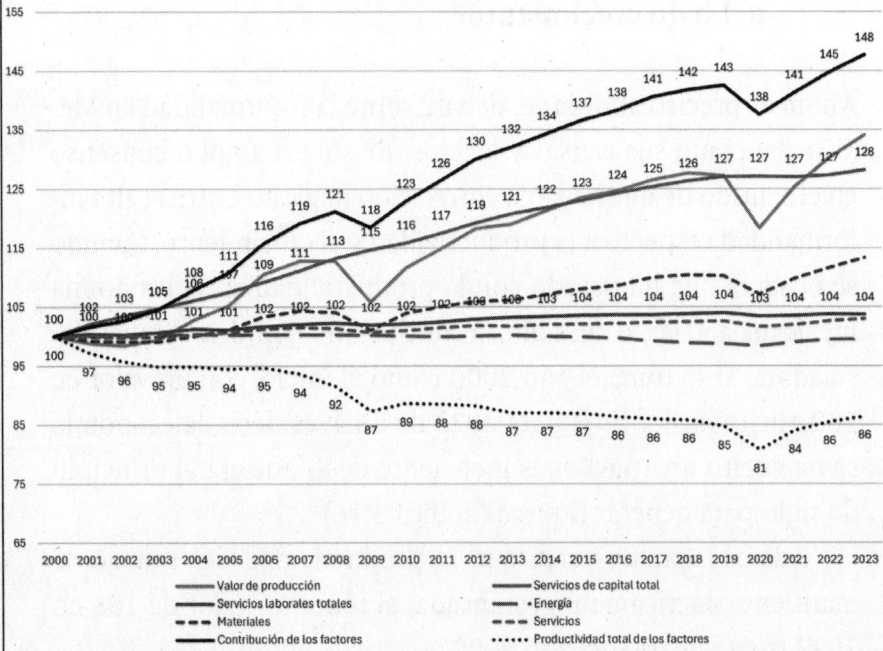

Gráfica 3.16. Valor de la producción y productividad de los factores, 2000-2023 (2000=100)

Fuente: Elaboración propia a partir de INEGI.

Tabla 3.12. Producción y productividad total de los factores en México, 2000-2023.							
	Valor de producción A	Servicios de capital total B	Servicios laborales totales C	Energía D	Materiales F	Servicios G	Contribución de los factores H	Productividad total de los factores I
Variación anual	1.67	1.27	0.17	-0.01	0.66	0.16	2.24	-0.57
Fuente: Elaboración propia a partir de datos de INEGI.								

la baja productividad, sin lugar a duda, es una seria debilidad del tejido económico de México. Pero persiste una diferencia fundamental entre los economistas cuando se discute si la informalidad es la causa o consecuencia de la baja productividad del trabajo y, por tanto, del pobre dinamismo macroeconómico de México.

Para fines explicativos, esa diferencia puede sintetizarse como la interesante y documentada polémica Ros y Casar vs. Levy y López Calva, en referencia a los argumentos que, por un lado, han sostenido Jaime Ros y José Casar, en contraste con la lectura que hacen Santiago Levy y Luis Felipe López Calva. Mientras Levy (2018) y Levy y López Calva (2023) señalan que la informalidad es resultado, básicamente, de una estrategia para eludir los costos fiscales por parte de las empresas y de la regulación estatal y, por tanto, sería la causa del pobre desempeño de la productividad y del bajo crecimiento, Ros (2019) y Casar (2024) señalan que, más allá de las estrategias micro de las empresas para eludir las normas, existe un problema de tipo macroeconómico de exceso de trabajo, lo que condena a millones de personas a la ocupación informal, de tal suerte que la informalidad es resultado del bajo crecimiento económico y no al revés.

Para Levy y López Calva (2023), si «la informalidad hubiese disminuido, la inversión y la productividad hubiesen sido más altas y, en consecuencia, la tasa de crecimiento del PIB también habría aumentado». Estiman, a partir del censo económico de 2018 levantado por el INEGI, que capta al 52% del empleo total del país, que el 38% del empleo es informal en dichas empresas. Consideran que las «instituciones de protección social a la informalidad» como el ahora desaparecido Seguro Popular, IMSS Oportunidades, el programa de pensiones para adultos mayores y otros similares implicaron que «se subsidió al empleo informal; subsidio que fue mayor para los trabajadores de bajos salarios ya que estas prestaciones representan una proporción más alta de sus ingresos». Levy y López Calva consideran que también, a través de esos programas, «se subsidió la conducta ilegal de las empresas», de las cuales, en 1998, el 15% contrataba trabajadores sin pagar las prestaciones de ley y registrarlos formalmente, y para 2018 lo hacía el 24% de las empresas. Esto es resultado de un deficiente marco regulatorio y de la mala asignación de recursos públicos. Para estos autores: «Hay que superar la informalidad para poder crecer con inclusión social».

En la otra perspectiva, Ros pone el énfasis en que el origen del problema está en la caída de la inversión y en la insuficiente dotación de capital por trabajador.

Casar (2024), por su parte, muestra que buena parte de los trabajadores informales escapan del análisis de Levy y López Calva, pues ellos consideran, como ya se dijo, a las empresas del censo económico, las cuales representan al 52% del empleo, y si el 38% de su empleo es informal, para 2022 representaría una cifra de 11.3 millones de trabajadores, no lejana a los 12.2 millones que, para ese año, calculó el INEGI a través de la matriz de Hussmanss, que es la que se utiliza a nivel internacional para conocer, bien a bien, el empleo informal. Sin embargo, este último supera los 31 millones de trabajadores, así que hay 19 millones que están al margen de la consideración y explicación de Levy y López Calva. Se trata, explica Casar, de trabajadores informales por cuenta propia en el ámbito urbano y rural, los «empleadores» —que, a pesar de ser llamados así, en realidad son, como dice el INEGI, «trabajador(es) independiente(s) que emplea(n) personas a cambio de una remuneración económica en dinero o especie»— informales de trabajadores no remunerados, de las trabajadoras domésticas sin registro ante el IMSS y de los trabajadores informales subordinados y remunerados en el ámbito agropecuario. Se trata de trabajadores que constituyen dos terceras partes del empleo informal, sobre los que pregunta Casar (2024: 138-139):

¿Se puede considerar a esta masa de trabajadores como "empresarios" que sobreviven en condiciones de baja productividad e ingreso gracias al distorsionado entorno regulatorio y que, en ausencia de estas distorsiones, habrían encontrado empleo en empresas más productivas? O bien ¿debemos considerarlos como personas que, en ausencia de seguro de desempleo y otras redes de protección social, se ganan la vida, a veces sin remuneración, pero participando en el trabajo y el consumo del hogar, mediante el comercio en vía pública, prestando servicios individuales a familias de mayores recursos o a alguna empresa formal o informal? Me inclino por la segunda opción.

Así que la tesis de Levy y López Calva, en el mejor de los casos, serviría para explicar una tercera parte de la informalidad, mientras que quedarían 19 millones de trabajadores más que no lograron insertarse en el sector formal fuera de las empresas o el gobierno. Estos trabajadores, en palabras de Casar, expresan un exceso de oferta estructural de empleo, o escasez de demanda, derivada del bajo ritmo de inversión y crecimiento. Para Ros, ese volumen de trabajadores informales es resultado de la dotación relativa de factores (abundancia de trabajo en relación al capital disponible) y la existencia de "tecnologías de subsistencia" que les permiten [...] sobrevivir sin contratos salariales en un sector no capitalista» (Ros, 2019: 271). Para Ros y Casar, entonces, no es tanto que la baja productividad lleve al bajo crecimiento, sino que, por el contrario, la atonía de la productividad se explica por el poco crecimiento.

Sin duda, es pertinente mejorar el marco regulatorio y hacer valer el Estado de derecho, como insisten Levy y López Calva, pero la informalidad no se superará si la economía sigue estancada y los niveles de inversión van a la baja. Por lo mismo, sostener que lo que provocó la informalidad fueron las políticas o los programas para dar acceso a la salud a la población excluida del empleo formal resulta un exceso; iniciativas como el Seguro Popular no crearon ni mantuvieron la informalidad, pues su origen y persistencia se ubica en el largo periodo de estancamiento económico, y sí lograron extender —no sin limitaciones y deficiencias (Murayama, 2011; Murayama y Ruesga, 2016)— la cobertura de la población con acceso a servicios de salud, así como reducir el gasto catastrófico de las familias en salud (Knaul, *et al.*, 2023). En todo caso, la irresponsable desaparición del Seguro Popular en 2019 sumó para 2022 a 22.9 millones de habitantes a la carencia de acceso a la salud (Coneval, 2023), sin que ello implicara una disminución en la tasa de informalidad, la cual pasó de 51.81% durantte el último trimestre de 2019 a 51.03% en el correspondiente de 2022. El problema, entonces, no es que el Estado mexicano impulse medidas para ofrecer acceso a los derechos constitucionales de la población con independencia de la suerte que los individuos y sus familias corran en el mercado de trabajo, sino que el mediocre desempeño económico hace imposible extender la demanda de empleo de productivo y de calidad.

XLIV. Desempleo, precariedad en el trabajo y pobreza laboral

En México, como ya se decía, el grueso de los trabajadores labora para un patrón y, de los asalariados, solo seis de cada diez tienen acceso a las instituciones de salud por su empleo y solo cuatro de cada diez de los ocupados tienen ese acceso (gráfica 3.17). A lo largo del siglo creció el número de ocupados, al pasar de 43 millones a 59 millones de trabajadores, y los asalariados pasaron de ser 26 millones a 39 millones, pero se mantiene prácticamente estancado el porcentaje de los que logran acceder por su empleo a las instituciones de salud. Es decir, permanece constante la generación de empleo precario.

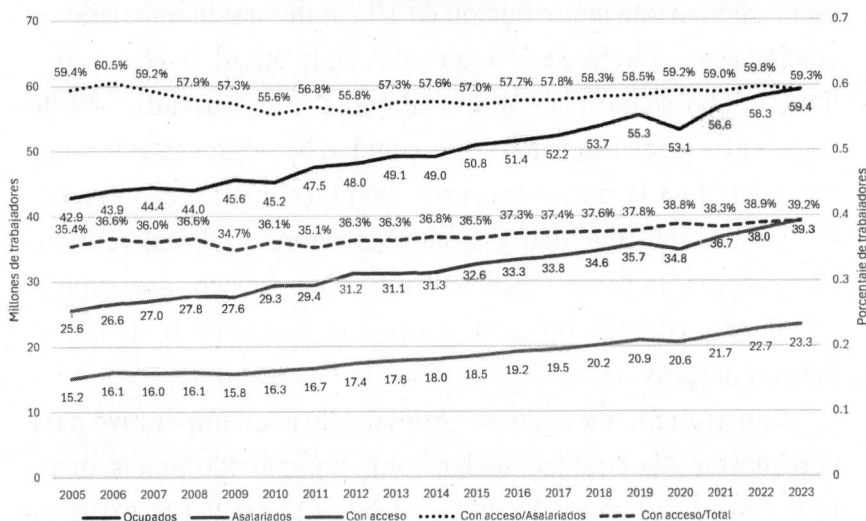

Gráfica 3.17. Ocupados, asalariados y trabajadores con acceso a las instituciones de salud, 2000-2023.

Fuente: Elaboración propia con base en datos de la ENOE del INEGI

Es preciso recuperar el crecimiento económico y, así, estimular la demanda de empleo formal propiamente capitalista y con las prestaciones que la ley y la Constitución garantizan en nuestro país para los asalariados.

Por otra parte, el mal uso de la fuerza de trabajo en México puede corroborarse al atender los indicadores de pobreza laboral, referentes a la cantidad de personas que, aun teniendo una ocupación, no alcanzan el ingreso mínimo para cubrir las necesidades alimentarias de sus familias.

Cuatro de cada diez trabajadores se mantienen en situación de pobreza laboral durante las últimas dos décadas. El índice de pobreza laboral ha variado, apenas, de 0.38 en 2005 a 0.37 en 2023, mientras que el número absoluto de trabajadores con una remuneración inferior al costo de una canasta básica pasó de 16 a 22 millones de personas en el mismo periodo (gráfica 3.18).

Una vez más, teniendo en perspectiva el bono demográfico —el cual hizo una contribución de 10.7 millones de trabajadores adicionales—, puede decirse que más de la mitad de él, seis millones (56%), se fue a la pobreza laboral. Ese es otro indicador de cómo se ha desperdiciado la oportunidad demográfica y de bienestar debido a la persistencia del bajo crecimiento económico.

La alta informalidad y la elevada pobreza laboral revelan, con crudeza, la precariedad del trabajo en México. Eso explica en buena medida la pobreza que padece buena parte de la población del país.

Construir un nuevo curso de desarrollo es un imperativo para el bienestar y la equidad social, como ha insistido precisamente el Grupo Nuevo Curso de Desarrollo (2009, 2012, 2019), el cual trabaja *ad honorem* con sede en la UNAM desde que estalló la crisis de la Gran Recesión al finalizar la primera década del siglo. Para retomar la senda del desarrollo, es preciso abandonar algunos dogmas de conducción de la economía que han sostenido

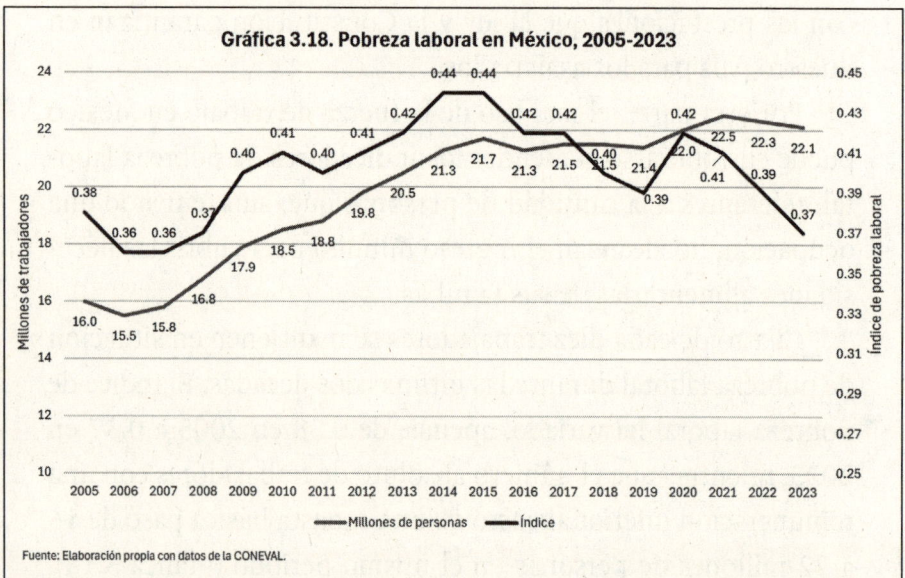

Gráfica 3.18. Pobreza laboral en México, 2005-2023

Fuente: Elaboración propia con datos de la CONEVAL.

los gobiernos durante este largo periodo de estancamiento estabilizador, como le ha llamado Rolando Cordera (2015) a la anomia económica que, durante décadas, caracteriza a la economía mexicana.

La situación del desempleo mantiene tasas históricamente bajas en el caso de la economía mexicana, lo cual merece ser comentado y aclarado. Si bien el número de desocupados aumentó en 69% entre 2000 y 2023, significó solo 690 mil personas adicionales, lo que pone de manifiesto que, en términos formales, el desempleo abierto no es el principal desequilibrio del mercado de trabajo en México, como ocurre en otras naciones.

La tasa de desempleo abierto es el resultado de estimar el número de personas desempleadas entre el total de la población económicamente activa (PEA), que está constituida por ocupados y desocupados. Como ocupado se considera a la persona que respondió a la encuesta del INEGI que trabajó al menos una hora la semana anterior; entonces, aparecen como ocupados los trabajadores que tienen un empleo formal, pero también los millones de informales que, como se mencionó, representan a más de la mitad de los trabajadores mexicanos. Debe considerarse, además, que México no cuenta con seguro de desempleo, lo cual tiene como efecto dificultar el periodo de búsqueda de empleo y que las personas sin ocupación se visibilicen. A su vez, un desocupado es la persona que quiere trabajar, busca activamente empleo y no lo encuentra, pero tampoco realiza actividades informales para asegurar sus ingresos en lo que halla una ocupación.

Un dato que revela por qué la tasa de desempleo puede ser engañosa en México es que, entre mayor es el nivel educativo de las personas, más posibilidades tienen de ser desocupados abiertos. Para el cuarto trimestre de 2023, mientras la tasa general de desempleo era de 2.7% (tabla 3.13), la más baja fue la de las personas con primaria incompleta (1.2%), mientras que el colectivo con la tasa más alta de desocupación fue el que contaba con estudios medio superiores y superiores (3.3%). Esta situación no es coyuntural y se encuentra presente desde hace décadas. Pero lo anterior no significa que, entre más años se acude a la escuela, se enfrenten mayores dificultades para poder encontrar una ocupación, sino que quienes cuentan con más escolaridad son los que pueden estar más tiempo buscando empleo porque tienen ahorros o respaldo familiar, sin que necesiten dedicarse a actividades precarias para hacerse del sustento diario. Así que puede decirse que aparecer en la estadística como desempleado en México es un lujo que muy pocos pueden darse.

Por las características estructurales de la economía mexicana, a diferencia de países con predominio de empleo formal y mejores salarios, la tasa de desempleo no es el mejor indicador para revelar el desequilibrio en el mercado laboral o la mala utilización de la fuerza de trabajo en México. Como ya se dijo, en este caso, el exceso de oferta de trabajo sobre la escasa demanda se traduce en un panorama de amplia precariedad laboral, lo cual daña el bienestar de las familias de los trabajadores y contribuye negativamente o la productividad general de la economía.

Tabla 3.13. Ocupados y desocupados en México por tipo de instrucción en 2023 (miles de personas)					
	Ocupados	Porcentaje	Desocupados	Porcentaje	Tasa de desempleo
Total	59,404	100.0%	1,639	100.0%	2.7%
Primaria incompleta	5,077	8.5%	63	3.9%	1.2%
Primaria completa	8,802	14.8%	153	9.4%	1.7%
Secundaria completa	19,232	32.4%	516	31.5%	2.6%
Medio superior y superior	26,236	44.2%	905	55.2%	3.3%
No especificado	57	0.1%	1	0.1%	2.0%
Fuente: Elaboración propia a partir de la ENOE de INEGI.					

XLV. La migración: válvula de escape

Además de la alta informalidad, la cual muestra cómo la oferta de trabajo desborda la capacidad de incorporación de la demanda, otra válvula de escape muy relevante para los trabajadores mexicanos que no encuentran empleo ni buenos salarios en su país natal es la migración internacional. Es de tal magnitud el fenómeno migratorio y de expulsión de connacionales que, por «número de migrantes, México ocupa el segundo lugar a escala mundial con un total de 11.8 millones, de los cuales la mayoría está en Estados Unidos. India ocupa el primer lugar con 17.5 millones de personas en el extranjero» (Domínguez y Vázquez, 2023: 17). En términos relativos, es mayor la migración mexicana que la india, pues mientras en el país asiático sus migrantes representan 1.25%, en México son más del 8 por ciento.

Si se considera a la población nacida en territorio mexicano y se añade a quienes nacieron en el exterior de padres mexicanos, la población mexicana hubiese alcanzado los 164 millones de personas en 2021, con 38 millones viviendo en el extranjero, lo que ha dado lugar a que se hable de México como una «nación transterritorial» (Guillén, 2021).

En lo que va del siglo, el número de mexicanos nacidos en territorio nacional que estaban viviendo en los Estados Unidos pasó de 8.1 millones en 2000 a 12.2 millones en 2022 (gráfica 3.19), un incremento del 51% (Cámara de Diputados, 2023). Esos 4.1 millones de migrantes adicionales, en buena medida, dejaron de presionar al mercado de trabajo en México. Piénsese en la magnitud de la cifra: 4.1 millones son casi dos veces y medio el número de desempleados abiertos que se registran en nuestro país. Se trata de personas cada vez más calificadas, con frecuencia profesionistas (Domínguez y Vázquez, 2023), que no

Gráfica 3.19. Migrantes mexicanos en Estados Unidos, 2000-2022

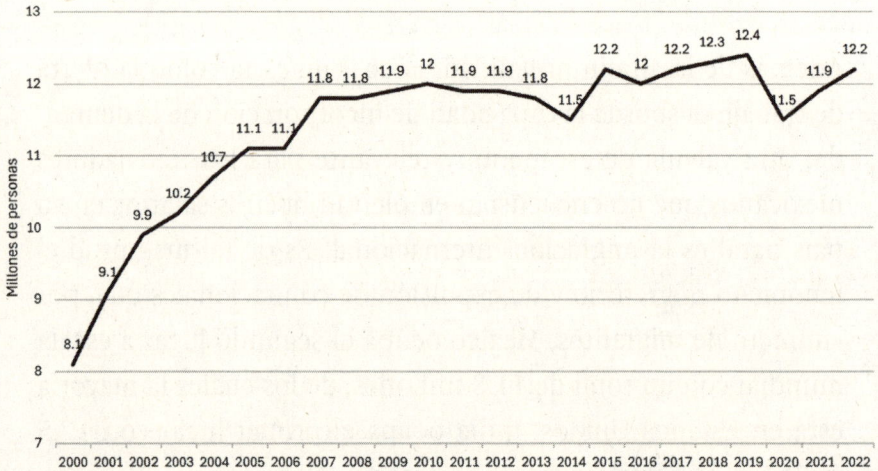

Fuente: Elaboración propia a partir de datos de Cámara de Diputados, 2023.

encontraron oportunidades de progreso para ellos y sus familias en México. Asimismo, de acuerdo con datos de la Encuesta Nacional de Dinámica Demográfica de 2023 (INEGI, 2024), entre agosto de 2018 y septiembre de 2023 hubo 1.2 millones de migrantes internacionales de México, lo que representó un incremento de 459 mil personas que abandonaron el país respecto al periodo 2013 a 2018; el 50.5% de ese millón doscientas mil personas fueron jóvenes de entre 15 y 29 años.

Uno de los dramas de la anomia del crecimiento económico y de la expulsión de migrantes es que el país pobre subsidia la formación y educación de millones de trabajadores que, después, contribuirán a la producción en el país desarrollado. Por supuesto, como ya se mencionó, esos trabajadores envían a sus familiares en México altos montos de divisas, mas es lamentable que su talento y disposición de trabajo, y capacidad de generación de riqueza, no sea aprovechada por la tierra que les vio nacer. Se trata de una auténtica fuga de capital humano.

Al fenómeno migratorio de origen económico hay que agregar, lamentablemente, la expulsión por razones de violencia. Como ha señalado Tonatiuh Guillén (2024), se trata de refugiados mexicanos en Estados Unidos que huyen para salvaguardar sus vidas. Al mal desempeño económico se le suma el horror de la violencia criminal que asfixia la existencia de la gente en cada vez más regiones del país.

La abundancia de fuerza de trabajo en México, al no combinarse con mayores volúmenes de inversión productiva, reforzó el modelo de uso intensivo de trabajo barato y escasa productividad. Se trata de un círculo vicioso que ha contribuido a que las posibilidades de desarrollo en México se redujeran y que el bono demográfico se desperdiciara.

De forma lamentable, no se atendió la advertencia que en su momento hicieran Cordera y Lomelí (2008: 28-29):

> La perspectiva es ominosa: junto con los hombres y las mujeres jóvenes que buscan empleo, se mantienen las generaciones nacidas durante los años de alto crecimiento demográfico. Sin una correspondencia adecuada en el mercado de trabajo formal, lo que se tiene son desequilibrios formidables: un crecimiento desmesurado de la migración y del empleo informal y un horizonte de pobreza, pero ahora, en la mitad del siglo XXI, poblado por viejos.

XLVI. Salario mínimo y distribución del ingreso

La calidad del empleo está íntimamente ligada a su remuneración. Pese a que México fue pionero en incorporar a su Constitución los derechos sociales desde 1917, entre ellos el salario mínimo, este declinó de forma drástica a partir de la década de 1980 y se mantuvo en una situación de extrema precariedad hasta bien avanzada la segunda década del presente siglo. Como se aprecia en la gráfica 3.20, el salario mínimo fue perdiendo capacidad adquisitiva frente al salario medio de cotización del IMSS, pues si para el año 2000 representaba solo el 22%, perdió cuatro puntos porcentuales en los años posteriores. Es interesante notar que el estancamiento del salario mínimo se correspondió, también, con una conducta de débil recuperación de los salarios del sector formal, de los que se registran ante el IMSS.

Una vez que el salario mínimo se recupera, también lo hacen los salarios medios cotizados en el IMSS, es decir, hubo un efecto positivo en la remuneración de los trabajadores que no se habría dado sin la decisión política de abandonar la estrategia de castigar la remuneración de la fuerza de trabajo en México.

Los mayores salarios en la economía se identifican en la industria manufacturera. En los peores momentos del salario mínimo, de 2008 a 2015, este representó el 18% de lo que ganaba un trabajador formal promedio, menos de una quinta parte, y apenas el 14% de un salario medio en la manufactura, solo una séptima

Gráfica 3.20. Comportamiento real de los salarios en México, 2000-2023

Fuente: Elaboración propia a partir de datos del VI Informe de Gobierno de López Obrador (2024).

parte. En la actualidad, el salario mínimo ya representa el 30% del salario medio de cotización al IMSS y el 27% del que se paga como media en la manufactura. Durante la década de 1980, antes de que iniciara el largo declive del minisalario en México, este equivalía al 50% del salario promedio del IMSS (Samaniego y Toledo, 2024). En países como España, por ejemplo, el objetivo es que el salario mínimo se sitúe en el 60% del salario medio, por lo que es evidente que, en México, los significativos avances de los últimos años aún no consiguen asegurar un adecuado poder de compra para sus perceptores frente al promedio de los ocupados formales.

La política, atinada, de recuperación del salario mínimo empezó al final del sexenio de Enrique Peña Nieto y se subrayó durante la administración de López Obrador (gráfica 3.21), en lo que puede considerarse uno de los muy escasos aciertos —junto con la reforma laboral para eliminar la subcontratación u *out-sourcing*— en la conducción económica del primer gobierno de

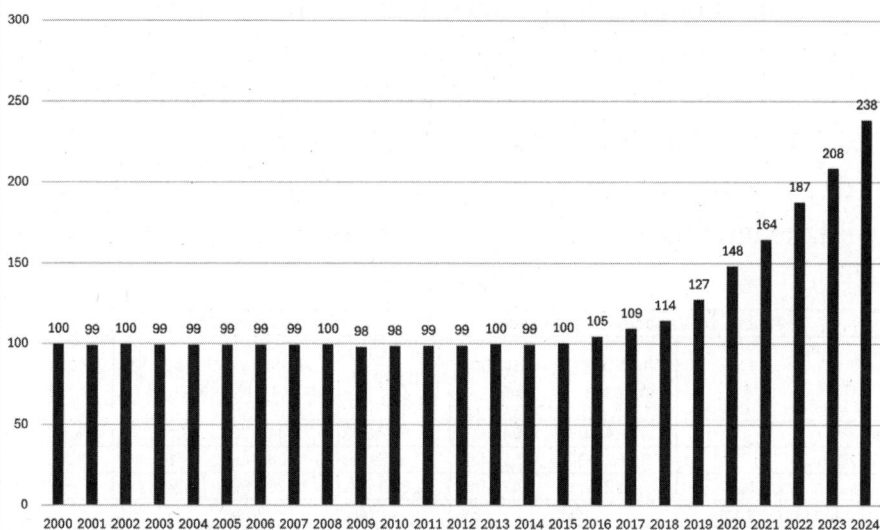

Gráfica 3.21. Índice de evolución del salario mínimo general en México. 2000=100

Fuente: Elaboración propia a partir de datos del Banco de México.

Morena. Para 2023, el salario mínimo era un 138% más alto, en términos reales, que en 2015.

Hasta antes del cambio en la política del salario mínimo, este no solo se mantuvo estancado, sino que se incrementó el número de trabajadores que ganaban menos de tres salarios mínimos, lo que implicó 4.9 millones de personas adicionales entre 2000 y 2015. En cambio, solo aumentó en un cuarto de millón la cantidad de personas que ganaban entre tres y cinco salarios mínimos, y 822 mil personas dejaron de ganar más de cinco salarios mínimos durante el periodo. Así, se trató de una etapa de tres lustros de expansión del empleo menor pagado y de destrucción del número de empleos mejor remunerados (tabla 3.14).

Cabe decir que la política de recuperación real del salario mínimo tuvo como antecedente un importante planteamiento, formulado en 2014 por un equipo de académicos —Antonio Azuela, Graciela Bensusán, Gerardo Esquivel, Juan Carlos Moreno-Brid, Enrique Provencio, Ariel Rodríguez Kuri, Jaime Ros Bosch y Pablo Yanes—, convocados a su vez por Salomón Chertorivski y Ricardo Becerra desde la Secretaría de Desarrollo Económico del entonces Distrito Federal (Sedeco, 2014). En ese estudio se documentó cómo México había acumulado una caída del poder adquisitivo del salario mínimo del 70% en poco más de cuarenta años (1968-2011), que era el país de la OCDE con el salario mínimo más bajo y que, en América Latina, nuestro país

Tabla 3.14. Variación de trabajadores según nivel de ingresos entre 2000 y 2015.						
	No recibe ingresos	Hasta un S.M.	Más de uno y hasta 2 S.M.	Más de 2 y hasta 3 S.M.	Más de 3 y hasta 5 S.M.	Más de 5 S.M.
Año 2000	3,764,508	6,042,632	9,957,308	7,944,476	7,306,260	4,185,416
Año 2015	3,351,997	6,518,695	12,327,009	10,024,245	7,554,432	3,363,288
Variación absoluta	-412,511	476,063	2,369,701	2,079,769	248,172	-822,128
Variación porcentual	-11%	8%	24%	26%	3%	-20%
Fuente: Elaboración propia a partir de INEGI.						

era el único que, a lo largo del siglo, no había tomado medidas para mejorar esa remuneración laboral, similar a la de Bolivia y Nicaragua, representando apenas una tercera parte de la vigente en Brasil, Chile, Ecuador o Uruguay.

Los autores del estudio de la Sedeco se adentraron en el debate teórico sobre el salario mínimo y sus efectos, identificando que, desde la década de 1990, el salario mínimo se alejó del salario medio, por lo que la modificación del primero cada vez tenía menor impacto en la inflación y en el nivel agregado de empleo. Además, encontraron que la caída del salario mínimo había sido funcional al incremento de la desigualdad entre los asalariados y que una mejoría del salario mínimo podría, como había ocurrido en otros países de América Latina, disminuir la pobreza. Otro de los argumentos relevantes a favor de mejorar el salario mínimo recayó en la consideración del efecto positivo que podría tener sobre la productividad del trabajo, además de que favorecería el cambio tecnológico de las empresas, las cuales invertirían más en procesos intensivos en capital que en fuerza de trabajo. La mejoría del salario mínimo en el sector formal incrementaría, asimismo, la búsqueda de empleo formal, desincentivando así la informalidad. En términos macroeconómicos, los autores de la propuesta estimaron que habría un efecto limitado sobre los precios si mejoraba el salario mínimo.

En ese documento también se discutió cómo en México los salarios no se han establecido siguiendo la productividad del trabajo, sino yendo tras metas de control de la inflación, que la productividad en el sector formal —donde se vería el efecto del salario mínimo— era del doble que en el informal. Asimismo, al analizar los efectos de la crisis de 2009, dan cuenta de cómo la productividad total en México se redujo en seis puntos frente al año anterior, cuando el producto cayó como consecuencia del sisma financiero global, lo que comprueba que fue la caída del producto lo que jaló a la productividad a la baja —pues se contrae más la producción que el empleo— y no al revés. Los autores estimaron que, entre 1990 y 2013, la productividad había subido 4.5 puntos porcentuales nada más, pero, en cambio, el salario mínimo se devaluó en 30% durante ese periodo, lo que contribuyó al aumento de la desigualdad en el país.

La propuesta, elaborada a convocatoria de la Sedeco, dio cuenta de que la política de contención de los salarios ha dado lugar a una de las características más ominosas de la economía y la sociedad mexicanas: mientras en los países con mayor equidad la masa salarial representa el grueso del ingreso, con niveles de entre 60 y 80%, en México representa menos de la tercera parte del total.

El documento concluía proponiendo una subida significativa del salario mínimo con el objetivo expreso de sacar de la pobreza a las personas que laboraran en el sector formal de la economía, con un incremento gradual pero constante de 15.6% al año entre 2014 y 2020, con el cual los hogares de cuatro habitantes y con dos perceptores del salario mínimo habrían logrado pagar una canasta básica de consumo y salir de la pobreza (Sedeco, 2014: 69).

La propuesta fue replicada nada más y nada menos que por el Banco de México. En el "Documento Preparado para la Comisión Consultiva para la Recuperación Gradual y Sostenida de los Salarios Mínimos Generales y Profesionales" (2016) se puede leer:

> aumentar el salario mínimo podría tener un efecto importante sobre la inflación. Por ello, cualquier propuesta de incremento debe tomar este efecto en consideración, y recordar que, si se empieza a descuidar la estabilidad de precios, se corre el riesgo de perder el control sobre la inflación, con su consecuente impacto negativo sobre el bienestar de la población.

Asimismo, el banco central consideró que «mientras algunos trabajadores que ganan el salario mínimo tendrían mayores ingresos, otros podrían llegar a perder su empleo formal» y que «un incremento exógeno en el salario mínimo podría tener repercusiones negativas sobre el buen funcionamiento de la economía en general». Además, Banxico presagió que la mejoría del salario mínimo podría dar lugar a «presiones sobre las finanzas públicas como consecuencia de las menores posibilidades de recaudación del país que resultan de un menor crecimiento económico y una mayor informalidad» (Banxico, 2016: 37). Inflación, desempleo, aumento de la informalidad y presiones sobre las finanzas públicas era lo que acarrearía la recuperación del salario mínimo, según el banco central.

A más de un lustro de que iniciara el incremento de los salarios mínimos —que en 2024 representan 138% más que en 2015, de tal modo que han aumentado a más del doble—, no hubo ninguna de las plagas económicas que el Banco de México anticipó cuando insistió en la necesidad de mantener precarias las remuneraciones de los trabajadores más desfavorecidos de la economía formal. La inflación acumulada es de 53.3 puntos entre enero de 2015 y enero de 2024, así que el aumento del salario mínimo en esos años fue dos veces y medio al aumento promedio de precios en la economía; es más, entre enero de 2005 y 2014, cuando los salarios mínimos se mantuvieron estancados, la inflación acumulada fue de 45%, así que el comportamiento de los precios no se ha visto trastocado, como anticipó el banco central, por la mejora del minisalario. Por otra parte, el número de personas desocupadas en enero de 2015, de acuerdo con la ENOE del INEGI, alcanzó a 2.17 millones de trabajadores, con una tasa de desempleo de 4.24%, y para enero de 2024 eran 1.5 millones (2.54%), es decir, en vez de aumentar el desempleo abierto disminuyó en los años de mejora del salario. Ocurrió justo lo opuesto a lo que vaticinó el banco central. Por otra parte, la tasa de informalidad era de 52.74 durante el primer trimestre de 2015 y, para el mismo trimestre de 2024, fue de 50.8, así que, de nuevo, no sucedió lo que anticipó el Banco de México, pues, en todo caso, la informalidad descendió en dos puntos durante el periodo. Además, no hay presiones sobre las finanzas públicas generadas por la mejoría del salario mínimo. Sorprende el desacierto de las previsiones económicas de una institución tan relevante, la encargada precisamente de conducir la política monetaria de la nación.

El referido documento del Banco de México bien podría ser usado como un ejemplo, incluso para ser enseñado en las escuelas de economía, de cómo la ideología y los prejuicios pueden nublar la capacidad de los economistas para comprender la realidad, y de la carente sensibilidad social que suele encontrase entre los encargados de conducir económicamente al país durante las últimas décadas.

A partir de la recuperación del salario mínimo, aumentó de forma natural el número de sus perceptores y también de quienes ganan hasta dos salarios mínimos (gráfica 3.22). Si hasta 2015 el aumento de esas franjas de trabajadores se debió a la precarización, es decir, a que cada vez más gente laboraba en ocupaciones peor pagadas, a partir de 2016 el grueso de ese aumento se explica por la subida del valor del salario mínimo, por lo que es normal que haya más perceptores de hasta tres salarios mínimos que antes, pero ahora lo son con salarios significativamente mejores.

Sin embargo, y como ya se decía, el salario mínimo no llega a ser aún ni una tercera parte (30%) del salario medio de cotización al IMSS.

Los bajos salarios tienen efecto directo sobre otra de las características más ominosas de la sociedad y la economía

Gráfica 3.22. Distribución porcentual de los trabajadores por nivel de ingresos, 2000-2024

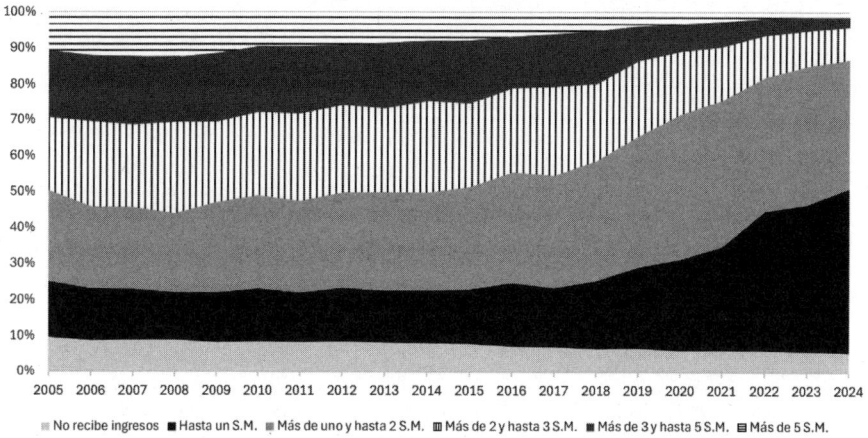

Fuente: Elaboración propia a partir de INEGI

mexicanas: la profunda desigualdad. Una manera de aproximarse a este tema es conocer cómo se da la distribución del ingreso total de la economía entre los factores productivos y, en especial, cuánto le toca al trabajo.

Debe ponerse atención al volumen de los salarios en la economía, es decir, la sumatoria de la remuneración a todos los ocupados en el país. De acuerdo con cifras del Consejo Nacional de Evaluación de la Política Social (Coneval), instituto desaparecido por decisión política de la mayoría gobernante en 2024, los ingresos conjuntos de los trabajadores han mantenido un comportamiento en forma de «U» en lo que va del siglo (gráfica 3.23). En especial, a partir de la crisis de 2008 comenzó un declive de la masa salarial total que, para 2014, era 12% inferior a la de 2007. Pero más grave aún es que, entre 2007 y 2014, se incorporaron 5.2 millones de ocupados adicionales (12%), por lo que se esperaría que, sin cambios en los salarios, dicha masa se extendiera en esa proporción, pero el que cayera significa que fueron años de evidente contracción del salario real de todos los trabajadores, lo que refleja

Gráfica 3.23. Evolución de la masa salarial total, millones de pesos constantes (2020=100)

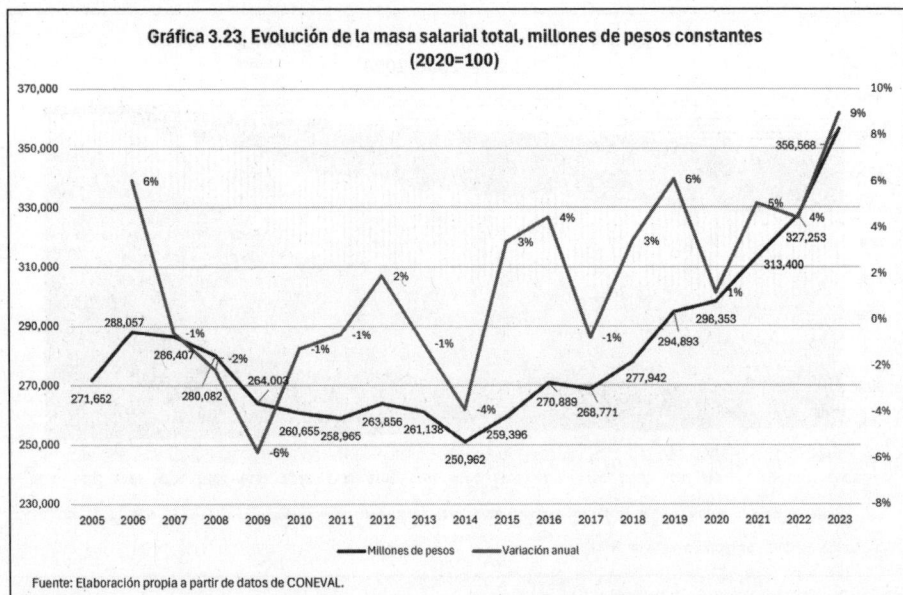

Fuente: Elaboración propia a partir de datos de CONEVAL.

que el empleado que se generaba era de peor calidad: en el sector informal o bien, formal, pero de muy baja retribución. Ello tiene impactos negativos en la vida de las familias, pero también en su consumo y, por ende, en la demanda agregada de la economía. El sexenio de Felipe Calderón no puede sino ser considerado uno de castigo al salario y al bienestar de las familias de los trabajadores.

La masa salarial comenzó a mejorar hacia mediados de la década pasada, lo que se explica por la recuperación del salario mínimo y su efecto sobre la remuneración formal media. Para 2023, la masa salarial era 42% superior a la de 2014, y el número de ocupados había crecido en 10.3 millones, equivalentes al 21%. Así que, durante ese periodo, el aumento del volumen de salarios reales pagados se debe, en proporciones iguales, tanto a la expansión en el número de trabajadores como a la mejora en las remuneraciones.

Los últimos años presentan un horizonte positivo, pero lejos estamos aún de corregir la persistencia de los bajos salarios y su efecto en la inequidad que caracteriza al tejido social del país.

Otro mirador indispensable al tema lo ofrece la distribución funcional del ingreso generado en el territorio, es decir, cuánto corresponde a los trabajadores como proporción del PIB. México se encuentra en una situación anormal y extrema. Lo usual es que el grueso del PIB de los países se vaya a la remuneración de los trabajadores, y países como Alemania, Canadá, España, Estados Unidos, Francia y Reino Unido destinan más de seis de cada diez unidades de ingreso a los salarios. Pero México, algo más de una tercera parte del PIB, y eso que ya había iniciado la recuperación del salario mínimo y de la masa salarial para 2020 (gráfica 3.24). El trabajo en México encuentra una participación en el producto que es inferior, también, a la de países latinoamericanos de desarrollo similar al nuestro, y va rezagado incluso frente a países africanos.

Norma Samaniego (2014) llamó la atención acerca de cómo la precarización del trabajo, que inició desde la década de 1980, está íntimamente vinculada con la disminución de la

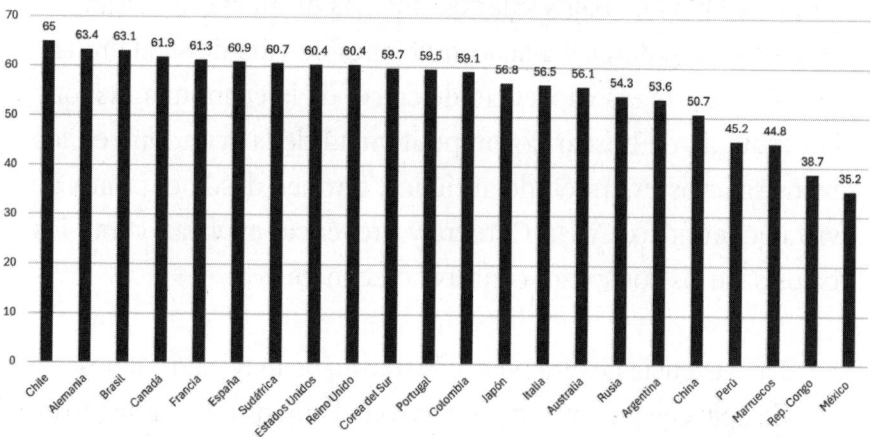

Gráfica 3.24. Participación del trabajo en el PIB, 2020. Porcentaje

Fuente: https://ourworldindata.org/grapher/labor-share-of-gdp

participación salarial en el ingreso del país. De acuerdo con sus datos, antes de la crisis de la deuda, la masa salarial representó el 40% del PIB, pero descendió hasta niveles cercanos a una cuarta parte del producto a comienzos de la década pasada. Para esta autora, la «pérdida que muestra la participación de la masa salarial en este agregado refleja que en el largo plazo las remuneraciones al trabajo y el empleo formal se han rezagado respecto a la evolución del producto» y no puede aceptarse «como algo natural, intrínseco o inherente a cada país», que no

> solo es determinante en el origen de la desigualdad, sino también tiene repercusiones importantes en el potencial de desarrollo. Es este un tema que merece retomarse, no solo por una cuestión esencial de equidad, y de transparencia en la distribución del ingreso y de la productividad. Lo es también por una razón elemental de carácter económico. La masa salarial es por definición un elemento esencial de la demanda agregada y su depresión prolongada impacta fuertemente la dinámica del crecimiento (Samaniego, 2014: 72).

La prevalencia de bajos salarios, además de afectar directamente a los trabajadores y a las condiciones de vida de sus familias, también lastima la capacidad de crecer de la economía. Así que la estrategia de buscar la competitividad de la economía en los bajos salarios es, amén de antiética, errónea desde el punto de vista económico. Casar, Cordera y Provencio explican cómo los bajos salarios conspiran contra el crecimiento:

> La existencia de esta fuerza de trabajo de muy bajos ingresos y de nulo crecimiento en productividad impide el crecimiento de los salarios en el sector formal, donde sí crece la productividad,

sobre todo en un contexto de deterioro del sindicalismo y, por lo tanto, del poder de negociación de los trabajadores. Al no crecer los salarios, al tiempo que crece la productividad, su participación en el PIB se reduce, lo que contribuye al deterioro de la distribución del ingreso y lleva a que el mercado interno crezca menos de lo que debería. Se configura así un círculo vicioso en que el bajo crecimiento de la economía contribuye a la persistencia de la informalidad, lo que impide el crecimiento de los salarios, lo cual a su vez reduce el crecimiento de la economía (Casar, Cordera y Provencio, 2024: 143).

El profesor Julio López también sostuvo la importancia de recuperar el salario mínimo para mejorar la capacidad de consumo de los sectores más pobres de la población, lo que, junto con la inversión privada y el gasto público, podría mejorar las fuentes de demanda de la economía mexicana para inyectar dinamismo a su crecimiento (López, 2016).

Una política de recuperación del salario, al menos para garantizar el poder adquisitivo de una canasta básica a los hogares que tienen dos perceptores de salarios mínimos, y terminar con la pobreza laboral, es un imperativo ético y podría estar en la base de un renovado consenso de una estrategia económica que busque el crecimiento y la equidad, es decir, el desarrollo.

XLVII. Desigualdad y pobreza incesantes

Como se ha podido ver, la política fiscal que se ha seguido durante las últimas décadas no sirve para mejorar la distribución del ingreso y los salarios tienen una escasa participación en el producto. Esa combinación necesariamente arroja una sociedad muy desigual, con alto grado de polarización en los ingresos. Ello puede apreciarse al considerar el índice de Gini, que es la medida más socorrida para comparar el grado de desigualdad entre los países (gráfica 3.25).

América Latina es la región más desigual del mundo, aunque no necesariamente la más pobre. Ello habla de la fractura de la cohesión social en los países latinoamericanos, caracterizados por el contraste entre la opulencia de unos y la miseria de muchos. De las dos docenas de países seleccionados en la gráfica 3.25, México es de los más desiguales, solo por detrás de otros países de la región: Brasil, Panamá y Costa Rica, y por delante de Chile. En el otro extremo, a la derecha de la gráfica, aparecen los países que han logrado una mejor distribución de la riqueza entre sus habitantes, los cuales corresponden a países integrantes de la Unión Europea, que sigue siendo el espacio supranacional donde se ha conseguido la mejor combinación de libertades políticas y equidad social.

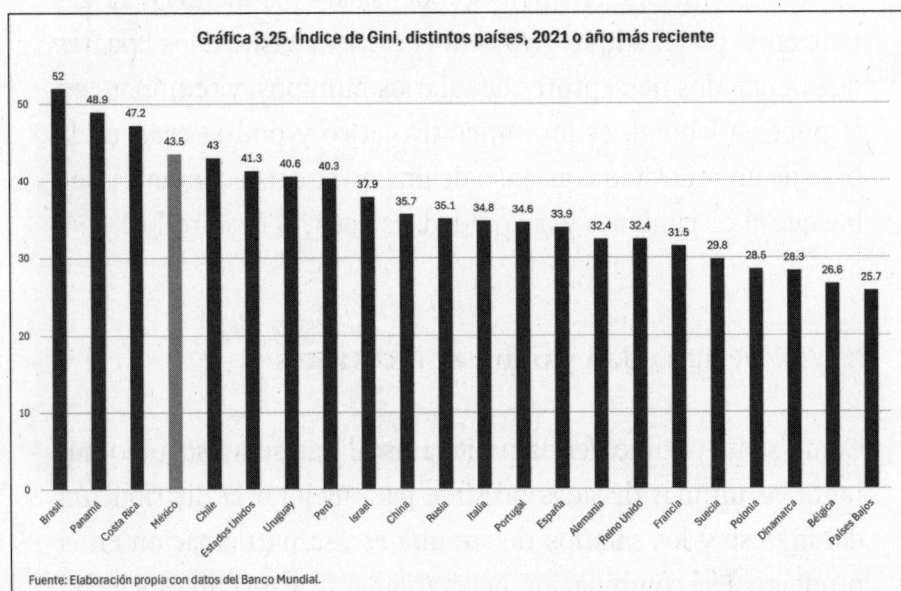

Gráfica 3.25. Índice de Gini, distintos países, 2021 o año más reciente

País	Índice
Brasil	52
Panamá	48.9
Costa Rica	47.2
México	43.5
Chile	43
Estados Unidos	41.3
Uruguay	40.6
Perú	40.3
Israel	37.9
China	35.7
Rusia	35.1
Italia	34.8
Portugal	34.6
España	33.9
Alemania	32.4
Reino Unido	32.4
Francia	31.5
Suecia	29.8
Polonia	28.5
Dinamarca	28.3
Bélgica	26.6
Países Bajos	25.7

Fuente: Elaboración propia con datos del Banco Mundial.

Ahora bien, además de saber que somos uno de los países con menos equidad a escala global, ¿de qué magnitud es la desigualdad dentro de nuestra sociedad? A continuación, se presentan un par de medidas de desigualdad. Una, simple, consistente en comparar a los dos deciles extremos de la sociedad —el 10% de más ingreso con el 10% de los hogares cuyos ingresos son menores—. La segunda medida es el índice de Palma, creado por el economista chileno Gabriel Palma (2011) y que Gerardo Esquivel (2021) considera que permite una interpretación nítida sobre su significado, pues consiste en tomar al decil más rico de la población —al 10% de los hogares de mayor ingreso— y compararlo con los cuatro deciles de menores ingresos —el 40% de la población—. El cálculo, además, es sencillo: se divide el ingreso del decil rico entre el de los cuatro más pobres. En una situación ideal, donde no hubiera desigualdad, el resultado de la división sería un cociente de 0.25, pues el 10% de la población ganaría la cuarta parte que el 40% de los habitantes, o lo mismo que el 10% del otro extremo de la distribución. Si, en cambio, el resultado fuera de una unidad, eso querría decir que el 10% más rico gana cuatro veces lo que uno de los deciles de menor ingreso.

En México, a lo largo del siglo XXI pueden calcularse ambas medidas a partir de la Encuesta Nacional de Ingreso y Gasto de los Hogares (ENIGH) que, de forma bianual, realiza el INEGI. La gráfica 3.26 da cuenta de los altos niveles de desigualdad en México, si bien se ha atemperado. Los dos indicadores, de forma natural, tienen el mismo comportamiento a lo largo del tiempo. Al inicio de siglo, el índice de Palma fue de 3.1, es decir, el 10% más rico ganaba más de tres veces que el 40% más pobre. O, desde el otro indicador, el 10% de los hogares más favorecidos tenía un ingreso 25.5 veces superior que el 10% de menor ingreso.

Gráfica 3.26. Indicadores de desigualdad en México

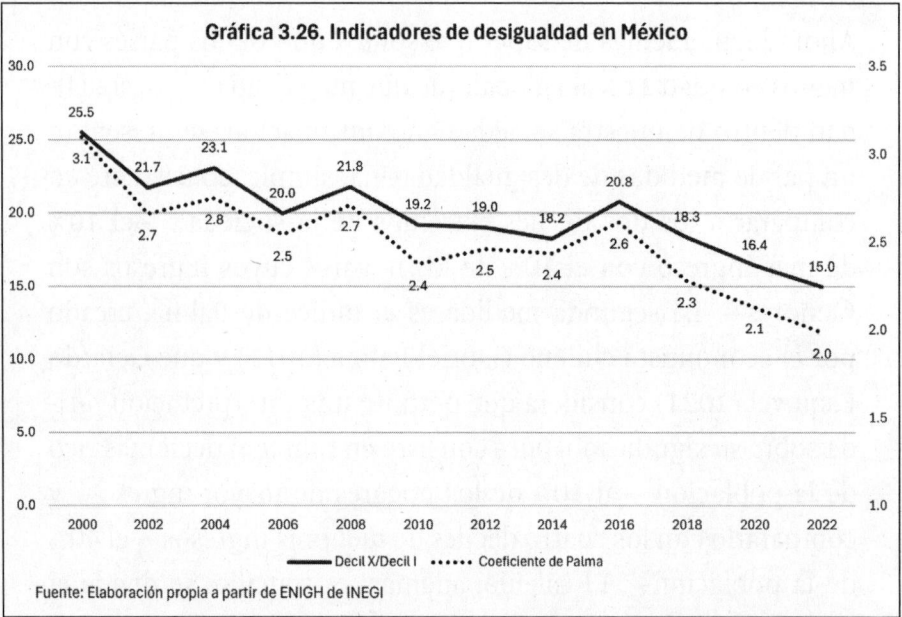

Fuente: Elaboración propia a partir de ENIGH de INEGI

El índice de Palma disminuyó de forma gradual hacia dos puntos y medio al iniciar la segunda década del siglo y a dos puntos al comenzar la tercera. En el otro indicador, una familia promedio del decil más alto percibe en un año lo que a una del decil de menor ingreso le toma 15 años reunir. Ambos indicadores evolucionan en una dirección correcta pero lenta a la vez, pues todavía un hogar promedio del 10% más rico gana dos veces lo que el 40% de menor ingreso. Cabe señalar que la desigualdad es mucho mayor si se considera al 1% más rico de la población, cuyo ingreso suele estar subestimado en las estadísticas por la dificultad de captar información suficiente a través de encuestas sobre las percepciones y los bienes de que disponen los estratos sociales más altos.

La otra característica que muestra la ausencia de cohesión social en México, y que ha persistido a lo largo de su historia, es la pobreza masiva que afecta a enormes capas de la población.

En lo que va del siglo, más de 40 millones de personas han vivido en condición de pobreza, equivalentes, por ejemplo, a la población total de países como Argentina o España. La gente que vive en pobreza en México ha ido, de casi la mitad de la población, a más de un tercio en el mejor momento, lo que evidencia a una sociedad marcada por unas condiciones de existencia inaceptables para buena parte de sus habitantes (gráfica 3.27).

México avanzó, durante años, en una precisa medición de la pobreza a través de las encuestas y los censos realizados por el INEGI, así como por los cálculos que elaboró el Coneval, organismo que desapareció en 2024 por decisión del gobierno de Claudia Sheinbaum y su inconstitucional mayoría parlamentaria.

Gracias a las mediciones del Coneval, por ejemplo, ha sido posible conocer el número de carencias sociales que afectan a la población, lo que permite tener una visión de las condiciones de vida de los habitantes del país, más allá de su nivel de ingresos.

Gráfico 3.27. Población en condición de pobreza en México, 2000 a 2022

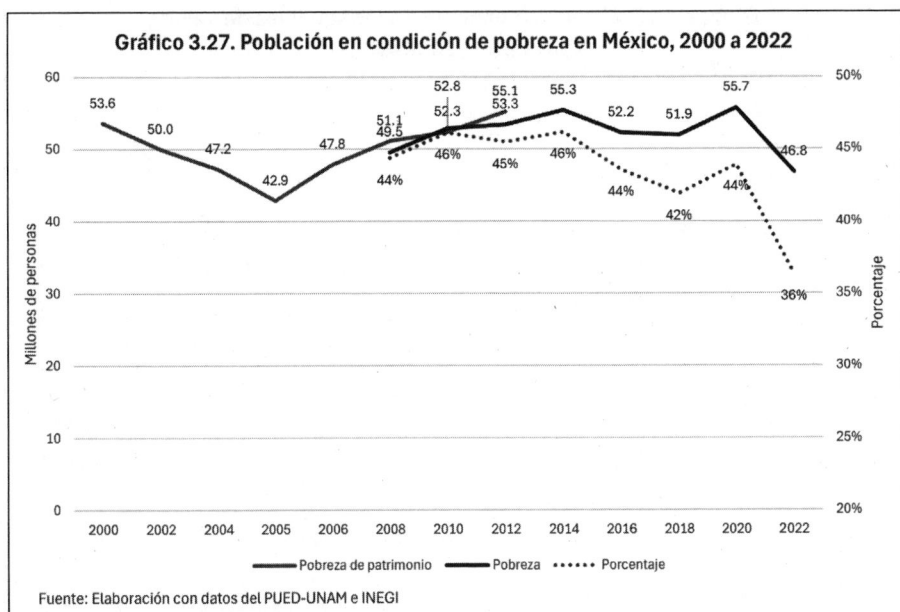

Fuente: Elaboración con datos del PUED-UNAM e INEGI

Por ejemplo, una variable relevante es el acceso a instituciones de salud, que disminuyó de forma drástica a partir de 2018 (gráfica 3.28), si bien la pobreza promedio se redujo. Es una paradoja: por los mejores salarios disminuyó el número de pobres, pero a la vez, decisiones carentes de racionalidad en el área de salud al desaparecer el Seguro Popular en 2019 (Murayama, 2024a) expusieron a la población a un mayor riesgo de enfermedad y muerte, sobre todo a raíz de la pandemia de covid-19, donde México fue uno de los países con peor desempeño.

Como documentó el «Informe de la Comisión Independiente de Investigación sobre la Pandemia de Covid-19» (2024), las muertes en exceso a raíz de la pandemia fueron 808 619. De esos fallecimientos excesivos, casi cuatro de cada diez (37%) se deben a fallas en la gestión gubernamental. Con un manejo responsable, pudieron evitarse 300 000 muertes. Más de 215 000 niños y niñas quedaron huérfanos de padre, madre o de ambos a causa

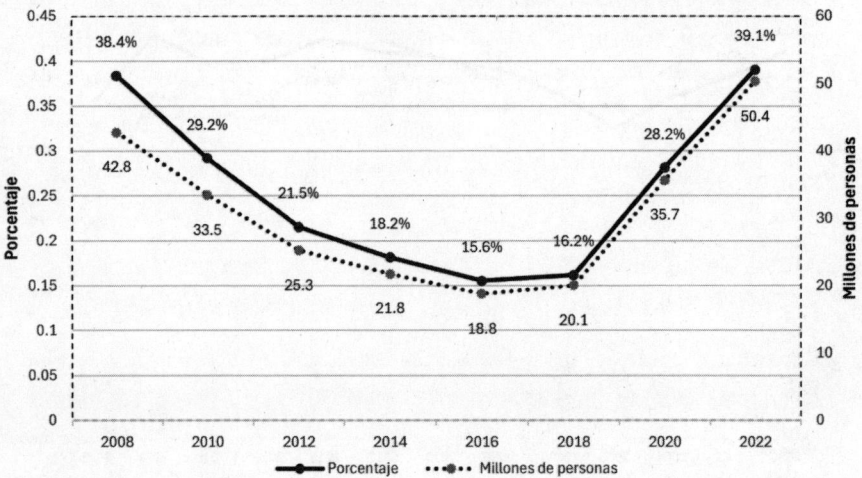

Gráfica 3.28. Carencia por acceso a los servicios de salud en México, 2008-2022

Elaboración propia a partir de datos de CONEVAL.

de la pandemia. Además, 318 100 menores de edad perdieron a la persona que estaba a cargo de su cuidado en el hogar. Un total de 4 843 profesionales de la salud perdieron la vida tratando de salvar la de otros. En ningún otro país la mortalidad del personal de atención a la salud fue tan alta. El informe recuerda que el gobierno mexicano negó la vacunación prioritaria de médicos y enfermeras del sector privado. Como resultado de la pandemia, la esperanza de vida en el país se redujo en cuatro años entre 2019 y 2021. En suma, esos son los resultados de una acción gubernamental, encabezada por Andrés Manuel López Obrador, caracterizada por una profunda negligencia. Además, la Ciudad de México, aunque solo representaba el 7.3% de la población del país, registró el 24% de las muertes en exceso, lo que evidencia también el mal desempeño del gobierno de la capital encabeza-do por Claudia Sheinbaum.

Volviendo a la situación de la pobreza, esta se presenta de forma desigual entre las entidades federativas (gráfica 3.29). En México, si bien el nivel promedio de pobreza en 2022 afectó al 36.5% de la población, en Chiapas lastimó a más de dos de cada tres habitantes (67.4%) y a más de la mitad de la población

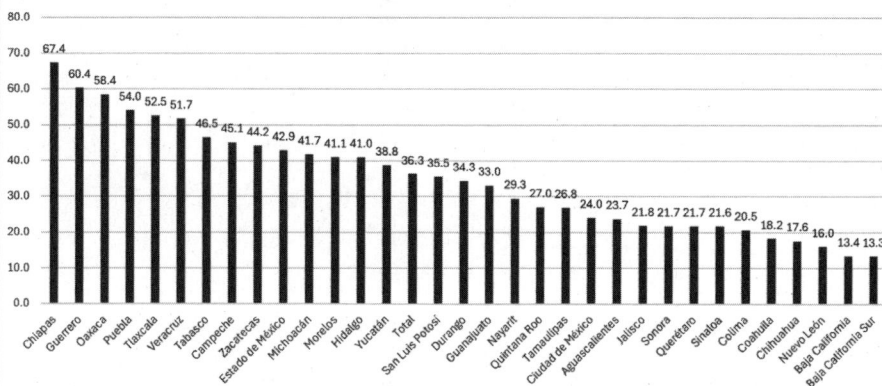

Gráfica 3.29. Pobreza por entidad federativa, 2022

Fuente: CONEVAL

también en Guerrero, Oaxaca, Puebla, Tlaxcala y Veracruz. En el otro extremo, por debajo de una quinta parte de la población en situación de pobreza, están Coahuila, Chihuahua, Nuevo León, Baja California y Baja California Sur. Así que también refleja la profunda desigualdad regional que cruza la geografía mexicana.

Ahora bien, se puede comprobar que, entre menor es el crecimiento de la economía, mayor es el nivel de pobreza. O dicho de otra forma, que la pobreza conspira contra el crecimiento económico a la vez que el crecimiento económico es imprescindible para lograr reducir los niveles de pobreza. La gráfica 3.30 relaciona el nivel de pobreza por cada entidad federativa con el crecimiento de la economía en los últimos veinte años; la pendiente negativa que se presenta muestra que, en efecto, entre más rápido crece la economía, la pobreza resulta menor.

La pobreza sigue siendo masiva y afecta a más de 40 millones de personas, pero las mediciones oficiales muestran que

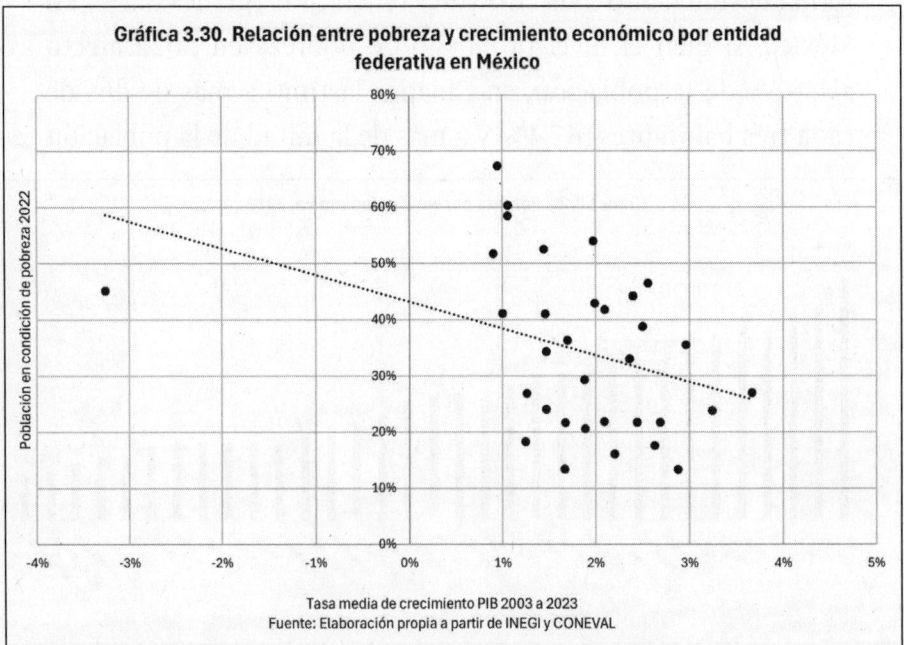

Gráfica 3.30. Relación entre pobreza y crecimiento económico por entidad federativa en México

Tasa media de crecimiento PIB 2003 a 2023
Fuente: Elaboración propia a partir de INEGI y CONEVAL

entre 2018 y 2022 se dio una disminución de 5.1 millones de mexicanos en esa situación, lo que significó una caída del 42 al 36% en el total de la población. Se trata de un avance significativo y es preciso identificar a qué se debió.

Un elemento en el que coinciden distintos análisis como causa de la reducción de la pobreza es la mejoría del salario mínimo. Especialistas en medición e interpretación de la pobreza, adscritos al Programa Universitario de Estudios del Desarrollo (PUED) de la UNAM, encabezados por Fernando Cortés (2023), explican que el grueso de la reducción de la pobreza entre 2018 y 2022 se debe a la mejoría de los ingresos por el trabajo y que, en cambio, es muy tenue la contribución de las transferencias a partir de programas sociales. Esto es así porque las remuneraciones por trabajo representan dos terceras partes del ingreso de las familias (66%).

Por su parte, Gómez y Munguía (2023) estiman que el impacto del incremento del salario mínimo explica tres cuartas partes de la reducción de la pobreza (73%), pues consideran que, de las 5.6 millones de personas en que se redujo la pobreza multidimensional, 4.1 millones lo hicieron gracias al incremento del minisalario. Para estos autores, por cada 10% de aumento del salario mínimo, la pobreza multidimensional se reduce en 3.6 puntos.

Ahora bien, ¿en cuánto contribuyeron los programas sociales a la reducción de la pobreza? De nuevo, Cortés y coautores (2023) señalan que muy poco. Las transferencias representan el 17% del ingreso de los hogares y, de ese porcentaje, los programas sociales del gobierno significan un 16.4% de las transferencias, es decir, apenas el 3% del ingreso corriente total de los hogares. Eso refleja que los programas sociales, en algunos casos muy necesarios y con impactos positivos sobre la población beneficiada, en especial los adultos mayores sin acceso a pensiones contributivas o a otro tipo de ingreso, en realidad poco aportan a la disminución de la pobreza: impiden que un porcentaje de la población caiga en ella, pero no son instrumento de movilidad social como sí lo es el empleo bien remunerado.

Piénsese en las magnitudes: el ingreso por el trabajo representa el 66% del ingreso promedio de los hogares; los programas sociales el 3%, es decir, las remuneraciones son 22 veces el peso de los programas sociales. La reducción de la pobreza se debe a la mejora del empleo, más que a las mayores transferencias del gobierno. Ello también indica la ruta a seguir: solo con más empleo de mayor calidad se erradicará la pobreza, lo que de nuevo nos lleva a la necesidad de que la economía crezca a ritmos mayores que los que ha experimentado a lo largo del siglo.

XLVIII. Jóvenes: exclusión educativa y del empleo formal

El estancamiento de la economía mexicana en tiempos de bono demográfico se ha traducido en una época de escasas oportunidades para los jóvenes que llegan a la edad productiva. Siendo así, México ha condenado a buena parte de sus generaciones jóvenes a la exclusión educativa, a la precariedad y la informalidad laborales e incluso al riesgo de formar parte de la delincuencia. La mala economía no solo ha desaprovechado el bono demográfico, sino que ha sido una suerte de condena para las expectativas de vida de millones de jóvenes.

Veamos a continuación qué ha pasado con las oportunidades de educación y empleo de esas generaciones de mexicanos que han vivido su juventud en lo que va del siglo XXI.

Para hacerse una idea del gran potencial de recursos humanos jóvenes que la demografía le ha dado al país, baste decir que entre el año 2000 y 2023 cumplieron 18 años 52.9 millones de mexicanos, es decir, casi 53 millones de personas se incorporaron a la edad de ciudadanía.

Si se considera como población joven a las cohortes de edad de 15 a 29 años, esa franja fue de los 27.6 millones al iniciar el siglo a los 33.4 en 2023 (gráfica 3.31), lo que implica que uno de cada cuatro mexicanos es joven.

Ahora bien, al cruzar las cifras de población en edad de acudir a la educación media superior y la matrícula de este nivel educativo, se observa que una parte muy importante de los jóvenes mexicanos deserta de la escuela antes de llegar a la mayoría de edad y que la obligatoriedad del bachillerato es más una disposición normativa hueca que una realidad y un derecho. La tabla 3.15 muestra quinquenalmente y hasta 2023 cómo los jóvenes en edad de ir al bachillerato, que tienen entre 15 y 17 años, son un contingente mayor que la matrícula de educación media superior. Si bien se ha dado un descenso en el número de

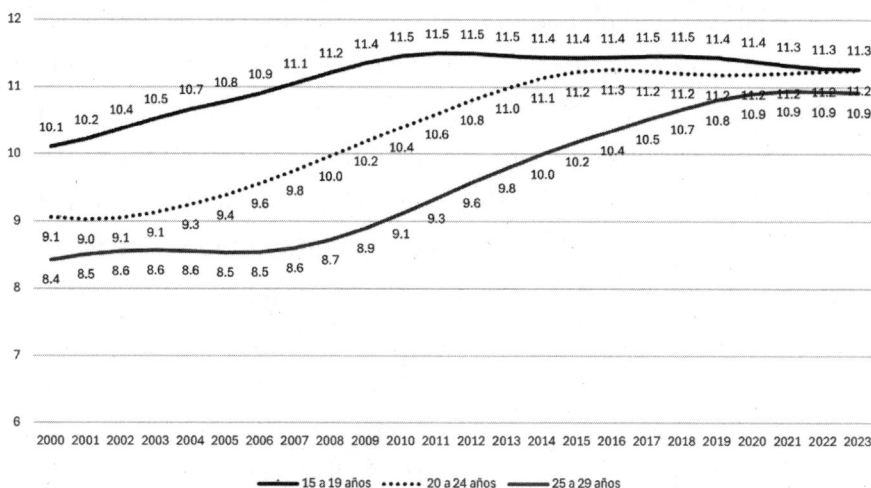

Gráfica 3.31. Población juvenil en México, 2000-2023. Millones de personas

Fuente: Elaboración propia a partir de datos de CONAPO.

Tabla 3.15. Acceso y exclusión a la educación media superior en México				
Año	Jóvenes de 15 a 17 años	Matrícula de educación media superior	Excluidos de la educación media superior	Porcentaje de excluidos
2000	6,241,106	2,955,783	3,285,323	53%
2005	6,602,639	3,658,754	2,943,885	45%
2010	6,945,179	4,187,528	2,757,651	40%
2015	6,882,609	4,985,080	1,897,529	28%
2020	6,796,665	4,985,005	1,811,660	27%
2023	6,779,846	5,103,342	1,676,504	25%
Promedio	6,708,007	4,312,582	2,395,425	36%
Fuente: Elaboración propia a partir de CONAPO y SEP.				

excluidos, en el año más cercano no iba a la escuela uno de cada cuatro muchachos en edad de acudir al bachillerato. Eso quiere decir que su educación se truncó y, con ello, la posibilidad de tocar las puertas de alguna universidad; y también, que difícilmente encontrarán un empleo de buena calidad asociado a la escolaridad obtenida.

El promedio de jóvenes de 15 a 17 años excluidos de la educación en lo que va del siglo es de 36%. Así que antes de llegar a la edad de ciudadanía, uno de cada tres jóvenes ya perdió su contacto con la escuela que es, a la vez, el principal canal de institucionalización para esas franjas de la población. Un joven de cada tres es olvidado por el Estado mexicano como un sujeto con derecho efectivo a la educación. Si se considera la cantidad de personas que llegaron a los 18 años que, como se señalaba, es de 52.9 millones, entonces 19 millones de jóvenes no accedieron a la educación media superior.

Un ejercicio similar puede hacerse respecto a la educación superior. Tomando en cuenta la población de 18 a 22 años —en edad de acudir a estudios superiores de licenciatura— y las cifras oficiales de matrícula de educación superior —que incluyen a los estudiantes de posgrado, es decir, a gente mayor a los 22 años, por lo que la estimación puede estar sesgada en favor de mostrar una mayor cobertura educativa—, se obtiene que, a lo largo del siglo, de 2000 a 2023, se mantiene a más de 7 millones de jóvenes fuera de la educación superior (gráfica 3.32). El porcentaje de los que no lograron llegar a la educación superior va de 4 de cada 5 (78%) en el año 2000 a 2 de cada 3 (64%) en 2023.

Lo dicho: la mayoría de los jóvenes mexicanos no ha logrado siquiera tocar las puertas de una universidad en el siglo XXI. Solo dos de cada tres pisan el bachillerato y solo uno de cada tres, alguna institución de educación superior. Hay más del doble de posibilidades de no alcanzar la educación universitaria que de hacerlo. Esa es la cruda realidad para los jóvenes mexicanos del presente.

Si se considera que, además, el porcentaje de personas de entre 15 y 29 años que han decidido incorporarse a la población económicamente activa es, en su mayoría, excluido de las instituciones de salud por su condición laboral (gráfica 3.33),

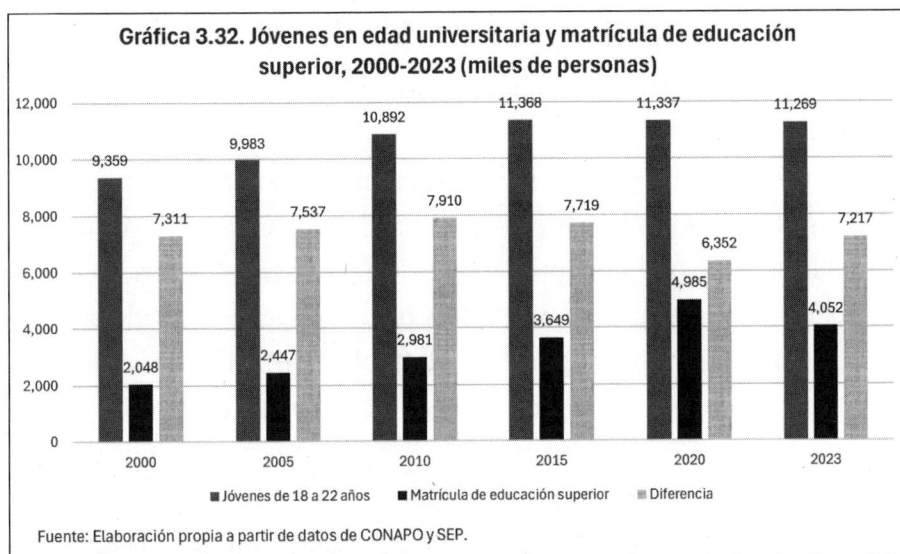

Gráfica 3.32. Jóvenes en edad universitaria y matrícula de educación superior, 2000-2023 (miles de personas)

Fuente: Elaboración propia a partir de datos de CONAPO y SEP.

Gráfica 3.33. Jóvenes trabajadores de 15 a 29 años sin acceso a las instituciones de salud, 2005 a 2023. Miles de personas

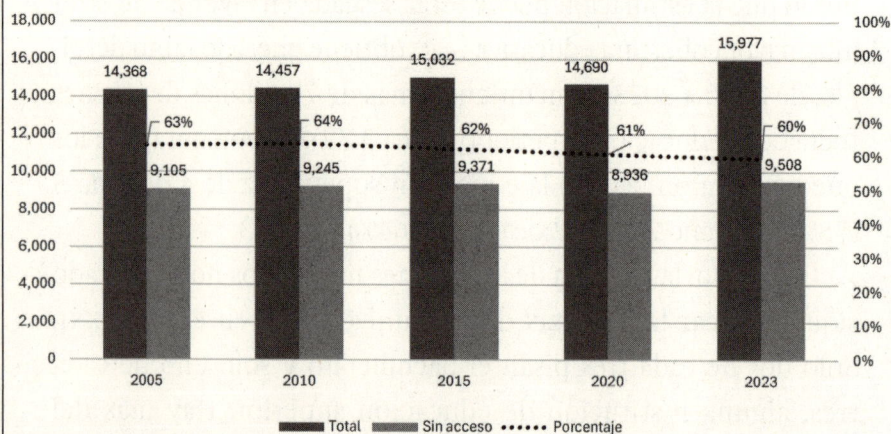

	2005	2010	2015	2020	2023
Total	14,368	14,457	15,032	14,690	15,977
Sin acceso	9,105	9,245	9,371	8,936	9,508
Porcentaje	63%	64%	62%	61%	60%

Fuente: elaboración propia a partir de datos de la ENOE del INEGI

entonces no puede sino concluirse que también en el mundo del trabajo la juventud mexicana ha vivido una época de exclusión y precarización que comprometen su bienestar y su desarrollo. La exclusión educativa y del empleo formal orilla a los jóvenes a una existencia incierta, adversa.

XLIX. El ejército delincuencial de reserva

La cruenta realidad de la juventud en el México del siglo XXI se constata cuando se analizan las cifras de violencia, en especial, los homicidios de personas jóvenes. El demógrafo Carlos Welti Chanes (2024) analiza las muertes por homicidio entre el total de defunciones por grupos de edad (tabla 3.16). Mientras al inicio del siglo los asesinatos al año de personas de entre 15 y 39 años fueron 6.6 mil, dos décadas después se habían triplicado. Para 2006, la violencia venía disminuyendo y eso se reflejaba en que el porcentaje de fallecimientos por homicidio iba a la baja,

Tabla 3.16. Participación porcentual de las defunciones por homicidio en el total de defunciones por grupos de edad y sexo. Hombres (H) y mujeres (M)														
	2000			2006			2012			2018			2023		
	Total	H	M	Total	H	M	Total	H	M	Total	H	M	Total	H	M
15 a 19 años	**13.2**	16.3	6.1	**11.1**	13.2	6.4	**24.7**	29.1	13.4	**27.5**	31.9	15.1	**20.7**	24.9	9.8
20 a 24 años	**15.5**	19.0	5.6	**13.5**	16.5	5.3	**28.7**	33.6	11.7	**33.9**	38.5	16.5	**27.9**	31.4	15.9
25 a 29 años	**17.2**	17.2	4.8	**13.0**	15.9	4.9	**27.7**	32.8	10.6	**32.6**	37.6	14.1	**27.3**	31.4	12.8
30 a 34 años	**11.3**	14.1	3.9	**11.4**	14.3	3.6	**23.1**	28.1	7.8	**28.4**	34.1	10.2	**22.7**	27.0	10.3
35 a 39 años	**8.3**	10.6	2.8	**8.5**	11.0	2.5	**17.0**	21.5	5.4	**22.1**	27.3	7.8	**17.3**	21.4	6.4
Total	6,627			6,234			16,623			22,883			18,836		
Fuente: Welti (2024).															

pero en los años posteriores la epidemia de violencia que estalló en 2007-2008 fracturó la tendencia y generó una espiral ascendente de muertes de la que los jóvenes resultaron ser afectados directos. Si en 2006 poco más de una de cada diez muertes de personas jóvenes se daba por violencia intencional, dos décadas después ya es más de una de cada cuatro muertes.

Otro apunte preocupante que se desprende de los datos de Welti es cómo han aumentado los homicidios de mujeres jóvenes. Si en 2006 uno de cada veinte fallecimientos de mujeres de entre 20 y 29 años era por violencia intencional, para 2018 se habría triplicado el peso de los homicidios como causa de muerte en las mujeres en esas edades.

La presencia del crimen organizado en el territorio mexicano y su impacto en la vida de los jóvenes fueron analizados en la revista *Science* por Rafael Prieto Curiel, Gian María Campedelli y Alejandro Hope (2023), quienes estudian la capacidad de reclutamiento de los carteles del narcotráfico en México. La conclusión de los investigadores fue que 175 mil jóvenes pueden estar integrados a la fuerza de trabajo de los carteles, cantidad superior a la del número de empleados registrados en grandes empresas de la economía formal y legal. Los autores estiman que, para no colapsar, los carteles debieron reclutar cada semana 350 nuevos miembros. Solo en 2021, los carteles habrían incorporado a 19 300 personas, de las que perderían la vida 6 500 en enfrentamientos con bandas rivales y 5 700 por encarcelamiento, con una «ganancia neta» de 7 000 individuos.

El descuido de la educación y el mal desempeño de la economía están en la base de la severa crisis de inseguridad que padece México, una crisis de Estado. Mientras México no crezca ni genere oportunidades de educación y ocupación formal, los vastos contingentes juveniles seguirán corriendo el riesgo, y con ellos toda la sociedad mexicana, de ser —parafraseando el concepto de Carlos Marx sobre el ejército industrial de reserva— un amplio «ejército delincuencial de reserva».

L. Salir de la trampa del neoliberalismo y el populismo

Como se ha argumentado a lo largo de estas páginas, el fracaso económico de México en lo que va del siglo se explica, en primer lugar, por una política económica errada, de la que han sido parte, por igual, gobiernos del PAN, el PRI y Morena. Es hora de abandonar los dogmas que lastiman el bienestar, lastran el crecimiento, abonan al desencanto con la democracia y alientan el populismo autoritario. El principal problema económico de México, su bajo crecimiento, se debe a la renuencia política de incrementar los impuestos: la irresponsabilidad y la demagogia política están en la base del fracaso económico. Así, puede decirse que el mayor problema económico del país tiene un origen político. A la vez, el deterioro del sistema democrático se nutrió del desencanto producido por los magros resultados económicos de dos décadas de vida democrática: el problema político tiene una raíz económica.

Las decisiones políticas inmediatistas, la renuencia a hacerse cargo de los costos de decisiones económicas necesarias —como el aumento de la recaudación fiscal para incrementar la inversión y la calidad de los bienes y servicios públicos— lesionó la marcha de la economía. En una frase: la mala política afectó a la economía y la mala economía afectó a la democracia.

México debe plantearse salir del atraso, del estancamiento y del encono social. En el escenario adverso que vive el país por razones internas y por amenazas externas, solo una nueva política económica surgida del consenso democrático y responsable en favor del progreso colectivo podrá dibujar un horizonte habitable. La población del país y, sobre todo, las nuevas generaciones de mexicanas y mexicanos tienen todo el derecho a una existencia mejor, más digna, próspera y pacífica al fin; ellas y ellos no merecen vivir más bajo el dogma económico neoliberal ni bajo el populismo autoritario que tanto daño han hecho al desempeño del país y a los derechos de su gente.

NOTAS

SEGUNDA PARTE
La frágil democracia: del vasto pluralismo al renacer autoritario

[1] El propio Arnaldo Córdova había advertido cómo el hecho de que el presidencialismo mexicano implicara facultades extraordinarias y permanentes "rompía inevitablemente el equilibrio de los Poderes de la Unión y hacía absolutamente imposible el sistema de contrapesos y balanzas", de forma tal que "el Ejecutivo se impone ilimitadamente, trastocando los principios en que se funda la división de Poderes e imposibilitando el desarrollo democrático del país" (Córdova, 1986).

[2] En el discurso a propósito de su último informe de gobierno, el 1° de septiembre de 2024, el presidente López Obrador desestimó todas las reformas realizadas a partir de 1982 y hasta que él llegó al poder, pues afirmó: «el 5 de febrero de este año presentamos al Congreso 20 reformas constitucionales para restituirle a la Carta Magna el sentido revolucionario y popular que tuvo desde su redacción original en 1917. Estas iniciativas son a todas luces distintas y contrapuestas a las reformas que se aprobaron durante los 36 años del nefasto periodo neoliberal, cuando no se pensaba en beneficiar al pueblo, sino en ajustar el marco legal para facilitar el despojo y la entrega de bienes del pueblo y de la nación a una minoría rapaz».

[3] Para señalar uno de los rasgos del exacerbado presidencialismo mexicano, el propio Salazar (2017: 104) advierte que el artículo 80 de la Constitución no ha sido modificado en dos siglos, pues proviene de la Constitución de 1824 y fue retomado en sus términos por la de 1857, mismo que dice hasta nuestros días: «Se deposita el ejercicio del Supremo Poder Ejecutivo de

la Unión en un solo individuo, que se denominará "Presidente de los Estados Unidos Mexicanos"».

[4] Steven Levitsky y Daniel Ziblatt, en su libro *Cómo mueren las democracias* (2018), explican que: «Las democracias pueden fracasar a manos no ya de generales, sino de líderes electos, de presidentes o primeros ministros que subvierten el proceso mismo que los condujo al poder» (p. 11) y añaden: «La paradoja trágica de la senda electoral hacia el autoritarismo es que los asesinos de la democracia utilizan las propias instituciones de la democracia de manera gradual, sutil e incluso legal para liquidarla» (p. 16).

[5] Disponible en https://www.memoriapoliticademexico.org/Textos/6Revolucion/1977-DIRF-JRH.html.

[6] Véase en Becerra, Salazar y Woldenberg (2000).

[7] Si bien se aprobó la cláusula que permite una sobrerrepresentación de 8 puntos porcentuales, en la discusión de la reforma de 1996 la oposición había propuesto eliminar todo premio en diputaciones a la mayoría: «Los dos partidos de oposición más importantes [PAN y PRD] defendieron fórmulas de construcción del Congreso que reflejaran del modo más exacto posible el porcentaje de votos obtenidos en porcentaje de curules asignado a cada partido» (Becerra, Salazar y Woldenberg, 1997: 205).

[8] En 1997, el PAN obtuvo 121 diputados (24.2%); el PRD, 125 (25%); el PT, 7 (1.4%); y el PVEM, 8 (1.6%). En 1994, el PRI había logrado 300 diputaciones (60%); en 1991, 320 (64%); y en 1988, 260 (51%).

[9] En la tabla 1 el PES aparece como «otros» y tuvo 58 diputados asignados por el principio de mayoría relativa, aunque perdió su registro al no alcanzar el 3% de la votación nacional.

[10] Para conocer a detalle la manera en que las coaliciones electorales dan lugar a que se traspase el límite constitucional de 8% de sobrerrepresentación puede consultarse el texto de mi autoría: "La captura del Congreso por Morena», publicado en *Nexos*, núm. 449, julio de 2019.

[11] En 2018, Morena fue el partido más votado en 220 distritos, pero por el convenio de coalición se contabilizaron 58 de esos triunfos al PES y 56 al PT, que por sí mismos no ganaron distrito alguno. Además, el partido grande «disfrazó» de candidatos ajenos a los propios. En total, Morena trasladó 114 victorias uninominales a sus socios. Como «solo» se le habían contabilizado 106 triunfos de mayoría (21.2%), pudo recibir 85 diputados de representación proporcional (17%). Si se le hubieran contado a Morena los 220 triunfos, y no solo 106, le habrían correspondido 26 plurinominales, 246 en total sin violar el límite de sobrerrepresentación de 8%. El PES no habría tenido

ningún diputado (pues perdió el registro y no ganó un solo distrito) y al PT nada más le habrían correspondido 13 diputados plurinominales. Sin el trasvase de triunfos distritales, en 2018 la coalición del gobierno habría sumado 259 diputados (51.8%), en vez de los 308 (61.6%) que dispuso.

En 2021, Morena, con un respaldo electoral de 38.1%, fue el partido más votado en 180 distritos. Pero con su convenio de coalición trasladó sesenta de esos triunfos distritales al PT (28) y al PVEM (32), solo reconociendo como propios 120 triunfos. Así, Morena pudo recibir más plurinominales. Sin la posibilidad —que la ley permite— de endosar triunfos distritales a los socios menores, la coalición del gobierno se habría quedado con 257 diputados en total y no con los 278 que le fueron asignados.

El análisis detallado de cómo en 2021, gracias a la figura de la coalición, Morena ocultó formalmente triunfos distritales que le correspondían por número de votos ciudadanos para trasladarlos a sus aliados y así tener más diputados plurinominales, puede verse en mi texto: «México: hiper presidencialismo sin partido hegemónico», publicado en 2021 por el Instituto Elcano. Disponible en https://www.realinstitutoelcano.org/analisis/mexico-hiper-presidencialismo-sin-partido-hegemonico/.

[12] Para conocer hasta qué grado se afectaron los procedimientos legislativos aun teniendo mayoría simple en el Congreso durante las Legislaturas LXIV y LXV, véase el texto de Sergio López-Ayllón y Javier Martín Reyes «No me vengan con que la ley es la ley: el Estado de derecho en tiempo del populismo obradorista» (2023).

[13] En el INE, a favor de la sobrerrepresentación votaron la consejera presidenta, Guadalupe Taddei, así como los consejeros Rita Bell, Arturo Castillo, Norma de la Cruz, Uuc-kib Espadas, Carla Humprey y Jorge Montaño; en contra, los consejeros Martín Faz, Dania Ravel, Jaime Rivera y Claudia Zavala.

En la Sala Superior del TEPJF, votaron por conceder la sobrerrepresentación la magistrada presidenta Mónica Soto, y los magistrados Felipe de la Mata, Felipe Fuentes y Reyes Rodríguez. En contra solo votó la magistrada Janine Otálora.

[14] https://animalpolitico.com/elecciones-2024/presidencia/sheinbaum-pide-al-ine-asignar-pluris-conforme-dice-la-constitucion.

[15] Los datos de 2015 fueron obtenidos del acuerdo INE/CG804/2015.

[16] Una crónica de la accidentada sesión y de la manera en que se dieron presiones y hasta amenazas judiciales a los senadores de oposición para dar su respaldo a la reforma del gobierno puede leerse en https://animalpolitico.com/politica/senado-aprueba-reforma-judicial-general.

[17] https://www.proceso.com.mx/nacional/politica/2024/9/12/congresos-locales-consuman-reforma-por-via-rapida-para-que-amlo-la-publique-el-15-de-septiembre-336591.html.

[18] En este apartado retomo datos y argumentos que desarrollé originalmente en dos trabajos previos: Murayama (2020): «Tres décadas de integración parlamentaria: la pluralidad irreversible», *Configuraciones*, núm. 50, septiembre 2019-marzo 2020, y Murayama (2021): «México: híper presidencialismo sin partido hegemónico», en ARI 86/2021 - 21/10/2021 -, Real Instituto Elcano, Documento de Trabajo, España.

[19] El NEP, introducido en 1979 por Markku Laakso y Rein Taagapera, refleja el peso relativo de los partidos políticos en las elecciones y en el Congreso. Al elevar al cuadrado la proporción de votos o escaños, este conteo ponderado asegura que los partidos más grandes (con más votos o escaños) contribuyan al índice en mayor medida que los pequeños.

El NEP se obtiene al sumar el cuadrado de la proporción de votos o asientos de cada partido (Pi), para luego obtener su recíproco. De esta forma, el índice mide el peso relativo de cada partido (si el peso de cada partido fuera el mismo, el NEP coincidiría con el número total de partidos. Si los pesos de los partidos varían, el NEP será menor que el número total):

$$N = \frac{1}{\sum_{i=1}^{n} p_i^2}$$

Así, si un partido tuviera la mitad de la votación, pesaría .25, que es el resultado de elevar .5 al cuadrado. En cambio, un partido más pequeño que obtuviera el 10%, contribuiría con .01 (el resultado de elevar .1 al cuadrado). La comparación de ambos indicadores permite analizar la fragmentación o concentración del sistema de partidos.

Por otra parte, para analizar cómo se refleja la preferencia del electorado en el Congreso, es fundamental conocer la proporcionalidad entre votos y asientos, es decir, la forma en que los votos se traducen en escaños. El indicador más reconocido es el índice de Gallagher (1991):

$$ID = \sqrt{\frac{1}{2} \sum_{i=1}^{n} (V_i - S_i)^2}$$

Este índice parte de la sumatoria del cuadrado de la diferencia entre la proporción de votos (V_i) y la proporción de asientos (S_i) de cada partido (es decir, la resta entre el porcentaje de votos y el porcentaje de asientos obtenidos en el Congreso), para luego dividir dicha suma entre dos y obtener la raíz cuadrada. Su medición abarca de 0 a 100, indicando una mayor despropor-cionalidad (entendida como desviación de la proporcionalidad) entre mayor sea el índice.

Siguiendo la misma lógica que el diseño del NEP, al considerar el cua-drado de la diferencia, pesarán más dentro de la sumatoria aquellos partidos cuya resta entre el porcentaje de votos y de asientos sea mayor. Si hay un partido que, con cierta votación, obtuvo una proporción considerablemente mayor de escaños (o viceversa, dado que se eleva al cuadrado la diferencia y esta siempre será positiva), el índice rescatará esa desproporcionalidad.

[20] En un trabajo previo mostré cuál ha sido la dinámica de nacimiento y extinción de los partidos políticos en México durante las primeras dos dé-cadas del siglo XXI. Véase el capítulo «Nacimiento, muerte y resurrección de partidos políticos» del libro *La democracia a prueba* (2019), pp. 175-199.

[21] Una observación puntual que vale realizar es que tanto en 2018 como en 2024 el NEPa es mayor que el NEPv, es decir, que hubo más partidos re-presentados en la Cámara que los que fueron relevantes en términos de votos ciudadanos, lo cual se explica por el trasvase de triunfos de Morena a sus aliados: en 2018 el PES, que no fue significativo en términos de preferencias electorales e incluso perdió su registro al no alcanzar el 3% de la votación nacional, tuvo más de cinco decenas de diputados que en realidad fueron triunfos distritales que la ciudadanía le otorgó al emblema de Morena en la boleta electoral.

[22] Con 34.4% de los votos, el PAN obtuvo 41.2% de los diputados (una sobrerre-presentación de 6.8 puntos porcentuales); el PRD, con 17.99% de los sufragios, alcanzó el 25.2% de asientos (+7.21 puntos); y el PRI, con 26.34% de la votación, obtuvo 20.8% de los diputados (una subrepresentación de -5.54 puntos).

[23] En este apartado incorporo argumentos que expuse, inicialmente, en el artículo «La captura del Congreso por Morena», publicado en la revista *Nexos* en julio de 2019.

[24] «Recorte y reelección en el Congreso, pide reforma política de Calderón», *La Jornada*, 16 de diciembre de 2009. https://www.jornada.com.mx/2009/12/16/politica/003n1pol.

[25] «Propone Peña Nieto eliminar 32 senadores y 100 diputados», *La Jornada*, 12 de mayo de 2012. https://www.jornada.com.mx/2012/05/18/politica/018n1pol.

[26] «Desaparecer al INE y eliminar los plurinomianales: López Obrador in-siste en su reforma electoral», *El País*, 6 de febrero de 2024. https://elpais.com/mexico/2024-02-06/desaparecer-el-INE-y-eliminar-los-plurinomina-les-lopez-obrador-profundiza-en-su-reforma-electoral.html.

[27] En el documento *100 pasos para la transformación*, distribuido el 1.º de octubre de 2024, Claudia Sheinbaum propone: «La eliminación de 200 diputados federales plurinominales y 64 senadores. De esta forma el Congreso Federal se conformaría por 300 diputados y 64 senadores».

[28] El propio Córdoba Montoya había publicado, en el número de diciembre de 2009, un artículo en *Nexos*, «Para gobernar México», en el que ya proponía: «Eliminar 100 diputados plurinominales y el tope de 8 puntos porcentuales de sobrerrepresentación, e introducir la cláusula de gobernabilidad en la legislatura que corresponde al primer trienio del mandato presidencial». Ese y otros cambios electorales similares, consideraba: «Son la condición necesaria para darle gobernabilidad democrática a las instituciones e iniciar el nuevo ciclo de grandes reformas que exige urgentemente la modernización del país».

[29] La «necesidad» de esas reformas había sido subrayada, unos años antes, por el Fondo Monetario Internacional, que también coincidía en que había un obstáculo «político». Así lo expresó el Fondo en un documento oficial: «Fundamentalmente, se requieren reformas estructurales para lograr una transición a un alto crecimiento. Aunque existe hoy un amplio reconocimiento de la necesidad de las reformas —en el sector de energía y en las telecomunicaciones, en el mercado de trabajo, en el sistema judicial, en el sistema fiscal y en el ambiente regulatorio y de negocios— el estancamiento político ha frustrado la culminación de muchos de los puntos de la agenda de reformas establecida por la administración del presidente Fox» (FMI, 2005: 3). En 2013, el «pacto por México» permitió la aprobación de buena parte de esas reformas. Sin que fuese necesario, hay que añadir, dañar la representación del pluralismo político y sin que las mismas significaran, también es preciso señalarlo, generar una dinámica de crecimiento económico y bienestar en los años subsecuentes, a tal grado que en 2018 se produjo una nueva alternancia en la presidencia en favor de quien se opuso a esa agenda de reformas.

[30] Un ejemplo de esa deliberación para que México considere superar su régimen presidencial es el libro *Equidad social y parlamentarismo*, publicado por el Instituto de Estudios para la Transición Democrática en 2012, bajo la coordinación de Ricardo Becerra.

Cabe añadir que la opción del parlamentarismo ha ocupado, históricamente, un papel marginal dentro de las propuestas de las corrientes políticas mexicanas; un ejemplo remoto es la definición de los representantes zapatistas ante la Convención de Aguascalientes en 1914 «que estaban a favor de un sistema parlamentario de gobierno para México» (Lomelí, 2024: 42), idea que fue retomada en el programa mínimo de dicha convención pero que, ante la derrota militar de sus impulsores, no tuvo impacto alguno en la Constitución de 1917 como, en cambio, sí lo tuvieron las propuestas de corte económico y social de los convencionistas, que finalmente se reflejaron en la Carta Magna que surgió del constituyente de Querétaro (Lomelí, 2024: 59).

[31] https://www.diputados.gob.mx/LeyesBiblio/ref/cpeum_per.htm.

[32] De acuerdo con la encuesta de salida que levantó *El Financiero* el 2 de junio de 2024, el 71% de los electores aprobaba la gestión presidencial de López Obrador y, de ese porcentaje, ocho de cada diez votaron por Sheinbaum. Además, el 58% de los votantes dijo estar a favor de la Cuarta Transformación y, de ellos, el 87% respaldó a la candidata de Morena.

[33] El cúmulo de irregularidades y violaciones a la ley en que incurrieron Morena y el gobierno está explicado y documentado en la publicación *Democratic Integrity: Mexico 2024* (también disponible en español bajo el título *México 2024: Integridad Democrática*) que editó el Centro de Estudios México-Estados Unidos de la Universidad de California, en San Diego. Disponible en https://usmex.ucsd.edu/media-center/democratic-integrity-mexico-2024.html.

[34] Una primera versión de este apartado apareció en la revista *Nexos*, núm. 554, bajo el título «El triunfo de las oposiciones», febrero de 2024.

[35] Campeche, Colima, Durango, Estado de México, Guanajuato e Hidalgo.

[36] Baja California, Ciudad de México, Puebla, Quintana Roo, Tabasco, Tamaulipas y Veracruz.

[37] Aguascalientes, Baja California Sur, Chiapas, Chihuahua, Guerrero, Jalisco, Morelos, Oaxaca, Querétaro, San Luis Potosí, Sinaloa, Sonora y Zacatecas.

[38] Michoacán, Nayarit, Nuevo León, Tlaxcala y Yucatán.

[39] Aguascalientes, Baja California, Campeche, Colima, Chihuahua, Durango, Estado de México, Guanajuato, Hidalgo y Querétaro.

[40] Ciudad de México, Guerrero, Jalisco, Michoacán, Nayarit, Oaxaca, Puebla, Quintana Roo, San Luis Potosí, Sinaloa, Sonora, Tabasco, Tamaulipas, Veracruz, Yucatán y Zacatecas.

[41] Baja California Sur, Chiapas, Morelos, Nuevo León y Tlaxcala.

[42] Hay que restar 19 casos. Se trata de 17 entidades donde gobierna Morena por primera vez y en las que aún no ha vuelto a haber elecciones; Nuevo León, encabezada por Movimiento Ciudadano y donde todavía no ha tocado renovar gobierno; y el caso del gobernador candidato independiente que, como es obvio, no volvió a presentarse a las urnas.

[43] Aguascalientes, Baja California, Chihuahua, Guanajuato, Jalisco, Morelos, Nayarit, Nuevo León y Querétaro.

[44] Tlaxcala y Yucatán.

[45] Baja California Sur, Oaxaca, Puebla, San Luis Potosí, Sinaloa y Sonora.

[46] Durango, Quintana Roo, Tamaulipas y Veracruz.

[47] Aguascalientes, Baja California, Baja California Sur, Chihuahua, Durango, Jalisco, Morelos, Puebla, Querétaro y Yucatán.

[48] Aguascalientes, Chihuahua, Nayarit, Querétaro, Yucatán.

[49] Oaxaca, Quintana Roo, San Luis Potosí, Sinaloa, Sonora, Tamaulipas, Tlaxcala y Veracruz.

[50] Baja California Sur, Chiapas, el Distrito Federal —hoy Ciudad de México—, Tlaxcala y Zacatecas.

[51] Guerrero y Michoacán.

[52] Morelos, Oaxaca —en coalición— y Tabasco.

[53] Aguascalientes, Chihuahua, Durango, Guerrero, Jalisco, Michoacán, Nayarit, Nuevo León, Oaxaca, Querétaro, San Luis Potosí, Sinaloa, Sonora, Tlaxcala, Yucatán y Zacatecas.

[54] Aguascalientes, Chihuahua, Nayarit, Querétaro y Yucatán.

[55] Chiapas, Ciudad de México, Morelos, Tabasco y Veracruz.

[56] Baja California y Puebla.

[57] Baja California Sur, Campeche, Colima, Guerrero, Michoacán, Nayarit, San Luis Potosí, Sinaloa, Sonora, Tlaxcala y Zacatecas.

[58] Hidalgo, Oaxaca, Quintana Roo y Tamaulipas.

[59] El Estado de México.

[60] Yucatán.

[61] Campeche, Colima, Estado de México e Hidalgo.

[62] Baja California, Ciudad de México, Chiapas, Morelos, Puebla, Tabasco y Veracruz.

[63] https://www.diputados.gob.mx/LeyesBiblio/ref/dof/CPEUM_ref_203_09ago12.pdf.

[64] Esto último genera, como un efecto menor, que incluso en años de elecciones la autoridad electoral deba incurrir en un trabajo adicional, con los costos correspondientes para el erario, derivados de la instalación de casillas.

[65] Transitorio tercero de la Constitución Política de los Estados Unidos Mexicanos y artículo quinto de la Ley de Revocación de Mandato.

[66] https://www.dof.gob.mx/nota_detalle.php?codigo=5634259&fecha=02/11/2021#gsc.tab=0.

[67] Este apartado es una versión resumida del artículo «La revocación de mandato en tres episodios» escrito por el autor en coautoría con Lorenzo Córdova en la revista *Configuraciones*, núm. 53, publicado en enero de 2023.

⁶⁸ Acción de Inconstitucionalidad 151/2021

⁶⁹ Votaron por modificar la pregunta: Alfredo Gutiérrez Ortiz Mena, Luis María Aguilar Morales, Jorge Mario Pardo, Norma Lucía Piña, Javier Laynez Potisek, Alberto Pérez Dayán y Margarita Ríos Farjat. Votaron por mantener la pregunta: Loretta Ortiz Ahlf, Juan Luis González Alcántara Carrancá, Yasmín Esquivel Mossa y el ministro Arturo Zaldívar, presidente de la scjn.

⁷⁰ Instituto Nacional Electoral, Informe final detallado y desagregado respecto del proceso de verificación del procentaje de firmas de apoyo de la ciudadanía requerida para la Revocación de Mandato y su identificación en la Lista Nominal de Electores, 29 de enero de 2022. Véase en https://repositoriodocumental.ine.mx/xmlui/bitstream/handle/123456789/126774/CGex202201-31-ip-2.pdf.

⁷¹ Disponible en https://repositoriodocumental.ine.mx/xmlui/bitstream/handle/123456789/133148/CGex202204-10-ap-7.pdf?fbclid=IwAR3e8AvKJ2_Vb09g6l2p4KlWEYtBnzgsrmwmQF2mfqgoXXlxvgvlTNJTinw.

⁷² Instituto Nacional Electoral, Cómputos distritales. Véase en https://computosrm2022.ine.mx/votos-distrito/grafica.

⁷³ La propuesta de reformar la integración del Senado no es nueva. En 2002 argumenté a favor de la proporcionalidad directa y un mismo número de senadores por entidad en el texto «Votos y escaños en el Senado: una revisión de su historia y una propuesta», *Configuraciones*, núm. 8-9, abril-septiembre.

⁷⁴ Baja California, Chiapas, Guerrero, Hidalgo, Oaxaca, Puebla, Quintana Roo, San Luis Potosí, Sinaloa, Tabasco, Tamaulipas, Tlaxcala y Veracruz.

⁷⁵ Campeche, Estado de México, Jalisco, Michoacán, Morelos, Nayarit, Nuevo León, Sonora y Zacatecas.

⁷⁶ En la metodología de IDEA, la categoría de representación incluye los siguientes temas: elecciones creíbles, sufragio efectivo, partidos políticos libres, parlamento eficaz, democracia local y gobierno electo; en la categoría de derechos se engloban: libertades civiles, acceso a la justicia, bienestar básico, igualdad política, libertad de asociación y asambleas, libertad de movimiento, libertad de expresión, libertad de prensa, libertad de religión, igualdad de género e igualdad de grupos sociales; en Estado de derecho: aplicación predecible de la ley, independencia judicial, ausencia de corrupción y seguridad e integridad personal; en participación se contempla: participación electoral, involucramiento cívico y sociedad civil.

⁷⁷ En México, el 23% considera muy mal que el líder gobierne sin contrapeso del Legislativo y del Judicial; 25% lo considera medianamente mal; 43%

opina que sería medianamente bueno; y 7% que sería muy bueno un líder sin contrapesos.

[78] El 19% de la población en México consideraría muy malo un gobierno militar; 21% opina que sería medianamente malo; 44% que sería medianamente bueno; y 14% que sería muy bueno.

[79] Juan Gabriel Vásquez, «El tiempo de la desconfianza», *El País*, 5 de enero de 2025.

TERCERA PARTE
Economía mexicana:
en el largo estancamiento

[1] El PIB per cápita en México, a dólares constantes ajustados al poder de paridad de compra en el año 2000, fue de 17 825 dólares, y de 19 019.8 en 2022. Datos de la OCDE en https://data-explorer.oecd.org/.

[2] En 1970, el producto por persona era de 10 737.6 dólares y en 1980 de 14 935.7 a precios constantes ajustados por el poder de compra.

[3] El PIB per cápita mundial a precios constantes fue de 11 033.6 dólares en 2000 y de 17 254.4 dólares en 2022, así que tuvo un incremento acumulado del 56%, mientras que México solo del 7%. Datos del Programa de Naciones Unidas para el Desarrollo (PNUD), https://hdr.undp.org/data-center/documentation-and-downloads.

[4] Se utiliza en la comparación el PIB per cápita por ser un promedio que da una idea más aproximada de las diferencias de las economías en términos de la disposición de bienes y servicios por habitante, más que de las capacidades productivas de las naciones, pues como señala Casar (2024): «mientras que medidas con tipo de cambio de mercado la economía de Estados Unidos es 18.3 veces más grande que la mexicana, al eliminar las diferencias de precios utilizando los tipos de cambio del poder de paridad de compra, la diferencia de tamaño prácticamente se reduce a la mitad: la economía de Estados Unidos es 9.3 veces mayor que la mexicana».

[5] En el proceso de integración que dio lugar al nacimiento de la Unión Económica y Monetaria en Europa a inicio de los años noventa, se establecieron como criterios de convergencia hacia la moneda única, el euro, los siguientes: finanzas públicas sanas (deuda no mayor al 60% y déficit público no superior al 3% del PIB), tipo de cambio sin fluctuaciones drásticas, precios bajo control (la inflación de cada país no debía estar 1.5% de la registrada por los tres países con menor índice de precios) y estabilidad del tipo de interés (Ruesga y García de la Cruz, 1998).

[6] Es oportuno precisar que, cuando sube el tipo de cambio, el valor de la moneda se deprecia (si se pagan más pesos por dólar, el peso se devalúa); por el contrario, una reducción del tipo de cambio real implica que el peso se fortalece. O, en palabras de Bresser Pereira (2008: 54): «Si consideramos que medimos el tipo de cambio como el precio de la moneda local frente a la moneda de reserva, cuanto más competitiva sea la moneda local mayor será el tipo [se pagan más pesos por dólar]; cuanto más se aprecie [el peso], menor será el tipo de cambio» (traducción propia).

[7] Si se toma como índice 1978=100, la tasa de cambio real en 1981 fue de 78.9 y en 1982 de 118.7 (Ros, 1994: 74).

[8] La cifra exacta es de 89.99% (Nájera y Gutiérrez, 2013).

[9] https://www.banxico.org.mx/Indicadores/consulta2/InstrumentosPDF.

[10] Consultados el 23 de marzo de 2024 en https://data.worldbank.org/indicator/GC.XPN.INTP.RV.ZS?name_desc=false&locations=MX.

[11] Consulta realizada el 23 de marzo de 2024 en https://data.worldbank.org/indicator/GC.XPN.INTP.ZS?name_desc=false.

[12] Los ingresos públicos en Brasil durante 2022 representaron 23.3% del PIB; en Chile, 26.1%; y en Uruguay, 26.1%. En México, 16.7% del PIB, de acuerdo con cifras de la CEPAL, consultadas el 28 de marzo de 2024 en https://statistics.cepal.org/portal/cepalstat/perfil-nacional.html?theme=2&country=chl&lang=es.

[13] Mientras en 1995 el PIB se contrajo en 5.8%, para 1996 creció 5.9% y en 1997 logró aumentar en 7%; si se toma el tipo de cambio de 1995=100, el tipo de cambio real en 1996 fue de 87.9 y el de 1997, de 73.2 (Ros, 2015: 115).

[14] El diario *El Economista* daba cuenta en su primera plana del 9 de abril de 2024: «El peso cierra en 16.33 por dólar, su mejor nivel desde agosto del 2015».

[15] En su trabajo de 2015, Moreno-Brid y Monroy Gómez-Franco, por cierto, analizan distintos episodios de crecimiento acelerado en países de América Latina en función del tipo de cambio. Una de sus conclusiones interesantes «es que los episodios de crecimiento acelerado asociados a una apreciación cambiaria sucedieron en países tradicionalmente asociados a la exportación intensiva de materias primas y agrícolas, mientras que aquellos asociados a una depreciación ocurrieron en economías cuyas exportaciones más vigorosas eran de bienes manufacturados», lo que sugiere que la sobrevaluación de la moneda no estimula el dinamismo de economías que buscan la diversificación de sus exportaciones industriales, como es, o debiera ser, la mexicana.

BIBLIOGRAFÍA

Aguilar Rivera, J. A. (noviembre de 2024). «La imposición legal de la tiranía», *Nexos*, núm. 563.

Báez Rodríguez, F. (2024). *Populismo neoliberal*, Cal y Arena.

Banco de México (2016). «Documento Preparado para la Comisión Consultiva para la Recuperación Gradual y Sostenida de los Salarios Mínimos Generales y Profesionales», Banxico, México. Disponible en: gob.mx/cms/uploads/attachment/file/160220/SalarioMinimo_e_inflacion_1.pdf.

Becerra, R. (2012). *Equidad social y parlamentarismo. Balance de treinta años*, Siglo XXI.

Becerra, R., Salazar, P., y Woldenberg, J. (1997). *La reforma electoral de 1996. Una descripción general*, Fondo de Cultura Económica.

_____, (2000). *La mecánica del cambio político en México. Elecciones, partidos y reformas*, Cal y Arena.

Bobbio, N. (1985). *El futuro de la democracia*, Fondo de Cultura Económica.

Bresser-Pereira, L. C. (2008). «The Dutch Disease and its Neutralization: a Ricardian Approach», *Revista de Economía Política*, vol. 28, núm. 1, pp. 47-71.

Caballero, E. (2012). *Política fiscal e inversión privada en México*, UNAM.

Cámara de Diputados (2023). *El flujo migratorio México-Estados Unidos y la captación interna de remesas familiares*, Cámara de Diputados LXV Legislatura-Subdirección de Análisis Económico.

Camp, R. A. (1995). *Mexican Political Biographies, 1935-1993*, 3.ª ed., University of Texas Press.

Carpizo, J. (1978). *El presidencialismo mexicano*, Siglo XXI.

Casar, J. I. (2008). «Desarrollo, crecimiento y política industrial», en Cabrera, C. J., y Cordera, R. (coords.), *El papel de las ideas y las políticas en el cambio estructural de México*, en *Lecturas del Trimestre Económico*, núm. 99, UNAM-FCE, pp. 496-518.

_____, (2019). «México a 10 años de la Gran Recesión: la persistencia del lento crecimiento y el incremento de la desigualdad», en Cordera Campos, R., y Provencio Durazo, E. (coords.), *A diez años de la gran recesión. Desatres y crecimiento*, PUED-UNAM, pp. 32-61.

_____, (2020). *Hacia una reforma fiscal para el crecimiento y la igualdad*, primera reimpresión, UNAM, México.

_____, (2021). «Más allá de la crisis: sobre la necesidad de una reforma fiscal», en Cordera Campos, R., y Provencio Durazo, E. (coords.), *Coordenadas para el debate del desarrollo*, PUED-UNAM, pp. 238-247.

_____, (2024). «Informalidad y crecimiento económico. Una reflexión a partir del ensayo "¿Qué falló? ¿Qué sigue?" de Luis Felipe López Calva y Santiago Levy», *Economía UNAM*, vol. 21, núm. 61, pp. 132-149.

Casar, M. A., Castañeda, J. G., Córdoba, J., y Woldenberg, J. (abril de 2010). «Casa de diez puertas. Una mesa sobre la reforma política de México», *Nexos*, núm. 388. Disponible en: nexos.com.mx/?p=13573.

Castro Cornejo, R. y Langston, J. (2023). «Actitudes antidemocráticas, la brecha entre ganadores y perdedores y el ascenso de la izquierda en México», *Revista Latinoamericana de Opinión Pública*, vol. 12, núm. 2, pp. 1-26.

Cebollada Gay, M. (2018). *Hacer visible lo invisible. Formalización del trabajo del hogar remunerado en México: una propuesta de política pública*, IIJ-UNAM.

Cipolla, C. (1990). *Historia económica de la población mundial*, Grijalbo.

Conapo (2004). «Envejecimiento de la población en México. Reto del siglo XXI», Secretaría de Gobernación- Consejo Nacional de Población.

García Guerrero, Víctor Manuel (2024). *Proyecciones de la población de México y las entidades federativas 2020-2010*, Secretaría General del Consejo Nacional de Población, México. Disponible en: gob.mx/cms/uploads/attachment/file/1001571/Proyecciones_Poblacion_280525_V2.1.pdf.

Coneval (2023). «Documento de análisis sobre la medición multidimensional de la pobreza, 2022», Consejo Nacional de Evaluación de la Política de Desarrollo Social, México. Disponible en: coneval.org.mx/Medicion/MP/Documents/MMP_2022/Documento_de_analisis_sobre_la_medicion_multidimensional_de_la_pobreza_2022.pdf.

Cordera Campos, R. (2015). «La "Gran Transformación" del Milagro Mexicano. A 20 años del TLCAN: de la adopción a la adaptación», *Problemas del Desarrollo*, vol. 46, núm. 180, pp. 11-25.

Cordera Campos, R. (2023). *Una mirada al desarrollo mexicano*, UNAM-Seminario de Cultura Mexicana.

Cordera Campos, R., y Lomelí Vanegas, L. (2008). *El papel de las ideas y las políticas en el cambio estructural en México*, *Lecturas del Trimestre Económico*, núm. 99, UNAM/FCE.

Cordera Campos, R. y Provencio Durazo, E. (2020). *Cambiar el rumbo: el desarrollo tras la pandemia*, PUED-UNAM.

Córdoba, J. M. (diciembre de 2009). «Para gobernar México», *Nexos*, núm. 384.

Córdova, A. (febrero de 1986). «Nocturno de la democracia mexicana», *Nexos*, núm. 98, pp. 17-26.

_____, (febrero de 2007). «La división de poderes», *Nexos*, núm. 350.

Córdova, L. (2010). «El sistema representativo», en Fix-Zamudio, H., y Valadés, D. (coords.), *Formación y perspectivas del Estado en México*, IIJ-UNAM, pp. 107-126.

_____, (2016a). «Qué es una Constitución», *Configuraciones*, núm. 41, mayo-agosto, pp. 5-17.

_____, (2016b). «Artículo 50. Comentario», en Cámara de Diputados LXIII Legislatura, *Los derechos del pueblo mexicano. México a través de sus constituciones*, Miguel Ángel Porrua-INE-UNAM.

_____, (2024). *La democracia constitucional en riesgo*, Cal y Arena.

Córdova, L., y Murayama, C. (2023). «La revocación de mandato en tres episodios», *Configuraciones*, núm. 53, Instituto de Estudios para la Transición Democrática.

Córdova, L., y Salazar, P. (2008). *Estudios sobre la reforma electoral de 2007. Hacia un nuevo modelo*, Tribunal Electoral del Poder Judicial de la Federación.

Corneluis, W. (1999). «Subnational Politics and Democratization: Tensions between Center and Periphery in Mexican Political System», en Corneluis, W., Eisenstadt, T., y Hindley, J., *Subnational Politics and Democratization in Mexico*, University of California.

Correa, M. (2021). «Reflexiones sobre la productividad en México», en Heath, J. (coord.), *Lecturas en lo que indican los indicadores*, vol. III, INEGI-MIDE.

Cortés, F., Nájera, H., y Valdés, S. (5 de septiembre de 2023). «La caída de la pobreza multidimensional en 2022», *Nexos*. Disponible en: redaccion.nexos.com.mx/la-caida-de-la-pobreza-multidimensional-en-2022.

Esquivel, G. (2021). «Indicadores de desigualdad. Conceptos y evidencia para México», en Heath, J. (coord.), *Lecturas en lo que indican los indicadores*, vol. I, INEGI-MIDE.

Fernández de Castro, R., y Lajous, R. (2024). *Pender de un hilo. Detrás de las negociaciones del T-MEC*, Ariel.

Galor, O. (2012). «The Demographic Transition: Causes and Consequences», Working Paper 17057. Disponible en: nber.org/papers/w17057.

Garza Onofre, J., Lopez Ayllón, S., Luna Plá, I., Martín Reyes, J. y Salazar, P. (3 de octubre de 2020). «Después de la Corte: el futuro de la consulta presidencial», *El Universal*. Disponible en: eluniversal.com.mx/opinion/juan-jesus-garza-e-investigadores/despues-de-la-corte-el-futuro-de-la-consulta-presidencial.

Gerber, J. (2024a). *Border Economies. Cities Bridging the U.S.-Mexico Divide*, Arizona University Press.

_____, (2024b). «Exploring Slow Growth in Mexico», primer borrador, Center for US-Mexican Studies University of California.

Goodhart, Ch., y Pradhan, M. (2020). *The Great Demographic Reversal. Ageing Societies, Waning Inequality, and an Inflation Revival*, Palgrave Switzerland.

González Compeán, M., y Lomelí, L. (2000). *El partido de la revolución. Institución y conflicto (1928-1999)*, FCE.

González Santana, S. R., González Sierra, A. P., y Chickris, A. K. (2018). «La transición demográfica en México», *CULCyT: Cultura Científica y Tecnológica*, vol. 15, núm. 65, pp. 61-74.

Grupo Nuevo Curso de Desarrollo (2009). *México ante la crisis: hacia un nuevo curso de desarrollo*, UNAM.

_____, (2012). *Lineamientos de política para el crecimiento sustentable y la protección social universal*, UNAM.

_____, (2019). *Consideraciones y propuestas sobre la estrategia de desarrollo para México*, UNAM.

Guillen López, T. (2021). *México, nación transterritorial. El desafío del siglo XXI*, UNAM.

Guillén López, T. (2024). «Alineamiento y crudeza: la política migratoria del gobierno de AMLO», en Becerra, R. (coord.), *El daño está hecho. Balance y políticas para la reconstrucción*, Grano de Sal, pp. 93-104.

Guzman, M., Ocampo, J. A., y Stiglitz, J. (2017). «Real Exchange Rate Policies for Economic Development», *National Bureau of Economic Research*, Working Paper 23868. Disponible en: nber. org/papers/w23868.

Hasell, J. (2 de julio de 2023). «Income Inequality Before and Af- ter Taxes: How Much do Countries Redistribute Income?», *Our World in Data*. Disponible en: ourworldindata.org/income- inequality-before-and-after-taxes.

Hernández Laos, E. (2016). «Tendencias recientes del mercado laboral (2005-2015)», *Revista de Economía Mexicana*, núm. 1, UNAM.

Hobolt, S. B., Leeper, T. J., y Tilley, J. (2021). «Divided by the Vote: Affective Polarization in the Wake of the Brexit Referendum», *British Journal of Political Science*, vol. 51, núm. 4, pp. 1 476-1 493. Disponible en: doi:10.1017/S0007123420000125

Ibarra, D. (2011). *La tributación en México*, Facultad de Econo- mía-UNAM.

INEGI (2020). *Encuesta Nacional de Cultura Cívica*, Instituto Nacional de Estadística y Geografía.

_____, (2023). «Estadísticas a propósito del día mundial de la po- blación», Instituto Nacional de Estadística y Geografía, comu- nicado de prensa 395.

IDEA (2023). *El Estado de la democracia en el mundo y las Américas 2023*, International Institut for Democracy and Electoral As- sistance.

Knaul, F., Arreola-Ornelas, H., Touchton, M., McDonald, T., Blofield, M., Ávila Burgos, L., Gómez-Dantés, O., Kuri, P., Martinez-Valle, A., Méndez-Carniado, O., Nargund, S., Porteny, T., Sosa-Rubí, S., Serván-Mori, E., Symes, M., Vargas Enciso, V., y Frenk, J. (2023).

«Setbacks in the Quest for Universal Health Coverage in Mexico: Polarised Politics, Policy Upheaval, and Pandemic Disruption», *Lancet*, vol. 402, núm. 10 403, pp. 731-746. Disponible en: doi.org/10.1016/S0140-6736(23)00777-8.

Lanteri, L. (2015). «Efectos de la enfermedad holandesa ('Dutch disease'). Alguna evidencia para Argentina», *Revista de Economía del Rosario*, vol. 18, núm. 2, pp. 187-209.

Lara Chagoyán, R. (24 de septiembre de 2020). «La Suprema Corte ante la consulta popular: análisis del proyecto de decisión», *Nexos*. Disponible en: eljuegodelacorte.nexos.com.mx/la-suprema-corte-ante-la-consulta-popular-analisis-del-proyecto-de-decision/.

Latinobarómetro (2024). *Informe Latinobarómetro 2024. La democracia resiliente*, Coorporación Latinobarómetro Opinión Pública Latinoamericana. Disponible en: latinobarometro.org/lat.jsp?Idioma=0#latCarousel.

Levy, S., y López Calva, F. (1 de agosto de 2023). «¿Qué falló? ¿Qué sigue? México 1990-2023», *Nexos*. Disponible en: nexos.com.mx/?p=76499.

Levitsky, S., y Ziblatt, D. (2018). *Cómo mueren las democracias*, Ariel.

Lomelí, L. (2024). *Revolución y reconstrucción. La economía política del periodo posrevolucionario, 1917-1938*, Siglo XXI-UNAM.

López-Ayllón, S., y Martín Reyes, J. (2023). «No me vengan con que la ley es la ley: el Estado de derecho en tiempo del populismo obradorista», en Becerra, R. (coord.), *El daño está hecho. Balance y políticas para la reconstrucción*, Grano de Sal, pp. 51-74.

López Gallardo, J. (2016). *Tiempo de cambios. Las últimas tres décadas de la economía mexicana*, Facultad de Economía-UNAM.

Lujambio, A. (2000). *El poder compartido. Un ensayo sobre la democratización mexicana*, Océano.

Marván, M. (2025). *El papel del Poder Legislativo en la democracia mexicana*, IIJ-UNAM.

Merino, M. (2023). *Gato por liebre. La importancia de las palabras en la deliberación pública*, Debate.

Moreno-Brid, J. C., y Monroy Gómez-Franco, L. (2015). «El tipo de cambio real en períodos de crecimiento elevado y persistente: una taxonomía de la experiencia latinoamericana», en Bárcena, A., Prado, A., y Abeles, M. (eds.), *Estructura productiva y política macroeconómica. Enfoques heterodoxos desde América Latina*, CEPAL, pp. 215-244.

Munguía Corella, L., y Gómez Lovera, M. A. (2023). «El impacto del salario mínimo en la pobreza», Comisión Nacional de los Salarios Mínimos. Disponible en: gob.mx/cms/uploads/attachment/file/869359/El_impacto_del_salario_m_nimo_en_la_pobreza.pdf.

Murayama Rendón, C. (2011). «Adquisición de medicamentos en el Seguro Popular: ineficiencia e inequidad», *Gaceta Médica de México*, vol. 147, núm. 6, pp. 497-503.

_____, (2016). «Colombia: la desavenencia por la paz», *Configuraciones*, núm. 42, Instituto de Estudios para la Transición Democrática, pp. 86-89.

_____, (2019). *La democracia a prueba. Elecciones en la era de la posverdad*, Cal y Arena.

_____, (2024a). «Salud: tras el populismo neoliberal, la ruta hacia la protección universal», en Becerra, R. (coord.), *El daño está hecho. Balance y políticas para la reconstrucción*, Grano de Sal, pp. 183-205.

_____, (2024b). «El triunfo de las oposiciones», *Nexos*, núm. 554. Disponible en: nexos.com.mx/?p=77516.

Murayama, C., y Ruesga, S. (coords.) (2016). *Hacia un Sistema Nacional Público de Salud en México*, UNAM-Instituto Belisario Domínguez.

Nájera López, M. D. L., y de Jesús Gutiérrez, R. (2013). «Evolución del tipo de cambio peso mexicano/dólar estadounidense y el uso de derivados financieros», *Análisis Económico*, vol. 28, núm. 67, pp. 153-170.

Narro, J., y Moctezuma, D. (2001). «La transición demográfica en América Latina. Algunas consideraciones sobre el caso mexicano», *Revista mexicana de ciencias políticas y sociales*, vol. 44, núm. 181, pp. 161-179.

Casar, M. A., Castañeda, J. G., Córdoba, J., y Woldenberg, J. (abril de 2010). «Casa de diez puertas. Una mesa sobre la reforma política de México», *Nexos*, núm. 388. Disponible en: nexos.com. mx/?p=13573.

O'Donnell, G., Schmitter, P., y Whitehead, L. (1986). *Transitions from Authoritarian Rule: Comparative perspectives*, Johns Hopkins University Press.

Ordorica, M. (2010). «Las proyecciones de la población hasta la mitad del siglo xx», en García, B., y Ordorica, M. (coords.), *Los grandes problemas de México. Población*, El Colegio de México, pp. 29-53.

Pérez Caldentey, E. (2015). «La incoherencia de la estabilidad: el caso de los modelos de metas de inflación en economías abiertas y sus consecuencias», en Bárcena, A., Prado, A., y Abeles, M. (eds.), *Estructura productiva y política macroeconómica. Enfoques heterodoxos desde América Latina*, CEPAL.

Piketty, T. (2024). *Nature, Culture, and Inequality. A Comparative and Historical Perspective*, Other Press.

Prieto-Curiel, R., Campedelli, G. M., y Hope, A. (2023). «Reducing cartel recruitment is the only way to lower violence in Mexico», *Science*, vol. 381, núm. 6 664, pp. 1 312-1 316.

Programa de Naciones Unidas para el Desarrollo (2004). *La democracia en América Latina. Hacia una democracia de ciudadanas y ciudadanos*, PNUD/Aguilar-Altea-Taurus-Alfaguara.

Przeworski, A. (octubre de 2024). «¿Democracia? ¿Qué es eso?», *Nexos*, núm. 562, octubre. Disponible en: nexos.com.mx/?p=81892.

[La versión original del artículo apareció en *Journal of Democracy*.]

Rawls, J. (1971). *Teoría de la Justicia*, Fondo de Cultura Económica.

Romero Vadillo, J. J. (19 de septiembre de 2024). «En reversa hasta hace seis décadas», *SinEmbargo*. Disponible en: sinembargo. mx/4553499/en-reversa-hasta-hace-seis-decadas/.

Ros, J. (1994). «Mexico in the 1990s: A New Economic Miracle? Some Notes on the Economic and Policy Legacy of the 1980s», en Cook, M. L., Middlebrook, K., y Molinar Horcasitas, J. (eds.), *The Politics of Economic Restructuring*, Center for U.S.-Mexican Studies University of California.

_____, (2015). *¿Cómo salir de la trampa del lento crecimiento y alta desigualdad?*, El Colegio de México-UNAM.

_____, (2019). «Dinámica empresarial disfuncional y productividad estancada: una reseña del nuevo libro de Santiago Levy», *Economía UNAM*, vol. 16, núm. 46, pp. 270-283.

Roser, M. (2014). «Fertility Rate», *Our World In Data*. Disponible en: ourworldindata.org/fertility-rate.

_____, (2023 [2019]). «Demographic transition: Why is rapid population growth a temporary phenomenon?», *Our World In Data*. Disponible en: ourworldindata.org/demographic-transition.

Ruesga, S. (2014). «Unión Europea: el Pacto de Estabilidad», en Calvo Hornero, M. A. (coord.), *Economía mundial y globalización*, Minerva Ediciones, pp. 333-350.

Samaniego, N. (2014). «La participación del trabajo en el ingreso nacional: el regreso a un tema olvidado», *Economía UNAM*, vol. 11, núm. 33, pp. 52-77.

Sánchez Talanquer, M. (2021). «La recesión democrática como un problema de estatalidad», en Cordera, R., y Provencio, E. (coords.), *Coordenadas para el desarrollo*, PUED-UNAM.

Sedeco (2014). *Política de recuperación del salario mínimo en México y en el Distrito Federal. Propuesta para un acuerdo*, Secretaría de Desarrollo Económico. Disponible en: servidoresx3.finanzas. cdmx.gob.mx/documentos/politica_de_recuperacion.pdf.

Tello, C. (2014). *La política económica de las finanzas públicas: México 1917-2014*, UNAM.

Economist Intelligence Unit (2022). «Democracy Index 2021. The China Challenge», *The Economist*. Disponible en: https://www. eiu.com/n/campaigns/democracy-index-2021.

_____,(2024).«DemocracyIndex2023.AgeofConflict»,*TheEconomist*. Disponible en: eiu.com/n/campaigns/democracy-index-2023/.

United Nations (2022). «World Population Prospects», *Our World in Data*. Disponible en: ourworldindata.org/fertility-rate.

Urquidi, V. (1994). «The Outlook for Mexican Economic Development in the 1990s», en Cook, M. L., Middlebrook, K., y Molinar Horcasitas, J. (eds.), *The Politics of Economic Restructuring*, Center for U.S.-Mexican Studies University of California.

Vázquez Maggio, L., y Domínguez Villalobos, L. (2023). *Me voy porque me voy. Historias de profesionistas mexicanos en Estados Unidos*, Turner Noema-UNAM.

Vivanco Lira, M. (octubre de 2020). «La Suprema Corte y la constitucionalidad de la consulta popular: ¿Qué tan grave es esta decisión?», *Nexos*. Disponible en: eljuegodelacorte.nexos.com. mx/la-suprema-corte-y-la-constitucionalidad-de-la-consulta-popular-que-tan-grave-es-esta-decision/.

Walp, Y. (2022). *La democracia directa (no) puede ser el problema: ni "participacionismo improductivo" ni "partidocracia"*, Instituto Nacional Electoral.

Welti, C. (octubre de 2024). «Población, desarrollo y políticas de población. Una visión crítica a 50 años del Consejo Nacional de Población en México», conferencia en el Seminario Universitario de la Cuestión Social (SUCS), UNAM. Disponible en: youtube. com/watch?v=mYm9zdJGrFc.

Wike, R., Fetterolf, J., Smerkovich, M., Austin, S., Gubbala, S., y Lippert, J. (28 de febrero de 2024). *Representative Democracy Remains a Popular Ideal, but People Around the World Are Critical of How It's Working, en Pew Research Center*. Disponible en: pewresearch. org/global/2024/02/28/representative-democracy-remains-a-popular-ideal-but-people-around-the-world-are-critical-of-how-its-working/.

Woldenberg, J. (2012). *Historia mínima de la transición democrática en México*, El Colegio de México.

_____, (2019). *En defensa de la democracia*, Cal y Arena.

Zovatto, D. (2015). «Las instituciones de la democracia directa», *Revista de Derecho Electoral*, núm. 20, pp. 34-75.

AGRADECIMIENTOS

Como profesor en la Facultad de Economía de la Universidad
Nacional Autónoma de México he tenido la oportunidad de
estudiar y discutir, con colegas, profesores y alumnos, los problemas estructurales que dañan el desempeño económico del
país, pero también de analizar y problematizar las decisiones
de política económica adoptadas durante las últimas décadas,
así como de entrar al terreno de la teoría y de las ideas económicas. Mis observaciones en estas páginas, en buena medida,
quieren ser un tributo a mis maestros de economía, a los que me
formaron, a algunos que ya no están, y a otros de los que sigo
teniendo el privilegio de leer, conversar y aprender. Esos maestros tienen en común la virtud de ser economistas políticos, es
decir, economistas no ajenos al devenir de los cambios sociales y
con sensibilidad política; no se trata de académicos de cubículo,
sino de intelectuales cuya disciplina principal es la economía.
Menciono, a riesgo de ser excluyente, a algunos de ellos: Emilio
Caballero, José Casar, Rolando Cordera, Fernando Cortés, David
Ibarra, Leonardo Lomelí, Julio López, Enrique Provencio, Jaime
Ros, Norma Samaniego, Carlos Tello Macías y, por supuesto, a
Teresa Rendón.

Además, tuve el privilegio de trabajar en dos etapas en el
Instituto Federal Electoral (entre 1999 y 2003), luego Instituto
Nacional Electoral (de 2014 a 2023), una de las instituciones

fundamentales para la construcción democrática de México y un mirador privilegiado de la vida político-electoral del país. Ello me permitió, desde los albores del actual siglo, dar seguimiento al caudal de novedades y cambios democráticos que se fue dando en México después de años de lucha política contra el autoritarismo y en favor de las libertades. Me tocó, a partir de 2019 y hasta 2023, vivir como consejero electoral del INE el ataque a su autonomía y profesionalismo desde el gobierno, lo que alertó aún más mi inquietud por los riesgos de fragilidad y colapso de la democracia. La parte de análisis político que se presenta en las páginas de este libro nada tiene que ver con una memoria personal; al contrario, es una lectura de los grandes procesos políticos del país, de sus aciertos, de sus insuficiencias, de lo que es preciso corregir y de lo que no se debe perder o hay que reestablecer, como el equilibrio de poderes y el poder acotado, sin el cual no hay democracia.

Desde la última década del siglo pasado formo parte del Instituto de Estudios de la Transición Democrática. Ahí, un sábado al mes, me reúno con amigos y camaradas para discutir los avatares del devenir político de México. Las reflexiones de estas páginas se han nutrido de las ideas de esos compañeros, entre ellos: Ricardo Becerra, Lorenzo Córdova, Luis Emilio Giménez Cacho, Gilberto Guevara Niebla, María Marván, Jacqueline Peschard, Raúl Trejo Delarbre y, en especial, José Woldenberg.

El libro fue escrito entre la segunda mitad de 2023 y todo 2024, cuando me reincorporé como profesor de tiempo completo a la Facultad de Economía de la UNAM, institución a la que, además de mi formación, le debo la oportunidad para escribir estas páginas. La redacción inicial comenzó durante una estancia sabática en el Centro de Estudios México-Estados Unidos de la Universidad de California, en San Diego; entre enero y junio de 2024, conté con el respaldo del Programa de Apoyos para la Superación del Personal Académico (PASPA) de la Dirección General de Asuntos del Personal Académico (DGAPA) de la UNAM, por lo que hago patente mi agradecimiento.

En el tiempo que escribí estas páginas tuve el respaldo y cariño, como tantas veces a lo largo de los años, de Marta, mi esposa, a quien le debo la energía y la paz que me hacen seguir adelante cada día.

Gabriel Sandoval y el serio equipo editorial de Grupo Planeta han sido generosos al abrir sus puertas para que estas páginas lleguen al público lector. A todos ellos, mi profunda gratitud.

Por supuesto, todas las personas e instituciones aquí mencionadas son ajenas a los errores que esta obra pueda tener; en ellos, mi autoría y responsabilidad son intransferibles.

San Diego, California-Coyoacán, Ciudad de México,
febrero de 2025.